Le cri de l'engoulevent

du même auteur
chez le même éditeur

La terre peut bien se fissurer (2007)
Le cercueil de pierre (2008)
La princesse du Burundi (2009)

Kjell Eriksson

Le cri de l'engoulevent

Traduit du suédois par Philippe Bouquet

roman

GAÏA ÉDITIONS

Gaïa Éditions
82, rue de la Paix
40380 Montfort-en-Chalosse
téléphone : 05 58 97 73 26

contact@gaia-editions.com
www.gaia-editions.com

Titre original :
Nattskärran

Illustration de couverture :
© Plainpicture / Arcangel / Hayden Verry

ISBN 13 : 978-2-84720-177-2

Chapitre 1
Samedi 10 mai, 01 h 26

« Si j'étais arrivé quelques secondes plus tôt, cela ne serait peut-être pas arrivé. Tout aurait été comme d'habitude. Pas parfait, mais comme d'habitude. »

« Nul n'échappe à son destin », disait toujours mon grand-père. C'est vrai ? Est-ce que ce serait quand même arrivé, ailleurs, à un autre moment ? Devait-il mourir, ce type ? Car il était sans doute mort. Nul ne peut survivre à des blessures pareilles.

Ali ne pourrait jamais oublier cela, le grand geste avec la chaise, le choc contre la tête et le sang giclant sur le journal. Il était mêlé à cet événement, à ses grands aspects comme aux petits, qui avaient eu cette horreur pour résultat.

« Si j'étais arrivé quelques secondes plus tôt. Tout aurait été comme d'habitude, alors. Pas parfait, mais comme d'habitude. » Cette pensée ne cessait de revenir.

La chaise gisait sur le sol, près du corps. Une chaise. Ali trouvait cela dérisoire, d'une certaine façon, qu'un objet aussi banal puisse causer la mort. Il avait l'impression de sentir le premier coup comme s'il avait été porté contre sa propre tête et il en éprouvait la douleur. Puis était survenu le second, encore plus violent peut-être, et Ali avait rentré inconsciemment les épaules. Un troisième coup, enfin, et tout était terminé. Le corps était déjà inerte, mais agité de soubresauts, sous la violence du choc au front. C'était ainsi qu'il se représentait le déroulement des événements.

Puis il s'enfuit en courant. Comme tous les autres, qui hurlaient d'excitation. Au loin, il entendait des cris et des appels, sans doute aussi des sirènes. Tous couraient en criant de joie et de peur. Ali, lui, pleurait. Il sentit du verre crisser sous ses pieds, trébucha, se releva sans percevoir de douleur à l'endroit où le tesson avait pénétré dans sa main mais en voyant le sang couler. Et il se mit à vomir.

Il courait pour échapper à sa complicité, or celle-ci lui collait pour toujours à la peau, de même que ses yeux étaient enfoncés dans leur orbite. Des yeux qui en avaient trop vu.

« Nous vivons tous au contact de la mort », disait toujours le grand-père. Il était bien placé pour savoir, lui qui en avait tellement vu. Ali savait qu'il pensait à ses deux fils, ses oncles maternels à lui. Chaque jour qui passait, il parlait à voix basse, marmonnant des prières, pleurant sans verser de larmes et riant avec des yeux embués de chagrin.

« N'aie pas peur de la mort, disait-il. C'est notre destin de mourir. »

Ali savait que son grand-père mentait. Au début, il s'était laissé prendre et les mots s'étaient changés en conte sur un pays qu'il n'avait pas connu, sur une famille qui comptait tant de morts qu'il trouvait étonnant que son grand-père soit encore en vie et de l'être lui aussi. Il avait peur, également. Car, si chacun mourait très vite l'un après l'autre, à un âge précoce, en plein cœur de l'existence, alors sa propre vie ne tenait qu'à un fil.

Mais, plus il vieillissait, plus il voyait clair. Le grand-père disait une chose et son être en exprimait une autre. Le corps ne peut mentir et ses petits gestes le trahissaient.

Ali ne méprisait pas ce mensonge, au contraire, il le fit sien au point d'y voir l'histoire de sa famille, de ces gens courageux qui résistaient à la mort contre vents et marées. Il se sentait de plus en plus proche de son grand-père et était décidé à vivre de façon à ce qu'il soit fier de son petit-fils et à atténuer sa souffrance. Au fond de lui, il nourrissait aussi l'espoir que ce soit lui, Ali, qui mette fin à la fatalité. Il serait le héros de ce conte, orgueil mais aussi malédiction de sa famille, et défierait le destin. « Je vais leur montrer, se disait-il à voix basse. Tu verras, grand-père, et vous aussi, tous les morts qui me regardez. »

Quand il se retourna, tout était terminé. La rue déserte. Près du pont, quelqu'un criait avec la voix d'un guerrier et quelqu'un d'autre gesticulait, mais Ali ne voulait ni entendre ni voir.

Sa mobylette était toujours à l'endroit où il l'avait laissé, ce qui le surprit, d'une certaine façon. Sa bonne vieille mob. Lorsqu'il l'avait attachée à ce poteau au moyen de son antivol, il ne s'était encore rien passé.

Il porta une série de coups rapides dans le vide, à la manière d'un boxeur, puis une seconde et ensuite, une fois baissée la garde de l'adversaire invisible, un gauche à la mâchoire. C'était ainsi qu'il aurait fait, s'il était arrivé une demi-minute plus tôt. Chacun disait qu'il avait un bon gauche. Et encore une série.

Il mit le moteur en marche et ce bruit-là aussi le surprit. Autour de lui, le silence régnait. C'était un matin de mai et son grand-père avait dit la veille au soir que, ce jour-là, il entamerait ses voyages. Il allait se lever, boire son thé, mettre son manteau, prendre sa canne et, après avoir échangé quelques mots avec Ali et lui avoir souhaité une bonne journée, regagner les plaines de Lar – mais sous la forme de la campagne autour d'Uppsala.

« Je veux rentrer au pays », marmonna Ali en persan.

Soudain, il fut pris d'un doute. Et s'il était encore vivant, ce type ? Il paraissait certes mort, mais peut-être avait-il seulement perdu conscience ? Il lui vint l'idée de revenir à la boutique en courant. « Je ne peux pas prendre ma mob, ça abîmerait les pneus. » Il descendit de son vélomoteur et son corps fut aussitôt pris de tremblements et de convulsions, sous le coup de la nausée et de renvois de chips et de coca-cola. Finalement, il ne resta plus qu'une masse verdâtre qui lui brûlait la gorge.

Chapitre 2
Samedi 10 mai, 06 h 45

Stupéfait, le livreur de journaux s'arrêta pour contempler le désastre. Il se remémora le fracas des tramways et les coups de sifflet frénétiques de l'agent réglant la circulation dans l'avenue du maréchal Tito, ainsi que le violent échange de coups de feu qui avait éclaté à l'arrivée du car à la gare routière. Le bruit de verre brisé. Les murs noircis de la vieille caserne, criblés d'impacts de balles ennemies ou amies – car nul ne savait plus d'où venaient les tirs. Les morceaux de verre qui voltigeaient comme des confettis, les cris des gens qui appelaient leurs proches, le caddy renversé et cet oignon jaune qui roulait sur la chaussée. C'était surtout de cela qu'il se souvenait : les cris et l'oignon jaune ne cessant de courir sur ces pavés usés.

Martin Nilsson, dont la fille avait échappé de peu à la mort lors de l'attentat de Bali, s'arrêta brusquement, juste avant Nybron. Au spectacle de désolation de Drottninggatan, il eut l'impression de revivre ce matin d'octobre de l'automne précédent à la manière d'un coup de poing dans le ventre.

– Lina, murmura-t-il. Elle vit. Elle dort dans son lit. Je vais rentrer la réveiller.

Devant la banque, les agents de police avaient l'air perplexes. Martin Nilsson descendit de voiture et l'un d'entre eux leva les yeux vers lui.

– Qu'est-ce qui s'est passé ?

– Vous le voyez bien, grommela l'agent.

– C'est une bombe ?

– Dégagez, dit l'agent.

Martin Nilsson s'attarda quelques instants, en secouant la tête, avant de remonter dans sa voiture. Sur la radio de bord, il entendit demander un taxi à Trädgårdsgatan. Il aurait pu y être en une demi-minute mais, toujours sous le coup de ce souvenir du mois d'octobre, il ne répondit pas à l'appel. Il avait failli parler de Lina aux policiers, leur confier qu'elle l'avait échappé belle. La mauvaise humeur de l'agent l'avait cependant incité à y renoncer et, au fur et à mesure qu'il avançait, l'image d'une ville dévastée s'imposait de plus en plus à lui. Sur le pont étaient placés des plots de sécurité.

Un livreur de journaux se tenait devant chez Bergman, le marchand de vêtements de confection, dont la vitrine était brisée. Des costumes avaient été sortis sur le trottoir et un mannequin gisait sur le sol. L'homme se baissa pour le saisir et Martin eut l'impression qu'il serrait cette forme couleur crème comme un être de chair et de sang. Le mannequin, lui, regardait Martin de ses yeux aveugles, par-dessus l'épaule de celui qui le tenait dans ses bras.

Il aurait dû s'arrêter pour consoler cet homme, mais il continua lentement son chemin. « Ce n'est pas vrai », se dit-il. Le bruit du verre brisé sous les pneus de sa voiture prouvait hélas le contraire. Tout était saccagé, rien n'avait échappé à la fureur destructrice. « C'est ma ville, violée, profanée, marmonna-t-il. C'est la guerre. »

Il prit le micro et accepta la course qui venait d'être proposée. Un panneau de signalisation avait été jeté dans la vitrine de l'Ekocafé. « C'est là que se trouve le cabinet de mon dentiste », pensa Martin en fixant des yeux la porte d'entrée comme si c'était la première fois qu'il la voyait et, soudain, il perçut l'odeur des gants du praticien.

Le client était un homme d'âge mûr. Martin Nilsson hésita un instant et regarda sa montre.

– Je suis pressé, dit l'homme.

Il portait un chapeau à large bord enfoncé de telle façon qu'on avait du mal à voir son visage.

– Je ne savais pas que c'était pour Arlanda*, dit Martin. J'ai bientôt terminé mon service.

– Je vous dis de faire vite, répéta le client.

Martin Nilsson eut l'impression de reconnaître sa voix.

– J'appelle une autre voiture, dit-il. Il y en a pour une minute. Il est à quelle heure, votre avion ?

– Ça ne vous regarde pas. J'ai demandé un taxi et vous êtes là, un point c'est tout.

* L'aéroport international de Stockholm, situé en fait assez près d'Uppsala. (*Toutes les notes sont du traducteur.*)

–Y a un problème ? demanda Agnes, au bout du fil.

– Non, mais c'est pour Arlanda et j'ai bientôt fini mon service. Je dois rentrer chez moi pour m'occuper de Lina.

– C'est un scandale, s'écria l'homme, sur le trottoir.

Martin le regarda, prit sa respiration pour répondre, mais se contenta d'un geste de dénégation de la main.

L'homme le dévisageait comme s'il était un extraterrestre. Martin releva la vitre latérale et partit. Il alluma la radio et la voix de Solomon Burke envahit l'habitacle.

Près de la pâtisserie Fågelsången, un adolescent était en train de vomir, penché sur le guidon de son vélomoteur. Il leva rapidement les yeux au passage de Martin et le regard qu'il lui adressa le fit penser à celui du mannequin du magasin de confection. Le vide de la frayeur. Avant de tourner à gauche, il le vit du coin de l'œil s'appuyer des deux mains contre la façade de la maison.

Il aborda un peu trop vite le virage de Svandammen et la voiture dérapa légèrement. Sur Islandsbron, un homme penché sur le parapet observait la rivière. Quelque chose dans sa silhouette recroquevillée, qui semblait chercher un objet qu'il avait laissé tomber dans l'eau, l'incita à s'arrêter. Le jeune – car Martin se rendait maintenant compte qu'il ne pouvait être bien vieux – secouait la tête et remuait les lèvres. On aurait dit qu'il jurait en direction des flots. Soudain, il se redressa, comme sous le coup d'une violente décharge, son regard se porta au loin, se leva vers le ciel et finit par se poser de nouveau sur la rivière sans la voir.

Martin descendit de voiture en se demandant s'il devait lui adresser la parole et, si oui, de quelle façon. « Ça ne te regarde pas », pensa-t-il, sachant qu'il ne pouvait s'en aller sans rien dire.

– Ça va ?

L'autre se retourna lentement, regarda Martin et hocha la tête. Il avait pleuré.

–Tu veux que je te ramène chez toi ?

–Je n'ai pas d'argent.

– Gratuitement, dit Martin en regrettant aussitôt ses paroles. Dans quoi se lançait-il ? Il risquait de se voir infliger le récit d'une longue et triste histoire, voire que sa voiture soit souillée de vomissures, même si le passager n'avait pas l'air d'être ivre, mais on ne savait jamais.

– Où habites-tu ?

– À Svartbäcken.

– Monte, dit Martin, j'ai terminé mon service mais je vais dans cette direction, de toute façon.

Le jeune le regarda quelques instants sans savoir quoi penser, avant de se décider à monter.

– C'est sympa, dit-il.

Il avait une vingtaine d'années, portait un bonnet de laine à oreillettes et sentait la sueur. Il était vêtu d'un simple T-shirt mais avait posé sa veste sur ses genoux. Martin lui lança un coup d'œil.

– T'as vu le spectacle, en ville ?

– Quoi ?

– Il y a des cinglés qui ont brisé un tas de vitrines. On dirait qu'on a lâché une bombe.

– J'étais chez une fille.

– Ah ah, dit Martin.

– Elle m'a largué.

– Oh zut.

– Ça vaut peut-être mieux. On n'était pas faits l'un pour l'autre.

– C'est ce qu'elle t'a dit ?

Pour la première fois, le jeune homme eut un sourire, mais son regard ne trahissait pas la moindre joie.

– Comment t'appelles-tu ?

– Sebastian, enfin je veux dire : Marcus.

– Tu ne sais plus comment tu t'appelles ?

– Marcus.

– Ça faisait longtemps que vous étiez ensemble ?

La réponse se fit attendre jusqu'à Kungsgatan.

– Trois ans.

– Tant que ça, dit Martin.

Marcus s'enflamma soudain et se tourna vers le chauffeur en posant la main sur le tableau de bord.

– Elle a d'abord dit qu'elle ne voulait plus. Et ensuite qu'elle désirait faire un *break*. Qu'elle m'aimait mais qu'elle désirait réfléchir.

– C'est une raison qui en vaut une autre, philosopha Martin.

Il n'appréciait pas que Marcus touche à sa voiture, tout en étant très heureux d'avoir quelqu'un avec qui parler.

– Elle m'aime pourtant, je le sais.

– C'est ce qu'on se dit toujours, reprit Martin, impitoyable, en regardant son passager d'un air qui se voulait bonasse.

Celui-ci se cala sur son siège avec un soupir.

– Elle a peut-être besoin de réfléchir, en effet, tenta de dire Martin, au moment où ils arrivaient à Luthagsleden.

– Elle fait que ça, réfléchir.

– Je suis seul, moi aussi, dit Martin, même si j'ai une fille, Lina. Elle a dix-huit ans.

– Le pire, c'est qu'elle a un autre copain. Je l'ai compris seulement cette nuit, malheureusement.

– Elle n'est pas très sûre d'elle, alors.

– Ce serait chouette de continuer sur la E4, dit Marcus, et de fiche le camp vers le nord.

– Moi, je préférerais partir vers le sud.

– Ce serait chouette de fiche le camp, répéta Marcus.

– Où habites-tu ?

– Là-bas, après le carrefour.

Martin Nilsson freina, après avoir regardé dans le rétroviseur.

– On peut prendre une tasse de café, si tu veux, dit-il. Je ne me couche jamais immédiatement, quand j'ai été de service de nuit. J'habite à quelques pâtés de maisons d'ici. C'est un peu plus vers le nord, si ça peut te faire plaisir.

Marcus lança un rapide regard au chauffeur.

– Je suis pas pédé, ajouta Martin en riant.

– J'ai jamais cru ça. Bon, d'accord pour un café.

Chapitre 3
Samedi 10 mai, 07 h 50

On frappa à la porte et Riis passa la tête.

– Vous avez entendu ? C'est le cirque, en ville.

Ottosson hocha la tête.

– Comment ça ? demanda Ann Lindell.

– Une bande de voyous a cassé toutes les vitrines du centre, dit Haver à voix basse.

– Comment sait-on que c'est une bande ? fit Sammy.

– J'ai du mal à croire qu'une seule personne puisse briser une centaine de vitrines, répliqua Haver.

– Si on prenait une tasse de café, avant de se mettre au boulot, suggéra Ottosson.

– On part en ville, trancha Lindell en regardant Haver. Berglund et Fredriksson, vous prenez votre voiture.

Elle lança un regard à Ottosson, qui avait l'air perplexe. Il s'était fait une joie à l'idée d'un paisible moment passé en commun, devant une tasse de café et des viennoiseries achetées le matin. À ce stade, l'affaire n'était pas du ressort de la brigade criminelle, en fait, et il n'avait pas entièrement tort de voir dans la précipitation dont Lindell faisait preuve une façon d'échapper à cet intermède.

– On prendra le café ensuite, lui dit-elle en entourant son large dos de ses bras.

Le patron hocha la tête.

– Quelle pitié de commencer la journée de cette façon-là, se contenta-t-il de regretter.

– On ne demandait que ça, nous, pas vrai, Ann ? lança Berglund.

Samedi 10 mai. Hôtel de police d'Uppsala, quatrième ville du pays. Dix viennoiseries. Sept inspecteurs de police. Pendant quelques instants, le silence régna dans la salle de réunion et on put percevoir une vague odeur de café.

Dix minutes plus tard, la pièce était vide. Fredriksson fut le premier à s'en aller. Il pensait à un documentaire sur le Kamchatka dont il n'avait pu voir que la moitié et dont il allait manquer la rediffusion au cours de l'après-midi. « On n'est pas fiers, mais on croit en la vérité et on ne ment pas », avait dit un vieil homme.

Ottosson regrettait ce petit moment de calme dont ils auraient pu jouir ensemble. Il avait décidé de prendre sa retraite par anticipation. Sa maison de campagne de Jumkil l'attendait et il avait l'intention d'annoncer la nouvelle au cours de cette pause-café.

Ann Lindell était étrangement tendue. L'affaire de ce matin-là était la première affaire de quelque importance depuis qu'elle était revenue de son congé parental. « Qu'est-ce qu'il y a d'étonnant à cela ? » avait demandé sa mère, quand Ann lui avait dit combien elle était contente de revenir enfin au travail, « avec tout ce qu'on voit maintenant ».

Pas mal de misère, en effet, mais aussi bien d'autres choses. Elle avait beaucoup réfléchi à son métier, au cours des deux années qui venaient de s'écouler. Pourquoi était-elle tellement attirée par la misère ? Elle avait fini par se dire que ce n'était peut-être pas tellement les grands mots tels que justice et honnêteté, mais plutôt une inguérissable curiosité qui lui avait inspiré cette nostalgie de l'hôtel de police. De ses collègues aussi, et pourtant elle avait changé de point de vue, à ce sujet. Auparavant, c'étaient surtout les plus jeunes, ceux de son âge, qui la stimulaient. Désormais, c'était Berglund et Fredriksson qu'elle appréciait le plus, ainsi qu'Ottosson, naturellement.

Peut-être avait-elle été influencée par l'instant de faiblesse passagère pendant lequel Ola Haver et elle avaient échangé un baiser à la fois passionné et éperdu, dans sa cuisine, l'hiver dernier ? Elle ne souhaitait pas être en proie à cette tension sur son lieu de travail. Sammy Nilsson et les autres hommes du même âge qu'elle lui rappelaient qu'elle vivait seule. En compagnie de Berglund et Fredriksson, ce genre d'idée ne lui venait pas à l'esprit.

– Je conduis ? demanda Haver, mettant fin à ses cogitations.

– Non, je préfère que ce soit moi, dit-elle en lui prenant les clés des mains.

Il la regarda de côté. Ils n'avaient pas reparlé de ce baiser ni de ce qu'il impliquait. « Ne dis rien », l'implora-t-elle intérieurement, sans être trop inquiète, cependant :

jamais il ne laisserait cet épisode influer sur leurs relations professionnelles.

– C'est bon d'être à nouveau dans le bain, dit-elle d'un ton badin, mais peut-être avec plus de chaleur dans la voix qu'elle n'en avait eu l'intention.

Ils se regardèrent un instant par-dessus le toit de la voiture. Une fois assis à l'intérieur, leurs yeux n'eurent plus du tout la même expression.

– Direction : Drottninggatan, annonça-t-elle.

– Tu n'as pas tardé pour reprendre la direction des opérations, commenta Haver.

– Comment ça ?

– Là-haut. Tu as choisi immédiatement ceux qui viendraient.

– Ah bon. C'est sans le vouloir, alors.

– Je suppose qu'il faut s'estimer heureux d'être dans le lot, dit Haver en la regardant avec une mine difficile à interpréter.

– C'est si désagréable que ça ?

– Non, non, ce n'est pas ce que je voulais dire.

– Tu es fâché ?

Haver eut un geste de dénégation et Lindell sentit la colère monter en elle. Elle n'était pas revenue au travail pour être accueillie par un tas de sous-entendus mal intentionnés. Mais, en même temps, elle ne voulait pas aggraver les choses.

– On s'occupe de cette affaire, dit-elle en se concentrant sur la circulation.

Chapitre 4
Samedi 10 mai, 07 h 55

Marcus fixait le gobelet de café du regard. Il n'y avait pas encore touché, pas plus qu'au pain grillé que Martin lui avait servi.

– T'as peut-être faim ?

Marcus leva les yeux, surpris, et secoua la tête en s'efforçant de mobiliser un sourire.

– Elle est blonde ou brune ?

– Brune.

– Elles sont malignes, dit Martin. Bois un peu de café.

Marcus obéit machinalement. Ses cheveux coupés court étaient dressés sur sa tête et son front portait des taches rougeâtres cernées de petits points blancs. Martin en vint à penser à une pomme dont la peau délicate serait restée trop longtemps exposée au soleil. Lorsque Marcus porta la tasse à sa bouche, deux traits assez marqués se dessinèrent sur ses joues et il eut soudain l'air nettement plus vieux.

– Tu veux peut-être une tartine ?

– Non, merci.

– Qu'est-ce que tu fais, sinon ?

– Des études. Une formation dans le domaine des médias.

– Lina est en terminale dans la section arts graphiques de son lycée.

Le jeune homme n'eut pas l'air très intéressé. Martin sentit la fatigue s'emparer de lui. Il aurait dû réveiller Lina, parler un quart d'heure avec elle pendant qu'elle prenait son petit déjeuner et aller se coucher quelques heures. Mais l'inquiétude qui l'avait envahi en ville ne le laissait pas en paix.

– Avant de te prendre à bord, j'ai refusé un client.

– Ça arrive souvent ?

– Non, c'est rare. Seulement si on craint des embêtements.

– Il était bourré ?

– Non, pas vraiment. En fait, c'était un vieux copain. On a été au bahut ensemble et on s'est fréquentés pendant quelques années.

– Et tu n'as pas voulu le prendre à bord ?

– Il s'appelait Magnus – enfin, c'est toujours son nom. Mais je crois qu'il ne m'a pas reconnu. Ou alors, il a fait semblant.

– Pourquoi il aurait fait ça ? Vous êtes fâchés ?

C'était la première fois que Marcus manifestait un certain intérêt. Il but une gorgée de café et mangea un morceau de pain grillé.

– Il va falloir que je réveille Lina, dit Martin.

– Moi, je vais rentrer chez moi et me pieuter, dit Marcus en utilisant un terme que Martin avait souvent entendu dans la bouche de son père.

Martin se leva mais resta debout près de la table.

– On s'est fâché, dit-il à voix basse en prenant la tasse à café et la posant sur l'évier. On allait ensemble à Brantingsskolan. Ensuite, il a eu la grosse tête. Son père avait un magasin de jouets avant de se suicider. Sa mère s'est remariée avec un restaurateur qui a fait faillite et a disparu.

– C'est une raison pour avoir la grosse tête, ça ?

– Pas vraiment. Mais maintenant on le voit de temps en temps à la télé, il est dans la politique à l'échelon municipal ou quelque chose comme ça.

Martin fit pivoter la tasse sur l'évier. Pourquoi racontait-il cela à ce jeune homme ?

– On ne pense pas à ça quand on commence à aller à l'école. Tout vous est proposé gratis, toutes les possibilités vous sont ouvertes, et pourtant il n'en est rien, corrigea-t-il aussitôt.

– On est jeune, philosopha Marcus.

– La plupart des gens tournent bien.

– Tous ne peuvent pas être politiciens, soupira Marcus. Et c'est pas drôle d'avoir un père qui s'est buté.

– Il s'est tiré une balle dans la tête. Bon, il faut que j'aille réveiller Lina, mais tu peux rester, dit-il en voyant Marcus faire mine de se lever.

« Si j'avais accepté cette course à Arlanda, je n'aurais pas rencontré ce gars-là », se dit-il.

Lina était brune, comme son père. En la voyant pénétrer dans la cuisine, encore mal réveillée, Marcus se crut en présence d'Ulrika. Sa robe de chambre plus très neuve, sa mine légèrement ensommeillée et un peu perdue, ses gestes lents, d'instinct tout cela lui donna envie de se lever de sa chaise et de la prendre dans ses bras. C'était son Ulrika et pourtant ce n'était pas elle.

Lina avait sans doute senti sa réaction, malgré son état, car elle se figea sur place et le regarda d'un air étonné et peut-être légèrement effrayé.

– Qui es-tu ?

– Marcus. Je suis venu avec ton père.

– Ah bon, lâcha-t-elle, comme si elle avait l'habitude de voir des étrangers dans sa cuisine à cette heure de la matinée. Pourtant, elle observa Marcus avec curiosité, tout en sortant des céréales et du yogourt. Puis elle prit place à la table, en face de Marcus. Martin revint alors et alluma la radio.

– Ils vont peut-être parler de ce qui s'est passé, dit-il.

Les actes de vandalisme ouvraient naturellement les nouvelles du jour, sur radio Uppland. Après un bref résumé des événements en studio, la parole fut donnée à un journaliste qui se trouvait sur place, dans Drottninggatan. Entre Nybron et Carolinabacken, c'était la désolation. La voix du reporter prit des accents presque lyriques pour décrire le spectacle de ce verre brisé dans la rue et sur le trottoir, et compara cela avec un pays en guerre. La police avait interdit la rue à la circulation, seuls les autobus avaient le droit de passer en son centre, grossièrement déblayé. Les curieux s'étaient massés et certains d'entre eux furent interviewés. Une jeune femme supposait que c'était une bombe qui avait explosé et un homme accusa une bande d'immigrés en état d'ébriété. Un porte-parole de la police décrivit les dégâts constatés en des termes d'une totale sécheresse bureaucratique, ajoutant qu'aucune piste n'était privilégiée. Après avoir ainsi tiré tout ce qu'il pouvait de l'événement, le journaliste s'apprêtait à conclure mais il s'interrompit au milieu d'une phrase. On n'entendait plus que sa respiration haletante. Martin se pencha en avant pour monter le son.

– Qu'est-ce qui se passe, bon sang ? dit-il.

– Je suis à vous tout de suite, reprit le reporter d'une voix excitée et ils comprirent que c'était une façon pour lui de demander au studio de ne pas mettre fin à la liaison.

Soudain, on entendit un cri déchirant. Dans des milliers de foyers et sur des centaines de lieux de travail d'Uppsala une voix de femme lança un hurlement de désespoir.

– *Il se passe quelque chose*, dit le reporter d'une voix de plus en plus enfiévrée.

– On s'en doute, mon vieux, siffla Martin.

– Je vois une femme devant l'une des boutiques saccagées de Drottninggatan, poursuivit la voix. Il a dû arriver quelque chose d'effrayant. Des policiers se précipitent vers elle. Je m'approche.

Le bruit de ses pas se mêla à celui de plusieurs voix révoltées.

– Il y a un cadavre dans la boutique, s'écria une voix de femme en direct.

– Bon Dieu, dit Martin en regardant Marcus. T'as entendu ça ?

– Éloignez-vous ! ordonna quelqu'un, mais le journaliste était trop vieux renard pour se laisser intimider.

Il poursuivit en expliquant que la femme lui montrait quelque chose, à travers ce qu'il restait de la porte en verre. On voyait deux pieds dépasser du comptoir, au milieu d'un fatras de livres. Puis il ajouta qu'un agent en uniforme venait de pénétrer dans le magasin et se penchait sur le corps.

Il fut alors écarté fermement, malgré ses protestations, et le reportage s'arrêta là.

– Pour les pisse-copie, y a rien de sacré, commenta Martin.

– C'est une bombe ? demanda Lina, restée muette jusque-là.

Sa voix était si faible que Martin la regarda puis tendit la main pour la prendre par le bras.

– Pas de danger, ma petite, dit-il.

– Qui est-ce qui est mort ?

– On ne sait pas. Ils viennent de découvrir le corps.

– Est-ce que c'est un acte de terrorisme ?

– Je ne crois pas, dit son père, qu'est-ce que des terroristes feraient à cet endroit ?

Marcus observa le père et la fille en silence et constata à quel point ils étaient proches l'un de l'autre. Il se demanda aussi où était la mère de Lina. Peut-être était-elle morte, peut-être la jeune fille avait-elle choisi de vivre avec son père, ou bien habitait-elle alternativement chez l'un et chez l'autre.

– On va voir ça, dit soudain Lina.

– Tu as du travail, objecta son père.

– Je le ferai plus tard.

– Écoutez-moi ça, reprit Martin en regardant sa fille avec les yeux d'un père affectionné. « Elle est vivante », pensa-t-il à nouveau. Peut-être était-ce bien qu'elle voie ce spectacle. Ils avaient certes parlé de Bali, mais pas assez, et elle portait sûrement encore en elle des pensées qu'il était bon de laisser s'exprimer.

– Tu n'as qu'à te dire que ça fait partie de ma formation, dit-elle à l'adresse de son père. Tu viens ? demanda-t-elle ensuite en se tournant vers Marcus.

Mais celui-ci avait l'air très fatigué et il secoua la tête. Martin lui donna des tapes de réconfort sur l'épaule. Il ne voulait pas quitter des yeux ce jeune homme, car il avait encore l'air d'être un peu perdu. Il répondait quand on lui parlait, mais d'une voix atone. Lina elle-même, qui suscitait toujours l'attention des jeunes gens, pourtant, ne semblait pas l'intéresser.

Ses yeux tristes semblaient s'attarder sur la rivière. Qu'avait-il vu dans ses flots tumultueux ? N'aurait-il pas eu l'intention de s'y jeter ? Martin en était de plus en plus persuadé et il ressentait une grande tendresse en observant son regard égaré.

– Allez, viens, dit Lina.

Marcus la dévisagea avec une mine difficile à interpréter et finit par hocher la tête.

Martin gara la voiture sur Fyristorg. Une foule assez imposante de curieux s'était massée autour de Nybron. La police avait barré la rue au moyen de rubans qui allaient des bureaux du journal local dans le centre de la ville jusqu'au magasin de vêtements Bergman. Le mannequin était toujours à la même place.

La foule était fiévreuse et électrisée, comme pour assister à une parade ou au retour au pays d'une vedette du sport ou du show-business. Ceux qui n'étaient pas passés par là en se rendant à leur travail et restés par curiosité avaient été attirés par le reportage à la radio. Tous les regards se braquèrent vers une voiture qui approchait. Deux policiers en uniforme soulevèrent le ruban pour la laisser passer. Martin eut l'impression qu'ils utilisaient leur main libre pour faire le salut militaire.

Trois hommes et une femme descendirent du véhicule.

– C'est Lindell, dit Martin. Je l'ai eue à bord de mon taxi, un jour.

Le quatuor de policiers était au milieu de la rue, en train de converser avec un agent de la Sécurité publique que Martin reconnut aussi.

– C'est un ancien lutteur, commenta-t-il.

Martin jeta un coup d'œil dans la direction de Marcus. Fasciné, le jeune homme contemplait ce spectacle comme les autres curieux, mais son visage avait changé. Ses yeux, jusque-là empreints de lassitude, trahissaient désormais une attention soutenue. Martin croisa ensuite le regard de Lina. Il la soupçonnait de nourrir les mêmes sentiments que lui, à savoir un dégoût mêlé de cette curiosité de hyène qu'incarnait parfaitement la foule, avec son silence pesant et ses cous tendus. Dans une de ces boutiques, à une centaine de mètres de là, gisait un cadavre.

Le reporter de la radio était toujours présent, mais obligé de rester en dehors du périmètre de sécurité. Il se déplaçait, avec son émetteur sur le dos, sans cesser de parler dans le microphone.

L'un des policiers tentait vainement de persuader la foule des curieux de se disperser. Il y mettait d'ailleurs trop peu d'ardeur, son attention étant braquée vers la boutique.

– Qu'est-ce que c'est comme magasin ? demanda quelqu'un.

– Une librairie pour enfants, répondit une femme qui se trouvait près de là. J'y vais souvent, ajouta-t-elle d'une voix qui pouvait laisser penser qu'elle détenait des informations particulières.

– Une librairie ?

La femme opina du bonnet.

– Je crois que c'est un immigré qui la tient. Il est brun, en tout cas, mais il parle très bien suédois. Est-ce que ça pourrait être lui qui…

Elle eut soudain l'air effrayée et ajouta, en regardant Martin avec des larmes dans les yeux :

– Il était si gentil. Oh, c'est affreux, dit-elle encore en se frayant un chemin pour se rapprocher du ruban.

– C'est un immigré qui a été tué ? demanda un homme près de Martin.

– Je ne sais pas, répondit celui-ci.

Ces bribes de phrases se répandirent peu à peu parmi la foule.

– On ferait peut-être mieux de rentrer, dit Martin à Lina.

– On attend un peu. Je veux voir encore une fois la femme qui mène les enquêtes.

– Elle n'est peut-être pas près de venir, objecta Martin.

Mais l'attention de Lina était accaparée par la boutique et elle n'entendit pas ce qu'il lui disait.

– C'est un jeune, entendit-il dans son dos. Quelqu'un l'a dit aux flics, poursuivit cet homme qui attira sur lui l'attention générale.

– C'est un Yougoslave. Il s'agit sûrement d'un règlement de comptes dans une affaire de came.

– De came ?

L'homme confirma d'un signe de tête.

– On raconte tellement de salades, dit un autre.

– Pourquoi est-ce que je blufferais ? répliqua, vexé, l'homme si bien renseigné.

– Ce ne sont pas les hyènes qui manquent.

– T'en serais pas une toi-même ?

– Non, je suis vitrier, répliqua l'autre avec un sourire.

Devant la boutique, les membres de la brigade criminelle attendaient Eskil Ryde avec impatience, comme si c'était le premier jour des soldes. Sammy scrutait l'intérieur dans l'espoir de distinguer quelque chose, en commentant vainement ce qu'il voyait.

La Scientifique arriva au bout d'une quinzaine de minutes. Ann Lindell vit Ryde et Oskarsson monter la rue d'un pas pressé. Le premier affichait une mine encore plus bourrue que d'habitude. Lindell se dit que c'était sans doute parce qu'il avait dû se frayer un chemin parmi la foule des curieux, près de Nybron.

Ils échangèrent quelques mots, mais Ryde ressemblait à un chien de chasse : une fois qu'il avait trouvé une piste, rien ne pouvait détourner son attention. Il enfila en pleine rue sa combinaison bleue et ses gants, puis franchit le seuil sans dire un mot, avec Oskarsson, chargé de tout le matériel, sur ses talons. Ryde, lui, consentait rarement à porter quoi que ce soit. Il considérait que sa qualité de doyen du service justifiait ce privilège, le seul qu'il se consentît.

Ann faillit lui demander pour combien de temps il en aurait mais s'en abstint, consciente de l'absurdité de cette question. Elle voyait les deux hommes de dos, près du comptoir. Ryde disait quelque chose à son collègue, qui hochait la tête. Ils se lancèrent ensuite dans la chasse aux fibres, empreintes de mains et de pieds, objets n'ayant rien à faire là et anomalies susceptibles d'avoir un rapport avec le crime. Dans une enquête de ce genre, les points d'interrogation étaient innombrables.

Au bout de vingt-cinq minutes – Lindell s'amusa à noter le temps que cela avait pris – ils en eurent terminé. Les collègues pouvaient maintenant pénétrer dans la boutique, excepté un coin qu'ils avaient sécurisé, mais leur part du travail était loin d'être achevée, en fait, et ils en auraient sans doute pour le restant de la journée.

– J'ai appelé Lyksell, dit Ryde.

Trois ou quatre ans plus tôt, ce médecin légiste avait fait la cour à Lindell mais s'était marié avec une autre et avait très vite eu une petite fille. C'était celui avec lequel ils collaboraient le plus.

– Quand va-t-il arriver ? demanda Lindell.

– Comment le saurais-je ? siffla Ryde.

Ann se pencha sur le corps. Haver, Riis et Sammy Nilsson formaient un demi-cercle derrière elle. « Il est tout jeune », pensa-t-elle avec amertume, en regardant ses collègues. Haver avait l'air navré, Riis pensait plus à la vengeance, semblait-il, tandis que Sammy examinait la victime d'un air triste.

– Un petit jeune, se contenta-t-il de dire.

Le silence régnait dans la boutique. Seul un léger bruit de voix parvenait de la rue. Lindell lut l'inscription qui figurait sur le T-shirt du garçon, en lettres jaunes tachées de sang : Dreamland.

– Qui est-ce ? demanda Haver.

– Johansson a cherché son portefeuille ou quelque chose de ce genre, mais il n'avait rien sur lui.

– L'agent Johansson est venu fourrer son nez ici ? s'enquit Ryde. Dans ce cas, on peut clore l'enquête.

Lindell le regarda sans répondre et dirigea de nouveau son attention vers la victime. Il ne faisait aucun doute que ce jeune homme avait été tué. Il avait reçu, surtout sur la tête, un nombre important de coups assénés avec force au moyen de la chaise qui gisait sur le sol près du corps. Il avait le front enfoncé, l'une de ses oreilles était largement entaillée et il portait sans doute des plaies sur la nuque. C'était difficile à dire, car ils ne pouvaient pas encore retourner le corps.

Sur le sol dallé s'étalait une mare de sang d'au moins un mètre carré. La victime était naturellement blonde mais ses cheveux étaient maintenant bruns de sang. Juste au-dessus de sa tête se trouvait une étagère sur laquelle étaient posés des animaux en peluche. Un personnage de bande dessinée était tombé sur le sol et reposait près de son corps.

« Quel âge a-t-il ? se demanda Lindell. Dix-sept, dix-huit ans. » Ses traits peu marqués ne lui donnaient nullement l'air d'un bagarreur. Il portait un T-shirt, une veste d'été courte et un pantalon clair souillé sans doute par son urine. Pas de bague ni de bijoux. Aux pieds, des sandales. Ses mains étaient petites et ses ongles propres et soignés. « Sa mère l'a bien élevé, en tout cas », pensa-t-elle encore en se relevant.

– Il arrive, Lyksell, oui ou non ? s'irrita-t-elle.

Son entourage avait noté qu'elle était moins patiente, depuis son retour de congé. Sammy et Haver échangèrent un regard.

– Pauvre gars, dit Ryde, à la surprise générale.

– Il nous manque toujours son identité, fit Sammy.

– Quand est-ce arrivé ? demanda Haver.

– Nous avons été alertés à 1 h 21, dit Sammy. Mais seulement pour balayer, trouver des pistes et prendre contact avec les propriétaires d'immeubles et de boutiques.

– Pas de tags ?

– On n'en a pas trouvé, en tout cas.

– Comment peut-on disparaître comme ça après avoir dévasté une rue entière ? s'enquit Riis, de nouveau dans son état d'esprit habituel.

– Demande à la « Princesse », répondit Sammy d'une voix atone, il a sûrement des idées sur la question.

La « Princesse » était le surnom du préfet de police. Il lui avait été attribué pendant l'absence de Lindell et elle n'avait jamais eu la présence d'esprit de chercher à savoir pourquoi.

– C'est sûrement la lie des quartiers multiculturels, lâcha Riis.

Lindell regarda autour d'elle, sans trouver de traces de lutte ni de dégâts, à part les livres tombés sur le sol.

– Qui est le propriétaire ? demanda-t-elle.

– Quelqu'un du nom de Fridell, mais ce n'est pas lui qui a trouvé le corps. C'est une femme qui travaille ici. Elle est dans la voiture de Bea.

– Bea est ici ?

– Elle est arrivée tout de suite. Je crois que c'est l'agent de permanence qui l'a appelée, expliqua Haver d'une voix qui manquait de conviction.

– Il l'a appelée directement ?

– Oui, je crois qu'ils sont parents.

– Parents ? répéta Lindell de façon un peu stupide. Faites venir cette femme.

– Je crois qu'elle est sous le choc, objecta Haver.

– Elle reconnaîtra peut-être la victime.

– Elle a dit que non, objecta de nouveau Haver.

– Elle n'a peut-être pas très bien regardé.

Le visage en feu, Birgitta Lundeberg fut amenée dans la boutique par Beatrice Andersson. Lindell évoqua le choc qu'elle avait eu et la félicita pour son courage. La femme la dévisagea comme si elle était un animal d'une espèce inconnue.

– C'est peut-être Thomas, dit-elle à voix basse.

Lindell s'approcha.

– Qui ça ?

– Mon neveu. Il vient parfois donner un coup de main.

– Quel âge a-t-il ?

– Il aura dix-neuf ans à l'automne, le 23 septembre.

– Vous n'avez pas encore vu le corps ?

– Seulement les jambes, répondit la femme.

Haver lança un coup d'œil à Lindell, qui acquiesça.

– Nous vous serions reconnaissants de le regarder, si vous voulez bien et si vous en avez la force, dit-elle.

Birgitta Lundeberg leva les yeux vers Johansson, qui se dressait telle une montagne près de sa frêle silhouette. Il lui adressa un signe d'encouragement et elle fit quelques pas pour pénétrer dans la boutique. Haver nota qu'elle marchait sur un album destiné aux tout-petits. Il en avait acheté un de ce genre quelques années auparavant.

– Il est blessé ? demanda-t-elle.

« Il est mort », pensa Sammy sans le dire.

– Il porte des traces de coups, dit Lindell, mais ce serait bien si vous pouviez nous apporter votre aide.

Birgitta Lundeberg fit quelques pas mal assurés et regarda la jeune victime avec des yeux pleins d'effroi. Puis elle respira profondément et faillit tomber à la renverse. Heureusement, Johansson se tenait juste à côté, prêt à intervenir.

Les policiers la regardèrent.

– Ce n'est pas Thomas, finit-elle par dire.

– Vous êtes sûre ?

La femme hocha la tête.

– Son visage vous est-il familier ?

– Ce n'est pas quelqu'un que je connais, souffla-t-elle, le visage blême.

– Merci d'avoir été aussi courageuse, dit Lindell.

– Courageuse, répéta la femme, tandis que Johansson l'escortait à l'extérieur. J'en ai assez de tous ces morts, l'entendirent-ils ajouter tandis qu'elle sortait dans la rue.

– Qu'est-ce qu'elle voulait dire ? demanda Haver.

En entendant cette femme parler, Lindell pensa à ses parents. Était-ce une pointe d'accent d'Östergötland ou le mot « mort » qui évoquait ce souvenir en elle ? Avec eux, elle ne cessait de parler de maladies et de tous les gens de leur âge qui passaient de vie à trépas. Elle avait le sentiment que sa mère abordait le sujet uniquement pour que sa fille n'oublie pas combien ils étaient décrépits, tous les deux, et qu'ils pouvaient mourir à tout moment. En sous-entendant qu'elle ne s'occupait pas assez d'eux, naturellement.

Ryde la rappela à la réalité.

– Si vous avez vu tout ce que vous voulez, vous pouvez quitter les lieux, dit-il.

Le quatuor de la Criminelle partit l'un après l'autre. Lindell était soulagée de se retrouver à l'air libre. Après la découverte du cadavre, elle avait ordonné qu'on fouille les autres magasins. Devant l'Ekocafé, elle vit des collègues de la Sécurité publique en grande discussion avec un homme qui gesticulait frénétiquement.

Sur le trottoir, à quelques mètres de là, une femme qu'elle se rappelait avoir vue dans un reportage pleurait doucement.

– Il faut voir si des disparitions nous ont été signalées, dit Lindell. Il se peut qu'il figure parmi elles.

– Il m'a l'air trop jeune pour être étudiant, fit Sammy.

– Il a sans doute de la famille en ville, conclut Haver.

Lindell s'écarta légèrement d'eux en apercevant Bea, au coin de Trädgårdsgatan. Il était dix heures moins le quart.

Chapitre 5
Samedi 10 mai, 08 h 10

La vieille femme s'était affaiblie au cours de l'hiver. Ses maigres épaules étaient encore plus frêles qu'avant et elle ressemblait de plus en plus à une rosse, comme elle disait elle-même. « Qu'est-ce que c'est qu'une rosse ? » lui avait-il demandé. Viola l'avait alors observé avec ce regard malin qui ne la quittait pas, en dépit de ses jérémiades sans cesse plus fréquentes sur son mauvais état de santé, et lui avait répondu : « C'est une vieille bête qu'a plus que la peau et les os. »

– Ah bon, tu t'en vas ? demanda-t-elle.

– Deux semaines, répondit Edvard.

– Qu'est-ce qu'il y a, dans ce pays ?

– Le soleil et la mer.

Elle se retourna rapidement – car elle n'avait pas perdu sa vivacité de mouvements à l'intérieur de sa cuisine – et retira du feu la cafetière qui s'était mise à siffler. Edvard regardait par la fenêtre.

– Tu veux que je hisse le drapeau ?

– Pourquoi ?

– Pour fêter l'arrivée du printemps. En prenant le café dehors.

– Jamais de la vie, déclara Viola. On risque d'attraper une pneumonie.

– Il fait déjà treize degrés. Près du bûcher, il fait sûrement très bon.

Il observa son dos, ses cheveux en bataille et ses mains osseuses qui sortaient des tasses du buffet.

– Viktor et moi, on pourrait aller pêcher quelques harengs de la Baltique. Ce serait pas mal, non ?

Elle tourna la tête et croisa son regard.

– Il aimerait sans doute bien, dit-elle.

Edvard était assis paresseusement à la table et, pour la première fois depuis longtemps, il se sentait épuisé dans tout son corps. Cela faisait un mois que Gottfrid et lui travaillaient à Gimo, sur une maison qui devait être prête à emménager dès le milieu du mois d'avril et venait seulement d'être achevée. La tâche avait été pénible et avait occasionné pas mal de frictions entre Gotte et lui. De plus, les continuelles récriminations du propriétaire avaient empoisonné les dernières semaines du chantier. On ne pouvait certes pas accuser Gotte de lambiner, mais c'était lui qui s'était vu reprocher le retard de livraison. Ils étaient donc partis de là avec un réel sentiment de soulagement.

– Il ne faut pas bosser pour ce genre de types, avait dit Gotte, mais Edvard savait qu'il comptait sur trois autres chantiers à Östhammar.

Edvard lui avait alors dit qu'il souhaitait prendre quelques congés. Gotte n'avait pas eu d'objection à formuler et il avait interprété cela comme un consentement.

– Au revoir, s'était-il contenté de dire lorsque Edvard l'avait déposé sur la place d'Öregrund.

Le lendemain, il avait appelé Edvard pour lui demander d'acheter une sorte particulière de whisky, puisqu'il prenait l'avion, bien qu'Edvard ne lui ait pas dit qu'il comptait s'offrir un séjour dans un pays plus ensoleillé, en profitant d'une offre de dernière minute.

– Entendu, avait-il répondu, heureux que la conversation s'arrête là.

Les deux hommes entretenaient des rapports assez spéciaux. Les chantiers se succédaient, car Gotte était quelqu'un de capable et très demandé. Ils ne se parlaient guère, ce qui convenait parfaitement à Edvard. Il suffisait que l'autre lui dise « deux semaines à Forsmark » ou bien « une cuisine à Norrskedika » et ils se mettaient aussitôt d'accord.

Gotte n'était jamais venu rendre visite à Edvard à Gräsö et celui-ci n'avait jamais mis les pieds dans la maison de celui-là. Il l'avait seulement pris au passage, devant chez lui, dans les faubourgs d'Öregrund.

Viola et lui prirent leur café en silence. Deux canapés étaient posés sur une petite assiette.

– Il y en a ici aussi, dit-elle.

– De quoi ?

– Du soleil.

– Ah oui.

– Et la mer est pas loin.

– C'est sûr.

– Elle a toujours été là, ajouta Viola en commençant à desservir.

– Tu veux venir avec moi ?

– Tu es fou !

– Je crois que je vais aller voir à Uppsala, en tout cas. Ça ne coûte rien de demander. J'en profiterai pour faire des courses.

– Il y a des serpents, là-bas ?

Viola souffrait de la phobie innée des insulaires pour les reptiles.

– Sûrement.

– Tu as toujours parlé de la mer et c'est même pour ça que tu es venu ici.

Elle observa une pause, mais Edvard n'ignorait pas ce qui allait suivre.

– Je te vois encore sur le perron en train de me dire que tu avais la nostalgie de la mer, tu te souviens ? J'ai vu que tu étais triste et que tu avais une faim de loup.

– J'avais l'air si pitoyable ?

– Oui, on aurait dit une bête qui n'avait rien eu à se mettre sous la dent depuis pas mal de temps.

– Je ne me souviens pas que j'avais aussi faim que ça.

– Ce n'est pas ce que je veux dire, siffla Viola.

Edvard se leva.

– Mais cette mer-ci n'est plus assez bonne pour toi, ajouta Viola en lui tournant le dos.

– Elle me suffit bien, répondit-il, ému de ses paroles mais un peu las de ses craintes, aussi. Tu sais que je reviendrai.

Elle se retourna.

– Viktor aimerait sans doute te dire au revoir.

– Je ne suis pas encore parti.

– Il va passer m'aider à rentrer du bois.

– Mais c'est déjà fait.

– Il vient faire quelque chose, en tout cas.

– Moi, je vais en ville. Tu veux que je te rapporte quelque chose ?

Il était venu frapper à la porte de Viola, un soir, très tard, pour lui demander de lui louer une chambre. Elle ne le faisait plus depuis des années mais s'était laissé fléchir au spectacle de sa fatigue et de la détresse qui se lisait dans son regard. Ce jour-là, il ne cherchait qu'un asile temporaire. Maintenant, c'était un habitant de Gräsö qui le resterait sans doute toujours. Deux ans plus tôt, Viola lui avait dit qu'elle lui léguait sa maison par testament et il avait compris que c'était pour le retenir. Elle dépendait plus de lui que lui d'elle, désormais. Non qu'il se déplût là où il était ni que la compagnie de Viola lui fût importune mais, depuis sa rupture avec Ann, il menait une existence de plus en plus solitaire. Il vivait sur son île, dans la cuisine de Viola, de temps en temps Viktor passait les voir et il travaillait avec Gottfrid. Il allait rarement à Uppsala, surtout afin de faire des courses pour plusieurs jours et d'aller voir Fredrik, son vieil ami de l'époque du syndicat.

De temps à autre, Fredrik venait le voir sur l'île. Jadis, il lui arrivait de rester une semaine ou deux mais, désormais, ses visites se faisaient de plus en plus rares. Il s'était mis en ménage et ses contacts avec Edvard se limitaient en général à quelques coups de téléphone par mois.

Les îliens l'avaient adopté. Il habitait chez une native, paraissait honnête et travaillait avec Gottfrid, ce qui suffisait largement à ses voisins, pourtant assez peu accommodants.

Il s'était familiarisé avec l'archipel et allait maintenant pêcher, parfois avec Viktor mais le plus souvent seul. Les gens qui vivaient le long de la côte le voyaient de temps en temps dans le bateau de Viktor, sous la forme d'une ombre dans le rouf ou sur le pont, en train de relever les filets ou simplement occupé à scruter l'horizon ou observer des aigles des mers planant dans le ciel.

Du fait de son mode de vie et de son manque de contacts avec le monde extérieur, il faisait l'effet d'un habitant de l'archipel encore plus authentique que les natifs de l'île. En tant que solitaire partageant une maison avec une autre solitaire, il se doutait bien qu'on parlait souvent de lui dans les chaumières.

Quand il était en société, la solitude formait une sorte de halo autour de sa tête. Non qu'il fût asocial, mais quelque chose dans sa personne faisait penser à l'attitude froide et réservée de l'ermite. La plupart pensaient que c'était à cause d'un amour malheureux. Cette femme de la police qu'il avait fréquentée pendant un ou deux ans l'avait trompé, avait eu un gosse avec un autre et l'avait laissé à sa peine. Voilà ce qu'on disait de lui et ce n'était pas loin de la vérité. Edvard portait en effet le fardeau d'un grand chagrin. Celui que lui avait laissé Ann, ainsi que de l'existence qu'il avait entrevue.

Désormais, il était heureux de pouvoir tenir à distance l'idée de cette femme. Il se disait qu'il l'avait éloignée de son corps par une opération chirurgicale, quand les soirées étaient trop longues et qu'il n'était pas assez fatigué par son travail, il savait qu'elle était là et qu'elle reposait en lui tel un souvenir cuisant et douloureux. Viola le savait aussi et elle ne parlait jamais d'Ann, y compris par allusion, et elle avait élevé cette technique à la dignité de l'un des beaux-arts.

Pourtant, il n'était pas malheureux. Ces derniers temps, un étrange optimisme s'était emparé de lui. Peut-être était-ce une façon de s'adapter aux circonstances, mais il y avait aussi autre chose. Son caractère était de plus en plus marqué par une sorte de prudente joie de vivre ajoutée à une certaine hardiesse. Non que cela eût laissé des traces bien nettes dans sa vie, à part ses visites à Öregrund et une assez brève affaire avec une femme qu'il y avait connue, mais il souriait un peu plus souvent et arrivait même à se surprendre en train de former des projets.

Il resta un moment debout dans la cour. Les nouveaux nichoirs avaient déjà des occupants. Il soufflait un vent tiède porteur de promesses de printemps. Gräsö était toujours en retard d'une ou deux semaines sur le continent, mais c'était l'époque des labours de printemps. Deux ans auparavant, pas plus, il ressentait encore cette fièvre mêlée d'espoir qui l'avait toujours possédé à ce moment de l'année, celui du changement de saison, où la terre embaumait. Maintenant, il était plus détendu. Il avait passé un pacte avec lui-même : il ne devait pas se laisser aller à ses sentiments, peut-être ne le voulait-il même pas. Il n'avait pas besoin d'aller passer la herse ni de semer. Pourtant, il ne pouvait s'empêcher d'aller voir la terre que cultivait Lundström. Surtout pour s'assurer que tout était en ordre, se parler à lui-même et peut-être échanger quelques mots avec le paysan, si leurs chemins se croisaient.

« Je ne suis plus agriculteur, pensait-il, je ne suis plus esclave de la terre. Maintenant, je peux me réjouir avec l'état d'esprit de celui qui voit cela de l'extérieur. »

Il estimait que c'était un miracle d'avoir pu s'affranchir de son ancienne existence. De ne plus participer à la lente succession des générations. Il était prêt à en payer le prix, car il y en avait certainement un. Il était le premier de la famille Risberg à avoir tranché les liens séculaires avec la terre et cela ne pouvait rester impuni.

La terre était grise et pierreuse, sous ses pieds. Elle était encore froide, mais plus pour longtemps maintenant. C'était une question de jours, voire d'heures. Il s'accroupit comme il l'avait fait des milliers de fois auparavant. La main posée sur le sol, il s'efforça de penser à Lundström, aux pierres, au vent qui soufflait autour de lui, au fait que le paysan devait débroussailler et à bien d'autres choses. En réalité, c'était à Ann qu'il pensait. La terre, c'était sa peau. L'image était si forte qu'elle prenait un caractère physique. Il avait été heureux, près d'elle. Il avait confondu sa peau avec les champs, vu des paysages dans les lignes et les rondeurs de son corps, dans la blondeur de ses pilosités. Tout ne faisait qu'un : les parfums, les siens et les leurs, la joie, les pas dans la forêt, à la lisière du pré, et même la lourde odeur d'huile et de graisse de la salle des machines.

« J'étais heureux », se dit-il en se relevant avec un sourire. Cela faisait également partie du pacte.

Ses deux fils avaient payé le prix, eux aussi. Au début, juste après sa fuite à Gräsö, il avait été en proie à des accès de faiblesse en pensant à ses enfants, qui s'apprêtaient à affronter la vie. Avec le temps, leurs rapports s'étaient normalisés et ils avaient commencé à venir sur l'île, non sans hésiter, avec timidité et une colère contenue, pour commencer. Il était ému par leur loyauté et, lentement mais sûrement, ils avaient construit une forme de rapports qui fonctionnait assez bien.

Pendant l'hiver, il était allé à diverses manifestations organisées à Öregrund par l'Association culturelle. Il avait écouté des conférences d'alpinistes, d'écrivains et d'aventuriers ayant effectué des expéditions au Groenland et en

Sibérie, En voyant certaines de leurs photos, il s'était dit : « Je devrais aller là-bas. »

Et maintenant il s'apprêtait à partir en voyage. À la différence de ces aventuriers, cependant, il désirait se diriger vers le sud. La dernière conversation qu'il avait eue avec Fredrik portait sur les plages, la mer et les poissons.

Au cours de la fin de l'hiver, l'idée d'un voyage avait germé en lui. Fredrik lui avait parlé d'une île du nom de Koh Lanta et c'était là qu'il voulait se rendre. Il avait acheté un guide qui avait confirmé, dans l'ensemble, les dires de Fredrik.

De toute façon, il était décidé à se renseigner dans une agence de voyages d'Uppsala. Il revint sur ses pas, le sourire aux lèvres. Le bref moment qu'il avait passé sur la terre de Lundström l'avait beaucoup troublé, mais le simple fait qu'il était apaisé prouvait que le pacte était toujours en vigueur.

Chapitre 6
Samedi 10 mai, 10 h 05

Curieusement, c'est elle qui le vit d'abord, bien qu'il fût noyé dans la foule des badauds à l'extrémité de Nybron, cette masse ondoyante qui se dissolvait, se reformait, se dissipait à nouveau et se renouvelait.

Il était au premier rang, derrière des enfants. Ann crut même reconnaître la chemise usagée qu'il portait. Il était toujours aussi bronzé. Elle sentit un déclic en elle, ou plus exactement un choc assez violent qui lui noua l'estomac à la manière d'une crampe. C'était inattendu, mais pas désagréable. Elle ne savait quoi penser, sans être étonnée à proprement parler, car il était fatal que leurs chemins se croisent à nouveau un jour, dans une aussi petite ville. Or, il était là, à soixante mètres d'elle. Combien de temps faut-il pour couvrir la distance, à allure normale ou en courant ? L'homme qu'elle avait aimé tendrement, désiré puis perdu de façon si stupide se trouvait là, devant elle.

Elle le vit parler à la femme qui se tenait à côté de lui. Celle-ci était plus jeune, blonde et portait un manteau lui tombant aux chevilles. Était-ce sa nouvelle compagne ? Pouvait-il vraiment se mettre en ménage avec quelqu'un qui portait un tel manteau ? Elle s'éloigna et il la suivit des yeux. Il n'avait pas changé, c'était toujours l'Edvard qu'elle n'avait pas vu depuis près de deux ans.

Haver lui dit quelque chose qu'elle ne comprit pas.

– Quoi ?

– Je te disais que les collègues ont trouvé des traces de sang dans la rue.

– Vois ça avec Ryde, lâcha-t-elle.

– Ça va ? Tu es toute pâle.

– Edvard, se contenta-t-elle de dire.

– Il est là ?

Elle fit un signe de tête en direction du pont et Haver le chercha du regard parmi la foule.

– Bon sang, lâcha-t-il en le voyant. Tu vas aller lui parler ?

À cet instant, Edvard s'avisa de la présence d'Ann. Il fit un pas en avant, inconsciemment, avant d'être arrêté par le ruban. Il la salua alors de la main et elle lui répondit d'un petit signe discret.

Ils se regardèrent l'espace d'un instant, puis il disparut, avalé par la foule.

– Non, dit-elle avec un geste emprunté de la main.

Haver vit que la surprise se muait en détresse, en elle, que ses épaules s'affaissaient et que ses mains pendaient, inertes, au bout de ses bras.

– Il est parti, constata-t-elle.

– C'est vrai. Il a peut-être été aussi stupéfait que toi.

Ann tourna les talons sans répondre. La rue saccagée, avec tout ce verre brisé, était un peu à l'image de son existence. Maintenant qu'elle avait enfin réussi à écarter Edvard de son esprit, qu'elle avait refoulé ses maudites mains et ses maudits yeux au fond de sa conscience, où il était réduit à l'état de balle de mousse, voilà qu'il faisait sa réapparition. Et qu'il disparaissait aussi vite qu'il était apparu, tel un mirage. Mais c'était bien lui. Il avait levé la main, avait cherché à se manifester mais rien de plus : pas un mot, pas le moindre contact. « Il aurait quand même pu me demander comment j'allais, bon sang, proférer une ou deux phrases banales pour que je puisse le voir et entendre le son de sa voix l'espace de quelques secondes. » Il était bronzé et avait l'air en forme, alors qu'elle était pâle. Et puis cette chemise, c'était bien lui, cela aussi : pour une fois qu'il allait en ville, il mettait ce qu'il trouvait de pire dans sa garde-robe.

Elle jeta un coup d'œil derrière elle. Haver avait l'air malheureux. Il fit un geste de la main et, soudain, elle se mit à détester ce collègue qui l'avait séduite en la prenant dans ses bras et l'embrassant, au lieu de se comporter en camarade de travail. Il l'avait regardée non comme une amie ou une relation mais comme une femme, et il était ensuite retourné piteusement près de sa Rebecca. Elle s'était remémoré sa visite à plusieurs reprises, au milieu de l'affairement de Noël. Le premier de son fils, avec la visite de grand-père et grand-mère, en plus.

Mais il fallait faire bonne figure.

– Au diable, allez tous au diable, marmonna-t-elle entre ses dents.

Ses collègues fouillaient parmi les débris de verre, à la recherche d'indices pouvant faire avancer l'enquête. Ils avaient l'air de cueilleurs de baies scrutant en vain les fourrés. Elle les observait d'un œil indifférent, se doutant qu'ils ne trouveraient pas grand-chose d'autre que des emballages de crème glacée, des mégots et autres détritus. Il fallait bien qu'ils le fassent, cependant.

Elle savait qu'elle devait se reprendre, il n'y avait pas d'alternative. S'effondrer en larmes en plein milieu de la rue ? Elle avait l'habitude de refouler ce qui était gênant et désagréable, et y parviendrait sûrement cette fois aussi.

Son portable sonna et elle le sortit de sa poche avec un geste de contrariété, mais se figea en voyant ce qui s'affichait sur l'écran. « Le numéro d'Edvard est toujours en mémoire », se dit Haver, qui ne l'avait pas quittée du regard, en la voyant tambouriner contre sa cuisse avec sa main libre, comme elle le faisait toujours lorsque quelque chose la contrariait.

« Eh bien, réponds, pensa Haver. Ou plutôt, ne lui réponds pas, envoie-le au diable, ce péquenot, il ne fait que t'enquiquiner. » Elle finit par répondre, après avoir longtemps fixé le téléphone du regard. La communication ne dura guère. Elle redressa le dos et remit pensivement l'appareil dans sa poche, en promenant le regard le long de la rue. Elle resta quelques instants immobile et Haver eut l'impression qu'elle hésitait à s'élancer vers le pont mais, au lieu de cela, elle se dirigea vers Ryde d'un pas résolu. Ils échangèrent quelques mots et elle désigna le haut de la rue de la main. Ryde semblait réticent, ce qui ne voulait pas dire grand-chose étant donné sa façon habituelle de se comporter. Pourtant, Haver pensait qu'il aimait bien Ann, malgré la brusquerie de ses manières.

Ryde faisait partie de la vieille garde, ceux qu'un Australien avait qualifiés de *deadwood* et qui n'aimaient pas les femmes en uniforme, surtout si elles étaient en charge d'enquêtes criminelles. C'était Haver qui avait ramené ce terme des antipodes et il avait été aussitôt adopté par leurs collègues du sexe féminin, en particulier Beatrice, celle qui avait le plus à souffrir du machisme de certains, car elle se faisait plus remarquer qu'Ann, étant plus acerbe dans ses critiques et plus encline à la bagarre.

Haver considérait que la cause était entendue, dans l'ensemble, même s'il restait un peu de « bois mort » dans leurs rangs. Bea n'aurait d'ailleurs pas été de son avis, sans doute, s'il le lui avait demandé.

Il ne put éviter de remarquer avec quelle fièvre Lindell et Ryde s'entretenaient, penchés sur le trottoir à une dizaine de mètres de la boutique. « Du sang », pensa-t-il. Mais il pouvait appartenir à n'importe qui, comme il ne manqua pas de le faire observer à Sammy, venu se placer près de lui.

– On n'a pas tellement d'autres indices, soupira ce dernier, alors il faut se contenter de peu. Pas le moindre signalement de personne disparue, ajouta-t-il.

– Je crois que c'est un gars d'Uppsala, reprit-il au bout d'un instant. Qu'est-ce que tu en penses ?

– Difficile à dire, répondit Haver, qui observait toujours Ann.

L'arrivée inattendue d'Edvard et son coup de téléphone – car cela ne pouvait être que lui – avaient ravivé dans son esprit l'épisode qui s'était déroulé dans la cuisine d'Ann. Ses rapports tendus avec Rebecca, qui avaient motivé cet « assaut », s'étaient normalisés. Durant une brève période, ils avaient connu un regain de flamme, surtout pendant les deux jours passés ensemble à Londres. Libérés de la présence des enfants, ils étaient allés au musée, avaient bien mangé et fait l'amour dans leur chambre d'hôtel avec une intensité qui leur rappelait les premiers temps de leur vie de couple.

Mais tout cela était encore fragile. Il n'éprouvait plus la fièvre de jadis, qui bouillait dans son sang sur le chemin du retour à la maison, quand il savait que Rebecca y était. Ils faisaient encore l'amour de temps en temps, mais par devoir et sans en avoir particulièrement envie.

Haver avait en tout cas décidé de ne pas s'engager dans une aventure avec Ann. Il attachait plus de prix à leur amitié qu'à une rapide coucherie en catimini, et pourtant il lui arrivait encore de ressentir une pointe de désir pour elle et d'imaginer qu'ils s'accouplaient dans les endroits les plus invraisemblables, par exemple sur sa table de travail ou sur le vieux canapé de la salle de réunion, une fois seuls, après le départ des collègues.

Ces pensées avaient connu un regain de vigueur lorsqu'elle était revenue de son congé parental. La maternité l'avait rendue encore plus attirante. Son corps n'était plus aussi grêle et Haver avait l'impression que l'accouchement lui adressait un signal : les sentiments très asexués qu'il nourrissait jadis envers Ann avaient laissé la place à une vague sensation d'intimité physique. Pourtant, il luttait contre cela et ne laissait jamais échapper quoi que ce soit qui puisse être interprété comme un désir de flirt ou de renouvellement de ce qui s'était passé chez elle.

Il n'était pas, non plus, sans éprouver de la jalousie envers Ottosson. Ann et lui s'étreignaient, échangeaient des regards de complicité et s'embrassaient même parfois sur la joue en lançant une plaisanterie à connotations vaguement érotiques. Personne ne pensait pour autant qu'Ottosson lui faisait du plat, surtout pas elle.

Au fond de lui, Haver se doutait qu'il y avait quelque chose d'autre et de plus profond, derrière ses propres sentiments. Il avait parfois l'impression d'avoir besoin qu'elle lui décerne un satisfecit. À strictement parler, c'était elle qui était son supérieur, en charge des enquêtes criminelles, bien entendu sous la supervision d'Ottosson. Mais cet aspect formel de leurs rapports n'était pas le plus important. Elle lui était également supérieure en matière de capacités, ce que nul ne cherchait à contester, désormais. Les critiques à son encontre s'étaient tues. Malgré tout, il avait toujours le sentiment de lui être inférieur. Était-ce une question de pouvoir ? C'était une femme et lui un homme. Serait-il possible de la désarmer, d'une façon ou d'une autre, en la baisant ?

Il se refusait à chercher les causes de ces tendances masquées de sa personnalité, mais il jouait sur les mots et les dégustait en silence, il les avait sur le bout de la langue quand il la côtoyait dans l'ascenseur, quand ils allaient ensemble quelque part, dans tel ou tel geste ou dans le simple spectacle de son corps. « Je suis ridicule, pensa-t-il, je ne vaux pas mieux que Riis avec ses vantardises et ses commentaires grivois dans la salle de repos. »

Pourtant, il ne pouvait détacher les yeux de sa poitrine, qui avait grossi depuis sa maternité, et de son derrière bien rond. Il s'imaginait même volontiers en train de la déshabiller.

Il se demandait parfois si Ann s'en rendait compte. Elle n'avait jamais rien dit, n'avait jamais pris un air offusqué et était presque toujours aimable avec lui, et cela aussi lui faisait l'effet d'une défaite.

Il lui arrivait parfois de se moquer de lui-même, aussi, mais ensuite il comprenait qu'il était victime de penchants profondément enfouis en lui. En fait, il aimait bien l'idée d'être une victime, plutôt qu'un macho avéré. Il y a toujours deux côtés à tout. Il la voulait tout en ne voulant pas d'elle.

Mais, quand il faisait l'amour avec Rebecca, c'était le corps d'Ann qu'il voyait.

Ann sentit son regard. Elle savait qu'il se doutait de l'identité de celui qui venait de l'appeler et elle aurait bien aimé qu'il n'ait pas vent de l'appel et ne soit pas témoin de son changement manifeste de comportement. Elle voyait dans ces sentiments une forme de déloyauté envers Ola, alors que cela n'avait rien à voir avec lui, en fait.

Elle remarquait qu'il n'était plus le même, quand ils marchaient l'un à côté de l'autre ou se touchaient par hasard. Il était tendu et son visage prenait une expression particulière, à la fois arrogante, intimidée et perplexe, son corps était moins droit et il ne marchait plus de la même façon. Elle n'aimait pas cela mais pouvait difficilement se montrer affectée par l'embarras qu'il affichait en sa présence. Il se comportait d'ailleurs toujours de façon très sympathique.

Il y avait eu des moments où elle avait eu envie de lui, surtout à ses périodes de stress intense, lors de la phase critique d'une enquête, où l'amitié d'un collègue pouvait avoir une importance capitale. Des moments de grande proximité qui entraînaient un sentiment d'attirance. Elle aurait alors aimé le toucher, sentir son bras autour d'elle, respirer une odeur familière.

Chacun s'invente des routines, pour avoir la force d'effectuer son travail, et alors l'amour et l'intimité sont les facteurs qui pèsent le plus lourd. Ann ne disposait pas de ce recours. Souvent, elle rentrait chez elle en proie à ses propres pensées et à un sentiment d'égarement, mais toujours sous l'emprise de ses enquêtes et sans possibilité de compagnie. Elle trouvait ce mot ridicule, et pourtant c'était bel et bien ce qui lui manquait. « J'ai besoin de compagnie », s'entendait-elle dire aux murs de son appartement.

Elle avait Erik, c'était appréciable et pourtant pas suffisant. Ce n'était qu'un enfant, il lui apportait beaucoup mais exigeait également beaucoup.

Il lui arrivait de rêver d'Ola d'une façon qui l'amenait à se réveiller, entortillée dans son drap trempée de sueur et en proie à la honte et au dégoût. Dans ces rêves, Haver était ivre de désir sexuel et parfois de méchanceté. Il la prenait de toutes les façons possibles, sans dire un mot. Sur leur lieu de travail, chez elle et dans des ruelles où elle n'avait jamais mis les pieds, étranges endroits pleins de rebuts et puants de saleté. On aurait dit que l'incongruité de ces lieux ne faisait que renforcer son désir. Cela sentait le sexe moite et puait les ordures.

Elle voyait la peur s'inscrire dans ses pupilles noires, qui tourbillonnaient sur le fond clair du blanc de ses yeux. La salive d'Ola coulait sur ses seins et elle se réveillait parfois en criant, jouissance et dégoût mêlés.

Un jour, après une de ces nuits de cauchemar, alors qu'elle avait encore l'impression d'être meurtrie, elle était entrée dans une salle où Haver était assis avec un groupe de collègues. Ils avaient cessé brusquement de rire et tous l'avaient regardée avec de grands yeux. Jamais elle ne s'était sentie aussi nue que ce jour-là, devant ces hommes réunis. Et elle avait éprouvé de la haine envers eux, envers leur visage d'hommes de Neandertal, leurs muscles, leurs poils et leur organe sexuel turgescent.

Elle rêvait plus rarement d'Edvard, mais alors c'était de façon plus paisible et avec plus de tendresse. Elle baignait dans un état de semi-conscience et se caressait, à la limite entre le sommeil et la veille. Dans ces rêves, il lui apparaissait comme un adolescent, timide, fiévreux et contenu à la fois.

Et voilà qu'il venait de l'appeler. Après un si long silence, il l'avait vue mais l'avait évitée puis, après avoir beaucoup hésité, avait composé le numéro de son portable. Lorsqu'il se sentait sûr de lui, il pouvait être très impulsif et elle comprit que son appel et les propositions qu'il lui faisait étaient l'expression de ce trait de caractère qui se manifestait rarement chez lui. Elle l'avait déjà constaté, surtout à Gräsö, au bord de la mer, où il pouvait être tour à tour enjoué et pensif, amoureux et empressé comme un gamin, et l'assaillait d'idées incongrues.

Il était alors capable de la prendre par les cheveux, de les lui attacher au moyen d'un morceau de corde trouvé sur la grève, d'ôter lentement ses propres vêtements, sans la moindre pudeur, puis les siens, à elle, et ensuite de la prendre par la main et de partir vers le large. Elle détestait les bains dans l'eau froide, or la mer d'Åland n'était presque jamais à température agréable. Et pourtant elle le suivait. Il plongeait en s'ébrouant comme un phoque, remontait à la surface, souriait, avait l'air soudain gêné, replongeait et réapparaissait loin de là.

Elle s'assura auprès de Ryde qu'il allait ramasser les morceaux de verre portant des traces de sang. Il lui faisait l'impression d'un gros bébé, dans sa combinaison de travail. Il lui était déjà arrivé d'éclater de rire et de lui dire qu'il était mignon dans cette tenue, et cela avait motivé de sa part à lui un regard assassin.

– On a bientôt fini, dit-il. D'après moi, il n'est pas mort sur le coup, mais on verra ce que dira le légiste.

– Ce serait un homicide, alors.

– Non, un meurtre, répliqua Ryde en regardant la boîte en plastique dans laquelle il avait mis les morceaux de verre.

– Des traces de lutte ?

– Il a tenté de se défendre et porte des plaies sur les bras laissant penser qu'il a essayé de se protéger, mais il n'avait aucune chance face à un fou armé d'une chaise.

Ryde était près d'elle. C'étaient ces moments-là qu'elle appréciait le plus, en sa compagnie. Ceux où il lui parlait à voix basse et sur le ton de la confidence.

– Pas de traces d'armes ?

– Non, aucune blessure à l'arme blanche, mais il faut attendre les conclusions de l'autopsie, lui dit Ryde d'une voix beaucoup plus douce qu'à l'accoutumée.

– Il n'a pas l'air d'un jeune qui va casser des vitrines pendant la nuit, dit Ann.

– Non, au contraire. Il est habillé de façon correcte, dit Ryde, ce qui était un compliment de sa part car, si l'on était bien habillé et coiffé de façon à peu près conventionnelle, c'était pour lui signe qu'on avait du discernement.

– Qu'est-ce que tu en penses ? demanda Lindell.

Ryde l'observa quelques secondes avant de répondre.

– Je crois qu'il passait par là, qu'il s'est trouvé mêlé à une histoire quelconque, s'est réfugié dans la boutique et que c'est là qu'il a été frappé à mort.

– C'est ce qui me paraît le plus probable, à moi aussi.

Elle avait envie de sourire à Ryde, mais ce n'était pas le jour d'un tel comportement, en pareil lieu.

– À toi de jouer, dit-il en tournant les talons. Au fait, j'espère que ce sera mon dernier cadavre, ajouta-t-il après s'être éloigné de deux ou trois mètres.

– Quoi ?

– Tu as bien entendu. J'ai assez tripoté les macchabées.

– Tu n'as pas encore l'âge de la retraite, objecta Lindell.

– Ça n'empêche pas de tirer sa révérence.

– Quand ça ?

– À l'automne. Mais tu n'as pas besoin de faire une tête pareille.

Ann Lindell, Ola Haver, Sammy Nilsson et Bea Andersson restèrent un moment sur place. En fait, ils n'avaient plus grand-chose à faire là. Bea avait déjà organisé le porte-à-porte. La rue était surtout bordée de magasins et de bureaux, mais il n'était pas impossible que l'un des rares habitants ait remarqué quelque chose.

Elle avait elle-même parlé avec un couple d'un certain âge qui avait été réveillé brusquement par des cris et des bruits de verre brisé. Ils avaient l'habitude d'un certain « tapage », mais les événements de la nuit sortaient de l'ordinaire.

– Curieux qu'on n'ait pas eu plus de plaintes, remarqua Sammy Nilsson.

– Il va falloir vérifier, répondit distraitement Lindell, il y en a sûrement quelques-unes.

– Le plus important, c'est d'identifier le corps, dit Haver.

Il lança un regard à Lindell, qui hocha la tête.

– Ça va être pénible, reprit Sammy, et tous comprirent que, par ces mots, il entendait l'annonce à la famille. Il y aura sûrement bientôt quelqu'un qui signalera une disparition, poursuivit-il.

– Ce n'est pas moi qui m'en chargerai, trancha Lindell.

Il était rare qu'elle soit aussi catégorique.

– Sammy, toi qui es au parfum, c'est sans doute une bande de jeunes venue faire une virée en ville.

Il avait collaboré un certain temps avec un groupe de travail qui se consacrait spécialement aux questions concernant les jeunes, avant que celui-ci ne soit dissous.

– Ce n'est pas un bus de retraités, en tout cas, répondit Sammy d'une façon dont il savait parfaitement qu'elle ne plairait pas à Haver et ce dernier ne manqua pas de réagir, en effet.

– Tu ferais mieux de proposer des solutions, plutôt que de lancer des mots d'esprit, répliqua-t-il sur un ton d'une vivacité inattendue. Toi qui as travaillé sur ces questions, ajouta-t-il pour adoucir un peu ses propos en voyant les regards étonnés de ses collègues.

Sammy le dévisagea sans répliquer.

– Vous avez vu tous ces charognards, fit Bea. Il faut dire qu'ils ont annoncé cela sur Radio Uppland.

– On pourrait peut-être les faire payer, suggéra Haver.

– Et Ann serait préposée au contrôle des billets, ajouta Sammy. Elle aime beaucoup le contact avec la population.

Lindell s'était éloignée et descendait seule la rue en direction de Nybron.

– Elle y va pas, elle y court, reprit Sammy.

– Tu ne trouves pas que tu es un peu lourd, explosa Haver.

Bea, elle, resta sans rien dire.

Chapitre 7
Samedi 10 mai, 7 h 20

Ali avait réussi à regagner discrètement sa chambre avant que le réveil de sa mère ne sonne. Elle ne l'avait sans doute pas entendu, car son sommeil n'était jamais aussi lourd que tôt le matin, avant qu'elle ne se lève pour aller à son travail à Arlanda. C'était moins facile le soir : elle était certes fatiguée mais avait du mal à trouver le sommeil et, au lieu d'aller se coucher, vaquait à un tas d'occupations jusqu'à ce que son corps finisse par crier grâce et qu'elle soit obligée de se traîner péniblement dans sa chambre.

Elle avait la manie de la propreté et avait hérité de sa propre mère la conviction que tout devait être à sa place, expliquait le grand-père, à la fois soucieux et amusé.

– Les femmes veulent toujours tout contrôler, disait-il, c'est la seule façon pour elles de dominer la vie. « Et pour toi d'avoir des pantalons propres et bien repassés », pensait Ali sans oser le dire.

Il était heureux de ne pas avoir à parler à Mitra, car elle se tourmentait chaque jour un peu plus pour lui. Elle lui posait une foule de questions, parfois totalement incompréhensibles ou du moins auxquelles il était difficile de répondre.

– Ta mère est une personne très soucieuse de morale. Elle veut comprendre et expliquer la vie à partir de certains principes.

Le grand-père n'avait pas précisé en quoi consistaient ces principes, mais Ali soupçonnait qu'il y avait un rien de scepticisme dans ces propos, même s'il ne critiquait jamais ouvertement sa fille. En réalité, il était fier d'elle et de ses principes. Il l'avait vue grandir et devenir une forte femme. Elle était petite, comme tous les membres de sa famille, et n'arrivait qu'aux épaules d'Ali. En revanche, elle possédait une énergie intérieure qui réfutait les critiques du grand-père avant qu'elles soient formulées et les réduisait à des sourires légèrement amusés. Il y avait des moments où Ali avait l'impression que le grand-père avait peur de sa fille.

La source de cette énergie, la mère la tirait de certaines règles de vie qu'elle exposait à Ali comme d'autres les photos des membres trépassés de leur famille. C'était l'impression qu'il avait, en tout cas. Elle édictait un principe, racontait une histoire, retraçait un destin et l'exhortait à honorer la mémoire du défunt et à vivre en fonction de cette règle de conduite, au nom de la personne disparue.

Mais il y avait tellement de morts et tellement de principes.

Il s'assit sur son lit et resta quelques minutes dans cette position avant de se jeter en arrière sur le couvre-pieds impeccablement tiré. C'était l'un des principes de sa mère : un lit bien fait. Sous le coup de la fatigue, ses pensées allaient et venaient dans le plus grand désordre. Les impressions de la soirée et de la nuit se mêlaient les unes aux autres. Il tentait de se remémorer l'enchaînement des événements, mais le spectacle de la boutique ne cessait d'accaparer son esprit et cet épisode y passait en boucle. Or, il ne s'agissait pas d'un banal acte de violence figurant sur une bande-vidéo, c'était la réalité qui se répétait ainsi à l'infini.

Il tenta de chasser de son esprit ce qui s'était passé, sachant qu'il serait forcé de le faire de toute façon. Pour pouvoir continuer à vivre, il fallait qu'il devienne comme son grand-père. Celui-ci avait vu et connu beaucoup d'horreurs et pourtant il était toujours capable de vivre, de parler, de manger, de dormir, voire de rire.

Pourrait-il jamais raconter cela à quelqu'un ? Non, ce serait fatal pour sa famille. Quant à savoir si ce silence ne lui serait pas fatal à lui-même, il n'aurait su le dire.

Il tourna la tête pour regarder le réveil. Six heures auparavant. Le lendemain matin, il y aurait un peu plus d'un jour. L'été venu, environ mille heures. L'hiver, il y en aurait trop pour les compter. Et, dans dix ans, une infinité ou presque. Peut-être tout s'effaçait-il avec le temps ?

Non, pas pour son grand-père, dont la mémoire n'était jamais prise en défaut. Les choses finissaient parfois par se présenter sous un autre jour, mais jamais il n'était fait table rase. Ali se demandait souvent à quoi songeait son grand-père quand il avait cet air pensif et que son regard se perdait dans le vide. Il avait beau poser la question, il n'obtenait jamais la réponse. Une fois, Hadi avait répondu : « Je pense à un bélier qu'on avait, jadis. » « Un bélier ? » avait ricané Ali, avant de se taire, sous le regard de son grand-père.

Était-ce cela, ses souvenirs ? Des béliers ? Des moutons qu'il avait gardés, vendus ou abattus ? Parfois, il avait la larme à l'œil, après avoir gardé des moutons par la pensée. Alors il se levait, en s'appuyant sur sa canne, allait à la fenêtre et regardait à l'extérieur, le dos bien droit et le menton en avant tel un roc proéminent. Sa main droite était nouée sur le pommeau de la canne et son index tambourinait inconsciemment. Parfois, il parlait tout haut. À ces moments-là, sa fille se taisait, filait dans la cuisine et vaquait à ses occupations sans faire de bruit. Elle n'avait jamais besoin d'ordonner à Ali de ne pas déranger son grand-père.

Il regarda à nouveau le réveil, tendit la main et alluma l'ordinateur en restant allongé sur le lit. Le goût de vomi qu'il avait dans la bouche l'écœurait et, dès que son grand-père serait parti, il se lèverait, irait se laver les dents et prendrait une douche. Pour l'instant, il avait l'impression d'être dans une salle d'attente. Il n'avait pas encore commencé à mentir mais, sitôt sorti de sa chambre, il entrerait dans l'ère du mensonge.

Hadi avait pris sa décision la veille : si le temps se maintenait, il quitterait la ville. Il savait quel bus prendre, pour avoir demandé à Mitra de regarder dans l'horaire de la compagnie. Il s'habilla chaudement car, même au mois de mai, il pouvait faire frais. Il était en effet devenu frileux. « C'est ce qui se passe quand on est vieux, à cause de la circulation du sang », avait dit Mitra. Comme si elle s'y connaissait. Pour sa part, il était convaincu que c'était son nouveau pays qui était froid d'une façon qu'il n'avait pas connue en Iran, même s'il y soufflait parfois des vents glacials venus des montagnes et si la neige y tombait en abondance.

Non, la faute en revenait aux températures qu'il faisait en Suède et pas à son sang. Il l'avait senti dès le premier jour. C'était dans le sud du pays, à un endroit dont il avait oublié le nom, une des nombreuses étapes de leur périple. Et encore, on prétendait qu'il faisait chaud, là-bas. « J'ai le même sang qu'auparavant », avait-il dit à sa fille pour clore la discussion. Elle s'était contentée de rire. Elle était comme sa propre mère, têtue et en même temps prête à mettre fin à une discussion quand il le fallait. Pas du genre à s'obstiner. C'était une bonne fille et il avait à la fois du respect et de l'affection pour elle.

Hadi se lava minutieusement, s'habilla lentement et se peigna avec soin, non sans cérémonie. C'était le premier jour de printemps et il devait aller voir ses bêtes. C'était ainsi, elles lui appartenaient et, quand il leur parlait, elles lui répondaient en persan ou dans la langue des bêtes, la même partout dans le monde. Il avait tenté d'expliquer cela à Ali, mais celui-ci avait à peine écouté et encore moins compris.

Hadi s'arrêta un instant devant la chambre d'Ali, pencha la tête contre la porte close et crut percevoir le bruit d'une respiration régulière et profonde. Il imaginait son petit-fils, recroquevillé sur son lit, le visage contre le mur. Quand il était petit, il avait peur de mettre le pied sur le sol, le matin. Parfois, il était tellement paralysé de frayeur que Hadi ou Mitra devaient le porter dans leurs bras jusqu'aux toilettes. Cela s'était nettement amélioré au fil des ans, mais Ali dormait toujours aussi près du mur qu'il pouvait et il lui arrivait encore de se sentir pris dans la poigne de fer de sa terreur de jadis.

Hadi se disait que cela avait sans doute à voir avec l'air. La Suède était un bon pays où les rues étaient propres, et pourtant l'air rendait les gens lourds à la fois dans leur démarche et dans leur esprit. Cet air était trop moderne. On ne sentait aucune odeur, sauf peut-être au printemps, lorsque l'herbe commençait à pousser, et trop rarement celles de la jeunesse de Hadi : les crottes d'animaux, les fourrures mouillées, la fumée des cheminées et des fours à pain, l'odeur des miches et la neige qui voltigeait.

Le vieil homme s'éloigna de la porte, s'attarda dans l'entrée, lissa sa moustache, frappa prudemment quelques coups sur le sol avec sa canne et hocha la tête en contemplant son reflet dans la glace. Ali ne devait-il pas aller à l'école ? Il ne comprenait rien à cette affaire :

parfois le garçon était libre pendant une demi-journée entière et pouvait dormir tard dans la matinée. D'autres fois, il rentrait à midi en disant que le professeur était absent. Quel genre d'école était-ce, où il n'y avait pas de professeur ? Puis il se rappela que c'était samedi et qu'il n'y avait pas d'école ce jour-là, dans leur nouveau pays.

« L'air de la campagne ferait du bien à Ali », se dit Hadi, qui frappa légèrement avec sa canne, de nouveau, et attendit un moment. Puis il mit sa casquette avec un soupir, quitta l'appartement et sortit dans le soleil de mai.

Il fut aussitôt de meilleure humeur. Le bus qui le mena en ville était complet et il reconnut quelques compatriotes qu'il salua poliment. Une fois dans le centre, il prit un autre bus. Il aurait aimé dire quelque chose à quelqu'un, n'importe quoi, peut-être à propos du printemps, surtout.

Le chauffeur lui lança un regard dans le rétroviseur. « C'est sûrement un Turc », pensa Hadi tandis que la ville laissait la place à la campagne. Tous les autres passagers étaient descendus, il restait donc seul dans la voiture. Cela lui plaisait, car il avait ainsi l'impression que le Turc était son chauffeur personnel, et il se mit à sourire. Le paysage changea, la forêt était remplacée par des pâturages légèrement vallonnés. Il constata avec plaisir que le fossé était plein d'eau, le long de la route.

Soudain, il se leva et brandit sa canne. Le Turc freina, quoiqu'il n'y eût pas d'arrêt. Hadi gagna la porte et descendit pour aller retrouver des prés qui lui étaient familiers. « Tu n'as qu'à croire ce que tu veux », pensa-t-il à l'adresse du chauffeur en lui adressant un salut avec sa canne.

– Maintenant, tu es tout seul, espèce de Turc, dit-il à voix haute en promenant le regard sur le paysage.

Il était descendu sur une butte d'où il avait une vue assez large sur les alentours. Sur une hauteur, non loin de là, deux fermes se prélassaient au soleil et leurs granges passées au rouge de Falun avaient l'air grasses et prospères. Un silo dressait sa silhouette de fusée spatiale sur le ciel.

Dans l'une de ces fermes, une femme regardait par la fenêtre. Son mari se faisait attendre. Au fil de l'hiver, elle avait eu de plus en plus peur qu'il ne glisse dans l'étable et ne se fasse mal. Cela allait mieux, maintenant que la glace avait disparu de la cour, mais elle s'inquiétait toujours. Il n'était plus aussi robuste que jadis.

Elle vit Hadi sur la route, près d'un tas de pierres dans lequel il fouillait avec sa canne comme s'il avait perdu quelque chose. Elle se rendit aussitôt compte que c'était le même homme que l'année précédente. Cette fois-là, elle avait appelé Greger, son fils, non loin de là.

– C'est sans doute quelqu'un qui cherche des champignons, lui avait-il dit. Tu sais comment ils sont.

– Mais il est basané.

– Basané ?

– Oui, il avait l'air d'un vrai bohémien.

La conversation s'était arrêtée là. À la fin de la journée, elle en avait parlé à Arnold, son mari. Mais, tout ce qu'il avait trouvé à lui répondre, c'était :

– On voit de tout, sur les routes.

Or, cet homme était de nouveau là. Elle regarda la pendule. Greger était au travail. Elle serra son gilet sur sa poitrine et sortit dans la cour. Au même moment, Arnold quitta l'étable.

– Faut qu'on appelle, dit Beata Olsson en se contentant d'indiquer la direction de la forêt.

– Pourquoi ça ?

– Il est revenu, le bohémien. Celui qui rôdait par ici l'automne dernier.

Arnold regarda la lisière sans rien voir d'inhabituel.

– Tu as dû te tromper, lança-t-il en se dirigeant vers la maison d'habitation.

Beata resta sur place une bonne minute, incapable de se défaire de ce sentiment de malaise. Elle était sûre que c'était le même homme et, à cette époque de l'année, il n'y avait pas de champignons à cueillir. Et puis Karl-Åke avait eu de la visite, peu de temps auparavant, et on lui avait volé du gasoil et des outils.

Hadi sentit l'odeur avant de les voir. Il s'arrêta pour faire durer un peu le plaisir, respira profondément et sourit.

L'une des génisses secoua la tête et se mit à mugir prudemment. Elles avaient l'air belles et bien nourries. On pouvait au moins mettre cela à l'actif de ce pays : on y savait s'occuper des bêtes. Certaines des plus âgées avaient cessé de s'intéresser au nouveau venu et s'étaient mises à brouter à nouveau, tandis que les plus jeunes continuaient à le dévisager. Il leva sa canne pour les saluer et l'une d'entre elles fit un bond de côté.

Hadi étendit le petit morceau de tissu qu'il avait apporté, s'assit par terre avec difficulté, étendit les jambes et massa lentement sa cuisse droite.

Les bêtes ruminaient et lâchaient de temps en temps une bouse en le fixant des yeux. Il tâta le sol, près de lui, comme s'il cherchait un ballot de croûtons de pain ou bien des dattes.

Le soleil suivait sa course à travers le ciel, les génisses paissaient, satisfaites de l'état des choses, ainsi que Hadi, mais avec une différence, cependant. Les bêtes étaient pleinement satisfaites de cette herbe savoureuse alors que Hadi rêvait d'autres pâturages. Il observait ce coin d'Uppland rabougri, cette nature ingrate et peu généreuse, et se rappelait les sources de montagne, jadis, où les femmes allaient parfois chercher de l'eau fraîche et d'où il avait une si belle vue sur la vallée. Il voyait le village voisin à travers la brume solaire et, si quelqu'un approchait sur la route, il s'amusait à tenter de deviner qui c'était. Parfois survenait une voiture, mais c'était assez rare dans la région reculée où il grandissait. Il avait d'ailleurs appris que les véhicules motorisés n'apportaient rien de bon, le plus souvent.

Un couple de balbuzards plana mollement au-dessus de la vallée avant de s'éloigner en direction du Mälar, sous la forme de deux points à l'horizon. Au loin, on entendait le bruit d'un moteur. Les champs étaient ensemencés et, sur certains, on voyait déjà les pousses vertes du blé semé à l'automne. À ses pieds, les fleurs dressaient leurs tiges hors de leur corolle de feuilles. Il les aimait bien, ainsi que leur chaude couleur jaune et leur parfum, sans pour autant savoir leur nom.

Il se mit à chanter des bribes d'une chanson de jadis, simples paroles arrachées à leur contexte. Les génisses eurent l'air d'apprécier car elles écoutèrent ces accents étrangers en ayant l'air de penser que le mois de mai était vraiment merveilleux.

Il resta ainsi pendant une heure, peut-être plus, puis se releva non sans difficulté. Ankylosé, il dut prendre appui sur sa canne pour se redresser. Puis il revint sur ses pas en lançant par-dessus l'épaule un regard sur l'endroit où il s'était assis, et constata qu'il avait laissé une marque.

Il découvrit les fils de fer arrachés gisant sur le sol avant même de voir les bêtes. Elles étaient massées sur le bord de la route et se hasardaient sur l'asphalte en le regardant d'un air stupide. Il s'approcha d'elles et deux des plus jeunes firent un bond en arrière.

– Allez, allez, cria-t-il en brandissant sa canne.

Puis il approcha doucement du troupeau, pour ne pas les effrayer, en scrutant l'horizon.

Après avoir regroupé les bêtes, et alors qu'il s'apprêtait à les repousser dans le champ à travers l'ouverture dans les barbelés, il entendit le bus arriver de l'autre côté de la butte. Il courut à sa rencontre, aussi vite que ses vieilles jambes pouvaient le porter, et vit qu'il arrivait au sommet à belle allure. Il lui fit alors de grands signes avec sa canne. Le chauffeur freina brusquement et le véhicule dérapa légèrement, mais sans sortir de la route, avant de s'arrêter juste devant le troupeau.

C'était de nouveau le Turc qui était au volant. Il roula d'abord de grands yeux mais afficha ensuite un sourire. Hadi désigna les bêtes avec sa canne et lui cria quelque chose en persan.

– C'est toi le berger ? lui demanda le chauffeur en accentuant encore son sourire. Moi, je suis kurde, ajouta-t-il en voyant la mine du vieil homme, et Hadi reconnut en effet le dialecte de la partie septentrionale de l'Iran.

Hadi le regarda un instant et fit ensuite un geste avec sa canne.

– Reste là, pendant que je les chasse, dit-il. Il ne faut pas essayer de passer à côté d'elles. D'accord ?

Le chauffeur hocha la tête avec un sourire.

– Il y a un bus qu'est arrêté sur la route, dit Beata. T'as vu ? C'est peut-être à cause des bêtes.

Arnold leva les yeux de son journal.

– Un quoi ?

– Un bus, répéta sa femme, un ton plus haut.

Arnold alla voir à la fenêtre.

– Et le bohémien est là aussi, s'exclama-t-elle.

– Bon sang, dit Arnold en enfilant sa veste.

– Ça fait deux basanés, commenta Beata.

Arnold sortit en coup de vent.

– Tu veux que j'appelle Greger ? lui lança sa femme, alors qu'il était déjà dans la cour.

Il courut à travers champs à petits pas et, quand il fut assez proche pour distinguer les détails, il eut peine à en croire ses yeux. Un moricaud coiffé d'une casquette et armé d'une canne était en train de chasser ses bêtes de la chaussée, tandis qu'un autre gesticulait près de la clôture. Il entendait à la fois les cris qu'ils poussaient tous les deux dans une langue incompréhensible et les beuglements paisibles du bétail.

Une fois sur place, il comprit ce qui se passait. Le chauffeur du bus, qu'Arnold reconnaissait maintenant, lui expliqua la situation en désignant le vieil homme, occupé à réparer le fil de fer.

– Il a évité à tes bêtes de se faire écraser, dit-il, et à moi d'avoir un accident.

– Qui c'est ? demanda Arnold en pensant à ce que lui avait dit Beata à propos de vols dans les fermes voisines.

– Tout ce que je sais, c'est qu'il est iranien. C'est moi qui l'ai amené ici il y a deux heures.

Ils se dirigèrent vers Hadi, qui ôta sa casquette et tendit la main pour serrer celle du paysan interloqué. Le chauffeur dit quelque chose et le vieil homme marmonna une réponse. Le Kurde posa alors une autre question et, cette fois, la réponse fut plus circonstanciée.

– Qu'est-ce qu'il dit ?

Au loin, on apercevait Beata. Arnold lui adressa un signe de la main pour la rassurer.

– Il dit qu'il a été berger, jadis, et qu'il s'est occupé de bêtes pendant toute son existence. Et que, pour supporter de vivre en Suède, il est obligé d'aller voir du bétail, de temps en temps.

– Aller voir du bétail ? répéta stupidement Arnold en regardant Hadi, qui le dévisageait gravement.

– Il lui cause, ajouta le chauffeur.

– Mais il ne parle pas suédois ?

– Assez mal, je crois.

– Tu le fais bien, toi.

– Moi, ça fait vingt ans que je suis en Suède, répondit le chauffeur en regardant sa montre. Tu montes ? ajouta-t-il à l'adresse de Hadi, qui hocha la tête et remit sa casquette.

Beata était maintenant arrivée sur les lieux et Arnold lui expliqua ce qui s'était passé.

– Il part avec toi, le berger ?

Le chauffeur hocha la tête.

– Eh bien, dis-lui de revenir demain, pour voir mes moutons, fit Arnold. Aujourd'hui, c'est pas très pratique, parce que j'attends le vétérinaire.

Lorsque le chauffeur lui eut traduit cela, Hadi ôta de nouveau sa casquette pour serrer la main de Beata.

– Merci beaucoup, bredouilla-t-il.

– Mais si, il parle suédois, fit remarquer Beata.

– Un peu, répondit Hadi avec un sourire, petit peu.

Le bétail regarda partir le bus, tandis que le couple de paysans restait sur place.

– C'est Greger qui a mal refermé la clôture, dit Arnold.

– Vous étiez deux, non ? Tu as vu qu'il a enlevé sa casquette, avant de nous serrer la main ?

– Ça aurait fait un beau carnage, reprit Arnold.

– Il avait de beaux cheveux, fit remarquer Beata en regardant le bus s'éloigner.

– J'ai reconnu le chauffeur. Il conduit comme un fou.

– Mais les bêtes n'ont pas à être sur la route, conclut Beata.

Chapitre 8
Samedi 10 mai, 10 h 55

Edvard observait son reflet dans la glace. C'était son image, et pourtant pas celle qu'il voyait, matin et soir, quand il se lavait les dents, plutôt celle qu'il pensait que voyaient les autres.

« C'est étrange, se dit-il, je me vois comme si c'était la première fois que je rencontrais Edvard Risberg, manœuvre d'âge mûr habitant Gräsö. » Il lui vint l'idée de se tendre la main, mais il la refréna en éclatant de rire. Une femme qui venait de pénétrer dans l'agence de voyages lui lança un regard inquisiteur.

« Ann, suis-je vraiment Edvard, celui que tu aimais jadis ? Est-ce vraiment à cela qu'il ressemble ? Toi, tu n'as pas changé, peut-être un peu plus en chair, simplement. Depuis tout ce temps. »

« Pourquoi mettre une glace, dans une agence de voyages ? Pour qu'on voie à quel point on est pâle ? » eut-il le temps de se demander avant que ce ne soit son tour. Il donna son numéro d'ordre à la femme qui se tenait derrière le comptoir, mais marmonna aussitôt qu'il préférait attendre et alla prendre un nouveau ticket.

Edvard n'était pas pâle. En fait, il avait l'air de rentrer d'un voyage au soleil. Sa grosse tête était exposée aux intempéries chaque jour de l'année. Il en avait toujours été ainsi. Sa peau hâlée était tendue sur ses pommettes, mais il partageait ce trait avec tous les membres de sa famille. Marita, son ex-femme, avait une théorie selon laquelle il avait du sang finnois dans les veines et il avait un jour posé la question à Albert, son grand-père paternel. Celui-ci avait pouffé de rire. « On vit en Uppland depuis l'époque des esclaves, avait-il dit. Quand la terre est sortie des eaux, on vivait déjà sur ces rochers et on a aussitôt commencé à trimer pour un salaud quelconque qui avait fait main basse sur toutes les mottes de terre du secteur. C'est ça qu'on peut reprocher aux Risberg : avoir été trop dociles. On a laissé les autres décider, au lieu de nous servir nous-mêmes. C'est comme ça », avait conclu le patriarche et Edvard avait fait sienne cette opinion.

Il voyait donc l'homme d'âge déjà avancé qu'il était : les rides autour des yeux et de la bouche, accentuées par des années à plisser les yeux sous l'éclat de la lumière et la force du vent. Ses cheveux étaient encore épais et poussaient dru, mais ils étaient d'une teinte si banale qu'ils étaient dépourvus d'éclat. Si les yeux étaient vraiment le miroir de l'âme, on pouvait le qualifier de rêveur. Un jour, Ann lui avait dit qu'il avait l'air attachant, quoi que cela puisse signifier. Attaché, plutôt, ou tendu, surtout dans un milieu qui n'était pas le sien et en présence d'étrangers. Or, il s'apprêtait à partir pour un pays lointain qu'il aurait eu du mal à situer sur la carte.

Deux jeunes étaient en train de discuter, au comptoir. Edvard tendit l'oreille pour surprendre la conversation.

– Est-ce qu'il y a une piscine ?

– Oui, mais elle se trouve de l'autre côté de la route, à environ cent cinquante mètres.

– C'est trop loin, s'il faut y aller à pied, dit l'un d'eux.

« C'est à peu près la distance qui me sépare du ponton », pensa Edvard.

– On peut se baigner dans la mer, objecta l'autre.

– J'aime pas les méduses et ce genre de saletés, reprit le premier.

– Vous préférez peut-être réfléchir, soupira l'employée.

– Est-ce que l'eau est chaude ?

– Vingt-cinq degrés, environ.

– Pas plus que ça ? J'ai entendu parler de vingt-huit.

– Nous préférons dire vingt-cinq.

– C'est pas mal, dit le plus coopératif des deux.

Mais ils ne parvinrent pas à se mettre d'accord et se retirèrent. Ce fut au tour d'Edvard de dire ce qu'il désirait. La femme lui posa quelques questions tout en entrant les données sur son ordinateur.

– Peu importe, répondait-il la plupart du temps.

Il régla la note et elle lui remit ses billets. L'ensemble n'avait pas pris plus de cinq minutes.

– Il y a encore des places libres ? avait-il demandé.

– Oui, mais elles partent très vite, avait répondu la femme avec un sourire.

Il sortit dans la rue, délesté de quelques billets de mille, mais il avait décidé de ne pas trop y penser. Il se fiait à ce que Fredrik lui avait dit sur cette île magique. Départ le 12 mai, c'est-à-dire deux jours plus tard. Il fallait qu'il avertisse Gottfrid. Il avait cependant travaillé si dur pendant l'hiver et le printemps que ce dernier ne pouvait guère avoir d'objection. Ce serait moins facile avec Viola. Il allait devoir affronter bon nombre de questions angoissées, pendant ces deux jours. C'est pourquoi il avait emporté quelques brochures, afin de lui montrer qu'il partait pour un pays civilisé et non pour une jungle pleine de bêtes fauves et de maladies tropicales, comme elle se l'imaginait. « Comment trouveras-tu à manger ? » lui avait-elle demandé. « J'irai au restaurant, pardi », avait-il répondu. Viola avait secoué la tête, navrée de l'ampleur de l'ignorance dont il faisait preuve.

Chapitre 9
Samedi 10 mai, 10 h 05

Ali avait entendu le grand-père quitter l'appartement, s'était rendormi et réveillé en sursaut une demi-heure plus tard. Il avait crié dans son sommeil et ne parvenait pas à se souvenir de ce qu'il avait hurlé, sous le coup du désespoir, mais c'était quelque chose de familier. Peut-être cela avait-il un rapport avec la boxe ? Ou alors avec ce qu'il aurait dû vociférer devant la boutique ? Car il avait regardé sans rien dire, incapable d'articuler le moindre son.

Konrad ne cessait de l'exhorter : « Ta garde, bon sang, ta garde ! »

Ali réprima un sanglot. Il voulait se lever mais hésitait. Il n'avait nulle part où aller. Dans son cauchemar habituel, le sol lui brûlait les pieds et le chlore s'attaquait à ses chevilles. Et les tapis ne servaient à rien. Or, son grand-père ne le prenait plus jamais dans ses bras.

Il ne pouvait rester au lit, non plus, car le sommeil s'emparerait de lui. Pas celui qui apaisait, jamais plus celui-là, hélas. Comment pourrait-il s'endormir calmement, désormais ?

Il resta couché, à lutter. Vas-y, vas-y ! Il tenta de penser à Konrad. À Massoud, l'entraîneur en second, qui avait fait de Mehrdad, le cousin d'Ali, un excellent boxeur, avant qu'il soit exclu des rings pour mauvaise conduite. Ali regarda le punching-ball accroché près de la penderie et en lut la marque pour la centième fois : *Élite*.

Peu avant onze heures, on sonna à la porte. Plusieurs fois, à une minute d'intervalle. Puis le silence se fit et il y eut une sonnerie prolongée qui emplit l'appartement de son vacarme. Ali se boucha les oreilles avec son oreiller. Une fois que ce fut terminé, il se leva sans faire de bruit et gagna la fenêtre à cloche-pied. Il eut aussitôt froid et son T-shirt lui colla à la peau. Il y avait un courant d'air frais qui passait sous la fenêtre, bien qu'on fût au mois de mai. Il se drapa donc dans le rideau pour regarder à l'extérieur. Mais il ne vit personne de sa connaissance.

Un Suédois fouillait dans les corbeilles à papier. Fasciné, Ali le regarda fouiner parmi les détritus et pêcher triomphalement une bouteille vide, la fourrer dans un sac en plastique, refermer le couvercle de la corbeille et s'éloigner, très satisfait. Il avait déjà rencontré cet homme dans le centre de la ville. On disait que c'était un ancien drogué qui avait trouvé le chemin de la grâce.

La sonnette retentit de nouveau. Ali sursauta et se drapa un peu plus encore dans le rideau. Dans le coin de la chambre, derrière le lit, il vit sa batte de base-ball. Dans la cuisine, il y avait des couteaux. « Ta garde, Ali ! Vas-y, vas-y ! »

Hanté par le sentiment de ne pouvoir contrôler ses membres et persuadé que le sol lui criait quelque chose, Ali sortit de sa chambre, toujours à cloche-pied, gagna l'entrée et se posta derrière la porte, en catimini. Il y avait toujours quelqu'un à l'extérieur. Il lui semblait en effet entendre de très légers bruits. Pourquoi son grand-père n'était-il pas à la maison ? Sa silhouette massive occuperait alors l'entrée tout entière, son visage exprimerait sa résolution sous la forme de deux traits profonds et il brandirait sa canne.

Ali s'efforça de respirer en faisant aussi peu de bruit que possible et ne rejetant qu'un mince filet d'air par la bouche. Nouvelle sonnerie ! Pourquoi cela ne s'arrêtait-il pas ? « Partez, partez, partez », Ali forma ces mots entre ses lèvres minces et exsangues, sans les prononcer. Son cœur battait comme après une séance d'entraînement sous la direction de Konrad.

Le couvercle de la boîte aux lettres s'ouvrit avec un bruit métallique. Ali fit un bond de côté.

– Je sais que tu es là, fit la voix.

Ali était comme paralysé. Il sentit l'odeur de la cage d'escalier pénétrer dans l'appartement, à la manière d'un gaz mortel. Cela empestait la nourriture.

– Si tu parles, tu es mort.

La voix était parfaitement calme et Ali avait l'impression d'être déjà mort. Le couvercle se referma et il entendit la porte de l'ascenseur s'ouvrir puis se refermer, avant la descente.

Ali sanglota et renifla sa morve. Pourquoi son grand-père n'était-il pas à la maison ? Lui qui passait l'essentiel de son temps assis dans son fauteuil.

« Ta garde, Ali ! Vas-y, vas-y ! » Il retourna dans sa chambre en courant et referma la porte derrière lui. Le sol ne le brûlait plus. Il frappa sur le punching-ball et celui-ci se mit à vibrer sous l'impact de ses coups. Il respirait lourdement et la sueur perlait sur son corps. Il avait l'impression de frapper, de se battre comme si sa vie en dépendait.

Que lui avait dit Konrad ? « Ne te laisse pas entraîner dans des histoires, tu sais ce que c'est, hein ? » Konrad avait une façon de le regarder qui lui faisait peur et l'obligeait à faire attention à ses propos. Cela se sentait dans tout le corps, quand Konrad vous parlait, et on savait que ce n'était pas pour ne rien dire. À l'école, ce n'était pas pareil, les professeurs prononçaient des mots, eux aussi, mais ils ne signifiaient rien, car ils croyaient qu'on ne comprenait pas ou qu'on ne cherchait pas à comprendre. Les paroles de Konrad, elles, s'incrustaient en vous. Si on n'était pas assez attentif, on prenait un coup qui vous envoyait dans les cordes. « Ta garde, bon sang, Ali, ta garde ! Lève les poings, vas-y, vas-y ! Les pieds ! Bien, bien. Continue comme ça ! »

Graduellement, la peur qu'il éprouvait envers Konrad s'effaçait et laissait la place à un sentiment d'expectative. Konrad ne disait pas de bêtises. Ses paroles étaient des promesses. Ali n'avait jamais aussi bien écouté de toute sa courte vie.

Mais il n'avait pas assez bien écouté et s'était laissé entraîner dans des histoires.

« Si on a la trouille, on peut pas boxer, disait toujours Konrad, mais il faut respecter son adversaire. Tu sais ce que c'est, le respect ? Ne jamais avoir peur. Le regarder, évaluer ce dont il est capable et mettre à profit ce qu'on sait. La boxe, c'est comme la vie. Comment ça va, au bahut ? »

Ça n'allait pas très bien, justement. Le pire, c'était le suédois et les maths. Il s'efforçait d'écouter, comme au gymnase. Il avait la particularité de retrousser la lèvre supérieure en un sourire un peu niais, quand il n'était pas sûr de lui, ce qui lui donnait l'air plus bête qu'il n'était. Pire encore, il semblait avoir peur. Or, les professeurs détestent les élèves musclés, bêtes et qui ont peur. Leurs regards passaient donc toujours sur son visage sans s'y arrêter.

Konrad avait l'œil perçant du boxeur et voyait lui aussi cette lèvre supérieure stupide. « Ta garde, Ali ! Regarde-moi ! C'est bien ! » Souvent, il allait se placer derrière le dos d'Ali, saisissait ses maigres poignets et lui montrait comment parer les coups, feinter et passer à l'attaque. Il entraînait ses bras dans une sorte de danse au ralenti. Ali tournait la tête et son regard croisait les yeux bleus de Konrad. Celui-ci souriait. « Tu comprends ? » Ali hochait la tête. « Bien ! Montre-moi ! » Il le lâchait alors et reculait de quelques mètres, ce qui n'empêchait pas Ali de sentir sa présence comme s'il lui tenait toujours les poignets. « L'esprit et le corps ne font qu'un, disait Konrad. Vas-y ! Sur le côté ! Dégage-toi ! »

Il levait la main et ordonnait à Ali de frapper à coups redoublés. Puis il écartait sa main, s'effaçait, encourageait Ali du regard et de tout son corps. Ce regard disait : « Observe ton adversaire, c'est ça, allez, ne t'arrête pas. Encore cinq minutes. Vas-y, vas-y ! »

Ali s'arrêta, en nage. Et s'il disait tout à Konrad ? Non, parce que, dans ce cas, il comprendrait qu'Ali était aussi bête que sa lèvre lui en donnait l'air, qu'il n'était pas assez malin pour éviter les histoires. Il savait que ses explications n'iraient pas loin. Konrad était incorruptible. Ali l'avait constaté bien des fois de ses propres yeux. Divers gars, et parmi eux des copains d'Ali, certains très prometteurs, n'étaient plus admis au gymnase pour des bêtises en ville ou à l'école. Mehrdad, à qui on avait jadis promis un avenir magnifique – on parlait de lui comme futur champion de Suède junior et comme membre de l'équipe nationale – avait été mis à la porte après une bagarre en ville. C'était la règle. Konrad comprendrait peut-être, mais il refuserait de fermer les yeux. Même s'il le laissait continuer à venir, la confiance serait rompue, la magie terminée.

Y avait-il des mots pour rapporter ce qui s'était passé ? Ali le croyait mais n'était pas certain de les trouver. Peut-être même pas en persan. Le grand-père avait des mots pour la plupart des choses et ne parlait que rarement. « J'en ai vu tellement », disait-il toujours. Pourtant, il n'était pas fréquent qu'il parle de ce dont il avait été témoin. Seule Mitra parvenait parfois à tirer quelque chose de lui, le soir, dans la salle de séjour, après le dîner.

Elle lui demandait s'il se rappelait ceci ou cela. « Quelle question stupide », pensait Ali, son grand-père se souvenait de tout, bien plus que sa mère.

Comme cette histoire qui était arrivée à Hadi alors qu'il était encore jeune et n'avait pas plus de douze ans. Il avait fait une fugue, à cause d'un colporteur qui prétendait avoir besoin d'un assistant et avait promis de lui donner une pièce à chaque village qu'ils traverseraient. « Sais-tu combien il y a de villages ? » lui avait demandé cet homme. Hadi avait secoué la tête. À cet endroit, le grand-père observait toujours une pause dans son récit pour bien montrer qu'il avait déployé de gros efforts pour trouver la réponse, en réfléchissant très fort. Il en connaissait une poignée, dans les alentours, mais se doutait qu'il en existait beaucoup plus que cela.

Il avait suivi le marchand, comme cet homme aimait se faire appeler, jusqu'au village d'à côté où il lui avait en effet donné un sou. Et le lendemain, ils étaient repartis. En arrivant au village suivant, où Hadi était déjà allé avec son grand-père et qui lui rappelait beaucoup le sien, il avait commencé à avoir le mal du pays. Il avait voulu rendre les deux pièces qu'il avait reçues, mais le marchand faisait maintenant la grosse voix, avec l'air d'un chien méchant, et refusait de le laisser partir. Hadi avait donc dû s'enfuir une seconde fois, celle-ci pour rentrer chez lui, par la même route qu'il avait empruntée pour partir.

Lorsqu'il était revenu, épuisé, affamé et honteux, son père l'attendait sur le pas de la porte. Il n'avait pas accordé un seul regard à son fils. Hadi était allé se placer près de lui pour lui dire : « Pardon, père, je ne partirai plus jamais de notre village. »

À cet instant, Hadi regardait Ali en souriant. « J'ai promis de ne plus jamais quitter mon village et mes parents. Mais, comme vous le savez, je n'ai pas tenu ma promesse. »

Cette histoire, il la racontait à l'intention d'Ali. Mitra ne l'aimait pas et il savait pourquoi. C'était elle qui avait forcé la famille à fuir. Elle ou plutôt ses « idées », comme disait le grand-père. Ce mot impliquait une certaine critique, peut-être surtout parce qu'elle était une femme « à idées ». En revanche, il ne mentionnait jamais que ses deux fils avaient nourri les mêmes convictions et les avaient payées de leur vie. Hadi disait toujours que Reza et Farhad étaient des hommes dont leur père pouvait être fier. Au fond de lui, il l'était également de sa fille, Ali le voyait bien. Le grand-père élevait rarement la voix contre elle mais, quand il le faisait, il frappait avec sa canne et haussait les sourcils de telle façon que cela lui donnait l'air d'un oiseau de proie.

Ali aurait voulu faire chauffer du thé pour son grand-père et ensuite rester assis avec lui à la table de la cuisine. Hadi était taciturne et pourtant cela ne gênait pas le garçon. Mitra parlait d'autant plus. Elle avait toujours des questions à poser et des mises en garde. « Ali, fais ceci, fais cela, as-tu appris tes leçons, vous n'avez donc pas de travail pour l'école ? » Ou encore : « Ali, as-tu fait ta chambre ? »

Ne sachant ni lire ni écrire, Hadi ne posait pas souvent de questions à propos de l'école, mais il disait parfois qu'Ali devait beaucoup étudier, pour devenir avocat. « Un véritable avocat, ajoutait-il, pas un de ceux qui mentent et volent l'argent des gens. » Selon lui, il y avait de bons avocats. Il en avait rencontré un, au moins. « C'était à Kazeron. Tous les avocats sont des voleurs », disait Mitra. « Tu n'es pas allée à Kazeron », répliquait le grand-père.

– Pourquoi n'es-tu pas là ? demanda Ali, épuisé par le manque de sommeil, en faisant le tour de l'appartement et touchant à divers objets. Il alla se poster à la fenêtre mais eut peur d'être vu et se retira. Sentant qu'il avait faim, il alla se confectionner une tartine dont il ne mangea cependant que deux bouchées.

Cela sonna à nouveau mais, cette fois, c'était le téléphone. Ali posa la main sur l'appareil sans le soulever. Peu après, ce fut au tour de son portable de sonner. Mais il ne connaissait pas le numéro qui s'affichait.

Il errait dans l'appartement comme une âme en peine, flairant le danger, conscient qu'il était là, dans la cage d'escalier, dans la cour, dans le centre de la ville. Caché derrière le rideau, il lui vint à l'idée qu'il serait bon d'avoir une arme. Il s'imagina en train de viser une silhouette traversant le parking à pied, et, de proie, devint chasseur. Allait-il tirer ? Son doigt pressait déjà la détente. Non, pas cette fois, mais il avait cet homme dans sa ligne de mire et pourrait le faire. Il ferma les yeux et tenta de se représenter l'effet que cela lui ferait. Il fallait qu'il continue à jouer avec cette idée, qu'il invente quelque chose au lieu d'attendre passivement d'être encerclé et pris au piège. Il comprit que Mehrdad pensait à lui. Regrettait-il son geste ? Cela n'avait guère d'importance, à vrai dire. Ce qui était fait était fait et Ali était la seule menace pesant sur la tranquillité d'esprit de son cousin. Ils étaient liés pour toujours, comme la vie et la mort, leurs destins étaient indissociables.

Il retourna dans sa chambre, enfila ses gants de boxe et se mit à frapper, à asséner une série de coups qui accéléra sa respiration. Il observa une pause puis se lança dans une nouvelle série avec une énergie et une concentration qui auraient fait plaisir à Konrad.

Chapitre 10
Samedi 10 mai, 13 h 20

Ottosson lança un regard à Ann Lindell avant de poursuivre.

– Qu'est-ce qui peut donner envie de dévaster une rue entière ?

– La colère, dit Fredriksson.

– La vengeance, suggéra Ola Haver.

– S'il s'était agi d'*une* boutique, j'aurais pu admettre le mobile de la vengeance. Mais pourquoi s'en prendre à toute une rue ?

– Ils ont peut-être commencé par un magasin et ensuite continué simplement parce qu'ils ont trouvé ça drôle, reprit Haver.

– Quand est-ce que ça a débuté ?

– On ne sait pas exactement, sans doute vers une heure du matin.

– On n'avait personne en patrouille dans le secteur ?

– Une bagarre dans un appartement d'Eriksberg, une autre à Flustret qui s'est ensuite déplacée dans le bistrot des Bons Templiers, dit Fredriksson, qui vivait toujours dans les années 60, à bien des égards.

– Tu veux dire le Birger Jarl, rectifia Haver.

Fredriksson le regarda avec un sJourire.

– C'est bien ce que j'ai dit, insista-t-il. En plus, on a eu des tentatives d'incendie volontaire à Svartbäcken, un idiot qui a tenté de mettre le feu à des stations-service et qui a couronné le tout en allumant un beau brasier dans un garage de Stiernhielmsgatan.

– Quelle époque, soupira Ottosson.

Haver sourit et lança un regard à Lindell, comme pour lui dire : « Bon, vas-y, maintenant. »

– Sans compter un cas de violences conjugales à Gottsunda, reprit Fredriksson pour compléter sa triste litanie. La totale, quoi. L'équipe de permanence était sur place. On ne savait plus où donner de la tête.

– Je vois, dit Ottosson. Personne dans la rue, donc ?

– On avait aussi des voitures, dit Fredriksson. Une qui est passée peu avant minuit. Un incident chez Fredmans en a mobilisé deux.

– Pour quelle raison ?

– Bagarre d'ivrognes, comme d'habitude. Mais il n'y a pas eu d'arrestation.

– Est-ce que ce ne serait pas ce qui a mis le feu aux poudres ? suggéra Sammy.

– J'en doute. J'ai vérifié, c'est une équipe de basket qui faisait du chambard devant le bistrot. Apparemment, une histoire de jalousie qui a dégénéré après quelques bières. Ensuite, ils se sont réconciliés et ont continué à boire.

– *No hard feelings**, commenta Riis, ce qui fit sourire tout le monde.

– En d'autres termes, personne n'a rien vu ni rien entendu, conclut Ottosson.

– L'alerte a été donnée à 1 h 21, par des gens qui habitent la rue. Trois appels presque en même temps. Et quatre autres un peu après.

– Quand est-ce qu'on est arrivés ?

– On n'avait pas de voiture dans le secteur.

– Le contraire m'aurait étonné, lâcha Ottosson.

– Lund et Andersson sont arrivés à 1 h 28.

Ottosson hocha la tête : deux des anciens.

– C'était le calme plat. Pas une âme dans la rue.

– Lund a appelé pour demander des renforts à 1 h 30, disant que les auteurs étaient sans doute encore dans les parages. C'était son avis, du moins.

– Et je le partage, dit Ottosson.

– On était à court d'effectifs, je l'ai déjà dit, rappela Fredriksson.

– Comme toujours, commenta Riis.

– Nous n'avons donc pu prendre personne dans notre filet à grosses mailles ? ironisa le patron de la brigade, qui connaissait la réponse à l'avance.

À cet instant, Ryde pénétra dans la pièce et prit place à la table en faisant signe à Ottosson de continuer.

– Ça a dû se passer très rapidement, c'est sans doute le fait d'une bande, et puis on a un mort, un jeune qui a été

* Sans rancune.

retrouvé quelques heures plus tard et dont nous ignorons l'identité, résuma Ottosson en regardant autour de lui.

– Et de ton côté, Eskil ? demanda Lindell, prenant la parole pour la première fois.

Ryde ouvrit un dossier portant la rubrique *Mort violente, rapport préliminaire.* Lindell nota que ses gestes étaient plus lents qu'à l'accoutumée. Peut-être voulait-il prendre son temps, pour ce qui serait peut-être sa dernière tâche, afin de pouvoir se remémorer chaque étape, chaque détail de cette enquête, par la suite ? « Balivernes », se dit-elle, pendant que Ryde exposait ses conclusions. Il commença par préciser qu'il restait bon nombre de points à éclaircir, comme si quelqu'un en doutait.

– La victime est morte à une heure du matin, à soixante minutes près. C'est ce que dit le docteur Lyksell et je suis d'accord avec lui. Cause du décès : coups répétés sur la tête. L'autopsie ne sera pratiquée que demain, mais on peut d'ores et déjà considérer que ces violences ont entraîné des fractures importantes, une perte de sang considérable et, finalement, la mort.

« Quand Ryde sera parti, on n'aura plus personne pour s'exprimer de cette façon », pensa Lindell.

– La victime a aussi reçu des coups sur les bras et les mains, ce qu'on appelle blessures de protection. L'arme du crime est une chaise qu'on a retrouvée à un ou deux mètres du corps. Pas d'empreintes digitales.

– Tu veux dire qu'elles ont été effacées ? demanda Ottosson.

Ryde hocha la tête.

– Il a agi avec sang-froid, donc, et n'a rien laissé derrière lui ? s'enquit encore Ottosson.

– La chaise a été essuyée, précisa Ryde.

– Avez-vous trouvé quoi que ce soit qui laisse penser que la victime disposait d'une arme quelconque ? demanda Lindell.

– Non.

– Des traces de pieds, dit Riis, il m'a semblé…

– Non ! La victime mesurait un mètre quatre-vingts, était de constitution normale, pas de cicatrices, de tatouages ni de signes particuliers. Ses mains sont lisses comme un cul de bébé, ce qui signifie qu'il était sans doute étudiant ou n'exerçait pas un métier manuel. Il était bien habillé, mais sobrement. Un jeune homme normal, quoi. On ne sait pas encore s'il avait bu de l'alcool, on ne le saura que demain, conclut Ryde en regardant sa montre.

– Il n'avait rien sur lui ?

– Non, rien, ni portefeuille, ni portable, ni montre, uniquement une clé sur un porte-clés sans signe distinctif.

– Un crime crapuleux, quoi, fit Riis avec une mine de dégoût.

– Je pense qu'il a été témoin du bris des vitrines. Il a peut-être tenté de l'empêcher ou a exprimé des objections. Il a cherché refuge dans la boutique ou on l'y a fait entrer plus ou moins de force, dit Haver, reprenant l'hypothèse déjà formulée un peu plus tôt.

– Il ne faut pas exclure que coupable et victime aient été des connaissances, dit Lindell, mais la mine de ses collègues indiquait clairement que nul d'entre eux ne trouvait cela très vraisemblable.

– Tu veux dire qu'il aurait été au nombre des casseurs, lui aussi ? demanda Ottosson.

Lindell fit un geste de la tête qui pouvait être interprété comme signifiant : oui, peut-être.

– Non, pas lui. Il était trop bien mis.

– Méfions-nous de l'eau qui dort, rappela Ottosson.

– Comment fait-on ? dit Lindell et tout le monde comprit qu'elle posait la question essentielle : l'identification. Est-ce qu'on publie un communiqué et, dans ce cas, que va-t-on dire ?

– Liselott devait descendre nous rejoindre.

– Dans ce cas, je vais voir ça avec elle, conclut Lindell.

La réunion suivit son cours. On décida de poursuivre le porte-à-porte, d'interroger les commerçants et le personnel de la rue et de tâcher de savoir s'ils avaient déjà subi des dégâts, s'ils avaient été l'objet de menaces où s'il s'était passé quelque chose de particulier ces derniers temps qui puisse expliquer ce massacre de vitrines.

Lindell se réfugia dans son bureau avant qu'Ottosson ou quiconque ait eu le temps de mettre la main sur elle. L'appel d'Edvard lui trottait dans la tête depuis le matin et elle avait besoin de quelques minutes de solitude pour réfléchir. Ce qui l'étonnait le plus, ce n'était pas qu'il l'ait appelée, encore que ce fût déjà assez sensationnel et perturbant, c'était sa voix. Elle était toujours la même, avec quelque chose de nouveau dans l'intonation, cependant. Il avait l'air plus gai, tout simplement, pas aussi hésitant et réservé qu'elle s'y attendait, plutôt offensif et résolu comme il s'était montré les rares fois où ils avaient pris la barque pour traverser le bras de mer. À ces moments-là, il parlait librement et sans retenue. Elle avait toujours été étonnée de constater qu'il est possible de changer de façon aussi radicale. C'était au cours d'une de ces traversées qu'elle avait découvert combien elle l'aimait.

Il ne lui avait pas parlé d'Erik, simplement demandé si elle ne voulait pas partir en voyage avec lui. Elle avait écouté son bavardage en retenant son souffle, incapable de penser avec lucidité et plus encore de dire quoi que ce soit de sensé. « Peut-être est-il saoul », s'était-elle demandé un instant.

– On verra, avait-elle fini par dire.

– C'est ça, on verra, avait-il répondu en riant.

Elle savait que c'était impossible, pour plusieurs raisons. Elle venait de revenir de congé et la situation était assez délicate en matière d'effectifs. Même si Ottosson était bien disposé envers elle, il ne lui accorderait pas de vacances, surtout pas à échéance de deux jours. Elle se doutait aussi que, sans aller jusqu'à le dire, il la verrait d'un mauvais œil reprendre les relations avec cet « ermite sur son rocher », comme il appelait Edvard.

Et puis elle avait Erik. Il pouvait naturellement être du voyage. Elle avait entendu parler de parents emmenant leurs enfants en bas âge autour du monde, mais quand même. Elle tenta d'imaginer Edvard et Erik ensemble et de se représenter le tableau. Et pourtant non, Erik était le mur qui la séparait d'Edvard.

L'élément décisif demeurait pourtant cette affaire de meurtre qu'ils avaient sur les bras. Elle pouvait difficilement laisser ses collègues en plan et partir à l'étranger.

Elle trancha donc par la négative mais, avant d'avoir gagné la porte de son bureau, plusieurs objections lui vinrent à l'esprit. Elle savait maintenant qu'elle allait devoir lutter sur ce point jusqu'à son départ et qu'elle regretterait ensuite sa décision. Peut-être même très longtemps.

Elle se reprit donc, ouvrit la porte et se dirigea vers le bureau de Liselott.

Johannes Kurcic était déjà venu au commissariat de police d'Uppsala pour solliciter un passeport. Le motif de sa visite était bien différent, cette fois. Il s'arrêta près du guichet de l'accueil, ne sachant trop quoi faire, avança d'un pas mais recula aussitôt en voyant un homme d'un certain d'âge approcher résolument pour se plaindre de quelque chose, il ne put entendre de quoi au juste.

Un nouveau chiffre s'afficha sur le tableau lumineux et il comprit qu'il devait prendre un numéro d'ordre. Une femme en robe violette et fichu de même couleur s'avança.

Il regarda autour de lui, mal à l'aise. N'était-il pas en train de se ridiculiser ? N'avait-il pas un frère qui avait participé aux manifestations de Göteborg, certes pas au nombre de ceux qui étaient masqués et vêtus de noir, mais en lançant quand même quelques slogans peu amènes. Johannes l'imaginait très bien, sur l'Avenue et au Lycée Schiller, parlant des brutalités policières et des entorses aux droits des citoyens, des condamnations scandaleuses des manifestants et de la relaxe des policiers. Il avait été arrêté et interrogé, lui aussi, sans être mis en examen, mais il était évident qu'il était désormais fiché. Or, son nom à lui allait être relevé et on ne tarderait pas à savoir que Paulus était son frère.

Quand son numéro s'afficha, il ne savait toujours que faire. La femme qui était au guichet l'interrogea du regard.

– C'est à vous ?

– Je me demande… dit-il en approchant.

– Tout le monde est dans ce cas, ici, pesta la femme.

– J'ai un copain qu'a disparu et je me demande…

La réceptionniste était en fonction depuis dix-sept ans et c'était l'une des plus expéditives à ce poste.

– Comment vous appelez-vous ?

– C'est important ?

La femme le regarda d'un air las.

– Johannes Kurcic.

– Épelez.

Il énuméra rapidement les lettres de son nom.

– Vous disiez qu'un de vos copains a disparu ?

– Oui, je ne sais pas trop, mais c'est bizarre, on devait aller à Stockholm, ce soir, pour assister à un concert que Sebastian n'aurait voulu manquer pour rien au monde. On avait décidé de se retrouver et puis…

– Bon, j'appelle un de mes collègues, si vous voulez bien attendre un instant.

Elle avait déjà posé la main sur le téléphone.

C'est une femme qui se chargea de lui. Elle n'était pas en uniforme, ce qui réjouit Johannes qui lui trouva l'air futée.

– Beatrice Andersson, se présenta-t-elle en lui tendant la main. Appelez-moi Bea. Vous, c'est Johannes n'est-ce pas ?

Paulus lui avait parlé d'une femme, à Göteborg, qui l'avait traité de « sale communiste ». Beatrice lui fit prendre l'ascenseur mais ne dit rien d'autre jusqu'à ce qu'ils soient assis l'un en face de l'autre, dans son bureau. Il se sentait de plus en plus stupide, c'était pire qu'il ne l'avait imaginé.

– C'est ridicule, dit-il pour commencer. Je m'inquiète peut-être à tort, mais mon copain n'est pas venu à la gare et son portable ne répond pas.

Il s'arrêta là. Beatrice le regarda en hochant la tête.

– Et puis m'a mère m'a parlé de ce jeune qui… enfin, vous savez, dans la boutique…

– Vous voulez dire dans Drottninggatan ?

Johannes acquiesça.

– Vous aviez rendez-vous ?

– À quatorze heures à la gare, pour aller à Stockholm. On devait faire du shopping et ensuite aller écouter le groupe Moder Jords Massiva, qui…

– Je connais, dit Beatrice avec un sourire.

– Ah, s'étonna Johannes, convaincu qu'elle mentait.

– Quel est le nom de famille de Sebastian ?

– Holmberg.

– Quand vous êtes-vous vus pour la dernière fois ?

– Samedi dernier. On a pris un café à Storken.

– Pouvez-vous me le décrire ?

– Sebastian a ma taille, à peu près…

– C'est-à-dire ?

– Un mètre quatre-vingts. Il est blond… Vous croyez que c'est lui ?

– Je n'en sais rien.

– J'ai une photo de lui.

De sa poche de poitrine, il sortit un cliché d'amateur qui représentait une demi-douzaine de jeunes gens serrés sous un parasol.

– C'est le deuxième à partir de la gauche, précisa Johannes en se penchant en avant.

Il eut le temps de se dire qu'elle avait un parfum qui sentait bon, avant de la regarder en face.

– Avez-vous vu la série Macahan, à la télé ? reprit-il. Il est capable de marcher comme Zeb, là-dedans.

– De quand date cette photo ? demanda-t-elle, déjà convaincue que la victime avait été identifiée.

– L'été dernier.

– Il habite Uppsala, Sebastian ?

Johannes comprit alors et, incapable de répondre, se contenta de hocher la tête en fixant Beatrice des yeux, dans l'espoir de l'entendre dire que ce n'était pas lui.

– J'ai peur qu'il ne s'agisse de votre ami, dit-elle en se penchant en avant pour poser la main sur la sienne.

Johannes eut un mouvement de recul.

– Je suis désolée, mais je le crains. Il habite chez ses parents ?

Nouveau hochement de tête.

– Vous leur avez parlé ?

– Il habite chez sa mère, alors je n'ai pas voulu l'inquiéter, répondit Johannes d'une voix à peine audible.

– Il a des frères et sœurs ?

Il secoua la tête, puis s'effondra en larmes. Beatrice se leva, fit le tour de la table et posa la main sur son épaule. Elle tenta de dire quelque chose mais en fut empêchée par une boule dans la gorge, à l'idée que Sebastian était fils unique. Johannes appuya son visage contre le haut de son bras avec tant de force qu'il lui fit mal.

Puis il relâcha la pression et la regarda.

– On devait seulement se balader un peu à Stockholm, dit-il avec de grands yeux étonnés.

– Contente de vous voir aussi rapidement !

La femme ouvrit la porte en grand avec un sourire. Beatrice estima qu'elle devait avoir environ quarante-cinq ans. « Trop tard pour avoir d'autres enfants », pensa-t-elle. Elle portait un survêtement couleur turquoise dont la veste était trop large et le pantalon bouffant. Elle avait les joues rouges et les cheveux attachés en queue-de-cheval.

– Je reviens de l'entraînement, je ne savais pas que vous viendriez si vite. Ça pouvait peut-être attendre, mais on ne sait jamais. Ça risque d'exploser ou quelque chose comme ça.

Elle s'interrompit pour regarder de plus près les deux policiers.

– Vous n'êtes pas en tenue de travail, mais vous pouvez peut-être jeter un coup d'œil quand même, si ça ne vous dérange pas.

– Madame Holmberg, nous sommes de la police, dit gravement Fredriksson.

La femme se figea dans l'entrée, se retourna et les regarda fixement.

– La police ? Je croyais que c'était la société immobilière qui vous envoyait pour réparer le radiateur, dit-elle avec un geste vague en direction de l'appartement.

– Non, nous venons pour autre chose.

La femme plissa les yeux et un vague sourire s'afficha sur son visage, comme si celui qui y était déjà refusait de s'effacer.

– C'est à propos de Sebastian, mon fils ? demanda-t-elle d'une voix à peine audible.

« Les gens soupçonnent toujours le pire », pensa Bea.

– Oui, c'est à propos de votre fils. Pouvons-nous nous asseoir ?

En pénétrant dans la cuisine, ils virent qu'elle avait aussitôt deviné de quoi il s'agissait. Lisbet Holmberg ne cessait de dévisager Beatrice, qui nota la présence d'une photo sur le réfrigérateur. La mère et le fils se souriant l'un à l'autre, et non à l'appareil.

– Je suis désolée, dit Beatrice, avec l'impression qu'une silhouette noire se débattait à l'intérieur de son corps et criait de façon inaudible pour sortir. Nous pensons que votre fils est mort.

Il était trois heures et demie en cette magnifique après-midi de mai. C'était le premier jour du printemps, en fait, un de ceux où les gens mettent des vêtements plus légers, respirent profondément et reprennent foi en la vie.

Lisbet Holmberg n'avait plus rien à déclarer à ce sujet. Tout ce qui importait pour les autres, pour la société, les lecteurs des journaux, les enquêteurs de la police et les tribunaux était maintenant indifférent à cette femme assise à la table de sa cuisine. Plus rien n'avait de sens, ni le soleil, ni la bonne tenue de son foyer, ni la musique qui sortait d'une chaîne, quelque part dans l'appartement, ni la vie elle-même. Quelques mots, l'espace d'un instant, et tout était terminé. Aucun souffle de printemps, aussi doux et prometteur fût-il, ne pourrait atténuer sa douleur.

Lisbet Holmberg n'avait plus beaucoup de jours à vivre, à supposer que ce fût vivre que d'enterrer son fils. Beatrice et Fredriksson voyaient son existence s'éteindre devant leurs yeux. Elle serrait le plateau de la table au point de blanchir ses phalanges. Ses joues avaient perdu leurs couleurs et elle restait bouche bée, comme pour formuler une protestation impossible à énoncer.

Ils disposaient maintenant d'un « cadavre complet », selon l'expression qu'employa Riis le soir du 10 mai. « Sale prétentieux », pensa Ottosson, sans rien dire à haute voix. Haver s'appuyait contre le mur. Il était épuisé et aurait dû s'asseoir. Sammy Nilsson écrivait quelque chose, « Dieu sait quoi, pensa Ottosson. Qu'est-ce qu'il peut bien écrire ? ». Lindell, elle, lisait le rapport du porte-à-porte.

Tous les autres étaient en ville pour enquêter dans les restaurants, cinémas et autres lieux publics où Sebastian aurait pu se rendre la veille au soir. Une fois son père informé, des renseignements sur la victime avaient été rendus publics au cours d'une conférence de presse convoquée à la hâte. Liselott Rask s'en était chargée, au grand soulagement des autres membres de la brigade.

Les rédactions de TV4 Uppland et d'ABC avaient déclaré que le meurtre ferait la Une de leurs émissions du soir. La ligne directe de la police était ouverte à toutes les personnes susceptibles de fournir des précisions et Sammy était chargé de déterminer leur degré de fiabilité.

– Il y a peu de chances qu'ils regardent les nouvelles locales à la télé, avait objecté Haver, laissant clairement, entendre à quelle catégorie d'habitants de la ville il pensait.

« Pourquoi Ola est-il toujours d'aussi mauvais poil ? » pensa Sammy. À ce stade de l'enquête, ils étaient tous tendus à l'extrême et tel ou tel propos qui, dans d'autres circonstances, serait passé inaperçu ou aurait été pris à la légère, risquait maintenant de déclencher des disputes.

Chapitre 11
Samedi 10 mai, 21 h 10

L'appel n'en était qu'un parmi tant d'autres mais Allan Franzén avait aussitôt compris qu'il avait quelque chose en plus. Jusque-là, ils n'avaient recueilli que le lot habituel de tuyaux et d'opinions. Bon nombre s'en prenaient non sans agressivité à ces « bougnoules » dévastant « notre pays ».

Le saccage des boutiques révoltait pas mal de gens et le fait qu'on ait trouvé un jeune Suédois assassiné parmi les débris ne pouvait adoucir le ton des commentaires.

– Est-ce que c'est Sebastian qui… commença par dire une petite voix très faible.

Allan Franzén, qui avait pris la communication parce que Sammy était occupé sur une autre ligne, comprit que la jeune femme devait faire de gros efforts pour parvenir à parler et il attendit la suite avec intérêt.

– Si vous avez des informations ou des faits à nous communiquer, je vous écoute, dit-il en se maudissant aussitôt d'avoir adopté un ton aussi formel.

Il l'imaginait, sans doute affalée sur son canapé devant la télévision allumée. Qu'y passait-on en ce moment ? Un jeu, un débat, un feuilleton ? Pour elle, cela n'avait guère d'importance. Elle ne voyait rien et n'était pas consciente de ce qui se déroulait autour d'elle. Franzén pensait même qu'elle avait sans doute eu du mal à soulever le combiné.

– C'est lui, hein ?

Franzén observa une pause de quelques instants. Il devait par la suite dire à Sammy Nilsson que cela lui avait paru une éternité, qu'il avait entendu les lèvres de son interlocutrice s'ouvrir et sa langue hésiter à former les sons de mots composés de lettres tirées d'un texte que nul ne voulait lire, en fait.

– Je l'aimais.

Franzén avala sa salive.

– Il m'aimait, ajouta la voix presque inaudible, à l'adresse de ce soir de printemps encore assez doux.

– Comment vous appelez-vous ? demanda l'agent aussi calmement qu'il le put.

« C'est injuste, pensa-t-il. Elle est si jeune. »

– Ulrika.

– Et votre nom de famille ?

– Blomberg.

– Sebastian était votre petit ami ? demanda Franzén sans s'apercevoir qu'il parlait au passé.

Il entendit un sanglot, sur fond de bruit de télévision. « Éteins ce poste », pensa-t-il.

– Je suppose que oui.

– Vous êtes seule ? On vient vous chercher, pour qu'on puisse parler.

Sammy Nilsson bâilla. La tension, les bavardages, les suppositions et cogitations, aussi bien les siennes que celles des autres, qui avaient envahi son esprit depuis le début de la matinée, tout cela l'avait fatigué plus que de coutume. En outre, il était légèrement enrhumé.

Il fit un effort pour ne pas se décrocher la mâchoire une fois de plus. La jeune femme qu'il avait devant lui faisait penser à une goutte qui s'apprêtait à tomber. Plus qu'un millième de millilitre et elle ne pourrait plus se retenir au bord du précipice qui s'ouvrait devant elle.

Il lui avait demandé pourquoi elle pensait que c'était Sebastian qui avait été assassiné. Tout ce qu'on avait dit dans les médias, c'était qu'il s'agissait d'un jeune homme originaire des quartiers ouest de la ville. Elle avait répondu qu'elle avait senti que c'était lui.

Il voulait lui venir en aide, car il était payé pour cela, mais il souhaitait aussi obtenir d'elle le plus d'informations possible avant que la goutte ne tombe.

– Je n'ignore pas que ce doit être pénible, dit-il pour commencer, mais parlez-moi un peu de Sebastian et de la façon dont vous avez fait connaissance.

D'un geste de la main, elle rejeta une fois de plus une mèche de cheveux bruns derrière son oreille gauche. Ses doigts étaient minces et le vernis de ses ongles rose pâle.

– On s'est rencontrés l'hiver dernier, dit-elle avec un accent que Sammy identifia comme celui du Värmland. On suivait un cours, tous les deux.

– Quel genre de cours ? demanda Sammy au bout d'un moment.

– Sur la mondialisation, répondit-elle en le regardant.

Sammy hocha la tête pour l'encourager à continuer.

– Il était marrant et avait beaucoup d'idées. Pourquoi est-ce qu'ils l'ont tué ?

– Qui ça, « ils » ?

– Ceux qu'ont tout cassé dans la rue.

– On n'est pas sûrs que ce soit eux. Depuis combien de temps étiez-vous ensemble ?

– On n'a pas eu le temps, répondit Ulrika dans un sanglot et d'une voix si lourde de désespoir que Sammy eut du mal à comprendre ce qu'elle disait.

– Pas eu le temps ?

– J'étais avec un autre, mais j'aimais Seb.

– Quand est-ce que ça s'est terminé ?

– Cette nuit, dit Ulrika. Seb devait venir chez moi.

Ulrika Blomberg s'effondra. Sammy resta un moment désemparé avant d'avoir l'idée d'appeler Bea, toujours dans la maison, il le savait. Il aurait sans doute pu consoler la jeune femme lui-même, mais il valait mieux que ce soit Bea. Elle pouvait la prendre dans ses bras, lui parler à l'oreille à voix basse sans qu'elle soit gênée. Il ne lui fallut qu'une minute pour arriver.

Au bout d'un quart d'heure, Ulrika avait retrouvé juste assez de calme pour continuer à s'expliquer. Elle avait signifié à son petit ami, Marcus Ålander, qu'elle voulait reprendre sa liberté. Cela faisait trois ans qu'ils étaient ensemble mais, depuis qu'elle avait rencontré Sebastian, au mois de janvier, elle sentait que cela n'allait plus aussi bien entre elle et Marcus. Ils ne se parlaient plus vraiment comme ils le faisaient au début. Marcus était parti de chez elle, dans Östra Ågatan, et, peu après, elle avait appelé Sebastian au téléphone. Il devait être environ minuit et demi. Il lui avait promis de venir et n'était jamais arrivé. Elle l'avait attendu en vain et avait fini par s'endormir.

– Il n'a donné aucune nouvelle ?

Ulrika secoua la tête.

– Vous avez appelé sur son portable ?

– Oui, mais il n'a pas répondu.

– On n'a pas retrouvé l'appareil, dit Sammy. Vous connaissez sûrement son numéro.

Ulrika débita les chiffres d'une voix monocorde. Sammy composa le numéro sur son téléphone. Pas de réponse.

– Celui avec qui vous avez rompu était-il au courant de l'existence de Sebastian ? demanda Beatrice.

– Non. Il se doutait peut-être de quelque chose, mais je ne lui ai rien dit.

– Vous déclarez qu'il est parti un peu après minuit. Savez-vous où il est allé ?

– Chez lui, je suppose.

Ulrika leva lentement la tête et regarda Sammy.

– Non, pas Marcus, dit-elle. Pas Marcus.

– Où habite-t-il ?

– Svartbäcksgatan.

On frappa à la porte et Lundin passa la tête. « Il est au boulot ? » s'étonna Sammy.

– Tu peux venir un instant ? demanda Lundin.

Sammy regarda Bea, qui acquiesça. Il se leva et quitta la pièce.

– On a reçu un tuyau, dit Lundin.

Il avait une façon de se comporter qui irritait parfois Sammy, sans que celui-ci puisse dire ce que c'était au juste, se refusant à croire que cela ait trait à la peur des bacilles qui hantait Lundin.

– Un type a appelé. Ils me l'ont passé, parce qu'ils savaient que tu étais occupé.

– De quoi s'agit-il ?

– D'un jeune qui a été témoin d'une bagarre dans Västra Ågatan. L'heure correspond à peu près.

Sammy sourit à Lundin, moins pour l'encourager que pour lui montrer que les choses se décantaient et qu'ils approchaient du moment où les morceaux du puzzle se mettraient en place.

– Deux types se bagarraient dans Västra Ågatan, non loin de Kaniken. On n'a pas l'heure exacte, mais c'était vers une heure du matin.

« Où c'est déjà, Kaniken, bon sang ? » pensa Sammy.

– Près de Filmstaden, ajouta Lundin, en voyant la mine de Sammy. Ils sont restés à se battre et à gueuler pendant un moment. Puis l'un d'eux a reçu un bon coup qui l'a envoyé par terre. Le témoin était de l'autre côté de la rue. En entendant parler du meurtre, il a fait le rapprochement avec cette bagarre.

– Qu'est-ce qui s'est passé d'autre ?

– Celui qui a pris le gnon a filé. L'autre est resté à lui crier après. C'est tout, ajouta-t-il après un silence.

– Était-ce…

– Des Suédois, compléta Lundin.

« On te tient », pensa Sammy en donnant un coup de poing sur le bras de Lundin, avec un sourire.

– *Yes !* s'exclama-t-il.

Lundin recula d'un ou deux pas.

– Tu veux bien rappeler ce type ? On pourrait l'entendre rapidement. Au fait, Lundin, la petite amie de Sebastian nous a tuyautés sur son ex. Il est parti de chez elle peu après minuit. Elle habite pas loin de Filmstaden, elle aussi.

– Tu veux dire qu'il a pu se trouver nez à nez avec Sebastian ?

Sammy hocha la tête et Lundin fit de même. Sammy alla jusqu'à sourire, en plus, et regarda sa montre. C'était la première fois qu'ils se parlaient aussi longtemps depuis pas mal d'années.

– Il arrive, le témoin, dit Lundin.

– Bon sang, dit Sammy en accentuant encore son sourire. Beau boulot, Ludde.

– On appelle Lindell ?

– Non, pas la peine, dit Sammy.

Lundin le regarda avec un sourire.

– C'est vrai, elle doit être en train d'allaiter.

Sammy Nilsson alla retrouver Bea et Ulrika Blomberg. La première lui lança un regard auquel il répondit par un signe de tête, avant de s'asseoir et d'observer Ulrika. Quelque chose en lui indiquait qu'il s'était passé un fait important.

– Vous avez une photo de Marcus ?

Ulrika regarda Sammy sans réagir. « Elle le perd lui aussi », se dit Bea.

– Chez moi, finit par dire Ulrika en hochant la tête.

– Vous voulez bien nous excuser un instant ? demanda Sammy.

Là-dessus, il sortit avec Bea et expliqua à celle-ci ce que Lundin lui avait appris.

– On fait venir ce Marcus immédiatement et on procède à un tapissage, dit-il.

– On devrait peut-être appeler Ann, suggéra Bea.

– Pas la peine.

– On ne va pas pouvoir réunir assez de personnes pour ça, objecta Bea. Il est trop tard. Ça attendra demain. Pour l'instant, on entend le témoin et on lui demande de revenir demain matin. Ensuite, on va alpaguer ce Marcus, on l'entend et on le laisse mariner un peu pendant la nuit.

Estimant que Bea avait raison, Sammy acquiesça.

– J'appelle Ann, dit-elle.

– Non, laisse-moi le faire, répondit-il en ricanant.

Chapitre 12
Samedi 10 mai, 21 h 15

Ola repoussa son assiette.

– Tu as assez mangé ?

– Ouais.

N'était-ce pas lui, pourtant, qui avait crié famine sitôt la porte franchie, disant qu'il n'avait rien eu à se mettre sous la dent de la journée ? Rebecca avait aussitôt jeté deux steaks dans la poêle et fait sauter des pommes de terre. Mais son appétit s'était déjà envolé. Ou plutôt : il n'avait pas la force de manger, il ne voulait pas, n'avait pas envie de rester à table.

Il observa Rebecca, qui croquait toujours à belles dents pommes de terre et salade, ouvrant grande la bouche pour y enfourner la nourriture. De temps en temps, on voyait sa langue pointer pour récupérer un peu de sauce sur ses lèvres, et alors il détournait les yeux. La façon qu'elle avait d'attaquer le morceau de viande, de le piquer sur la fourchette et de le porter à sa bouche l'écœurait.

Il préférait ne pas voir cela, partagé qu'il était entre la colère et la honte. La colère de la voir mâcher et avaler sans arrêt. La honte de ses propres pensées. « Qu'est-ce qui m'arrive ? Serais-je incapable de la voir, désormais, sans souhaiter être loin de là ? » se demanda-t-il.

Il prit une gorgée de bière et tenta de regarder ailleurs, de penser à autre chose, mais ses yeux ne cessaient de se poser sur la bouche de Rebecca. « Est-ce que c'est ça, la fin d'un mariage ? »

– Tu mets le café à chauffer ?

Il hocha la tête, curieusement irrité de cette question pourtant innocente et bien naturelle. Elle l'avait sûrement déjà posée des milliers de fois mais, en ce moment précis, il la ressentait comme une offense ne faisant qu'accentuer son exaspération. Il ne voulait plus de ce quotidien de steaks et de tasses de café. Il ne voulait plus de ses mâchoires en train de mastiquer, qui l'enlaidissaient tellement. Il aurait voulu se lever et partir, et même, en fait, balayer d'un grand geste les assiettes, les casseroles et les verres, faire table rase de tout et hurler son dégoût.

Était-ce de la haine ? Comment était-ce possible ? Envers Rebecca, sa femme, qui avait de si beaux yeux et qui lui avait donné des enfants qu'il adorait.

Il repoussa sa chaise en arrière, mais resta assis.

– Mange encore un peu, lui dit-elle.

« Tu n'as pas d'ordres à me donner, va-t'en au diable », pensa-t-il en se levant.

– J'ai un coup de fil à passer.

– Il est plus de neuf heures, fit-elle remarquer.

Avant de sortir de la cuisine, il eut le temps de voir le regard qu'elle lui lançait et cela ne fit qu'accroître son sentiment de honte.

Il prit le téléphone mobile sur la table de l'entrée, avec l'intention d'appeler Ann. Mais il n'avait rien à lui dire, rien qui eût trait à l'enquête du moins, et il n'y avait rien dont ils aient à s'entretenir par ailleurs. Il observa les touches, comme s'il avait du mal à décider sur lesquelles appuyer. Il suffisait de quelques-unes pour avoir quelqu'un au bout du fil, mais qui ? Sa sœur, à Degerfors, ne savait parler que de boulot, ou plutôt du manque de boulot, de cette usine pourtant rentable qui allait fermer et la mettre au chômage. Ou alors de son triste mari faisant chaque jour la navette pour se rendre à son triste boulot à lui, à Karlstad.

Ola reposa doucement l'appareil sur la table. Il savait que Rebecca écoutait. Le bruit de son couvert sur l'assiette avait cessé et l'appartement était maintenant plongé dans le silence. Elle était sûrement en train de regarder par la fenêtre, aux aguets comme lui, à ruminer leur naufrage commun.

Il revint rapidement dans la cuisine, vit qu'elle avait peur mais ne se laissa pas perturber. Et il lui avoua tout, en plein milieu de la cuisine, sans la regarder. On aurait dit qu'il désirait parler pour pouvoir partir, ensuite.

Soudain, il se tut. Rebecca baissait les yeux vers la table, sans bouger. Toute la laideur qu'il avait vue en elle quelques minutes plus tôt était comme balayée. Sa peau ressemblait à de la cire encadrée par ses cheveux bruns et raides. Ses mains étaient posées sur la table, inertes.

« Je l'ai réduite en miettes », regretta-t-il mais, dès qu'elle se mit à parler, il comprit qu'il se trompait lourdement. Sa voix avait la dureté de l'acier et dans ses yeux brillait la flamme de la détermination.

– Tu crois que je suis sourde et aveugle ?

Il secoua la tête, ébahi de cette résistance inattendue, et baissa les yeux, incapable de soutenir les siens.

– Tu crois ça ? répéta-t-elle. Tu crois que c'est drôle de vivre avec un zombie qui ne s'anime un peu que quand il parle de gendarmes et de voleurs ? C'est pas une vie, tu sais.

Il fit mine de partir.

– Non, reste, siffla-t-elle.

Il fit un pas vers la porte.

– Eh bien, va la retrouver, alors ! C'est ça. Vous pourrez parler d'assassinats pendant la nuit, aussi.

– Non, dit-il, je ne veux pas, c'est ce que j'ai essayé de t'expliquer. C'est arrivé une fois, pas plus. Je ne l'ai embrassée qu'une seule fois, je te l'ai déjà dit.

Rebecca saisit son assiette et la lança dans sa direction. Il l'évita en se baissant et elle alla cogner contre le buffet, se brisant en mille morceaux.

– Qu'est-ce que ça signifie, bon sang ? dit-il en la fixant des yeux.

Elle prit alors son assiette à lui, et, d'un geste nonchalant, la jeta par terre, à ses pieds.

– Une fois, pas plus, répéta-t-elle d'une voix chargée de mépris. Mais avec moi, tu refuses de faire l'amour.

– Tu es complètement folle, bon Dieu, s'écria-t-il avec une force qui ne correspondait pas à ce qu'il ressentait.

Il se pencha pour ramasser les morceaux de l'assiette. Puis il s'immobilisa, les yeux fixés sur le sol, et les débris lui glissèrent des mains. Il se redressa, sortit de la cuisine, revint et alla se planter devant la table.

– Je ne veux pas te quitter.

– Tu me quittes tous les jours, dit-elle.

Ce n'était pas tant les mots et ce qu'ils signifiaient qui l'affectaient, que le ton de douleur et de nostalgie sur lequel ils étaient prononcés.

– C'est à ce point ? demanda-t-il.

Elle se contenta de hocher la tête.

– Tu me quittes tous les jours pour aller au boulot.

– Tu es jalouse de mon boulot ?

Elle secoua la tête et se frotta les yeux comme elle le faisait quand elle était de service de nuit et revenait le matin, épuisée et vulnérable, d'une certaine façon. Il avait alors envie de la prendre dans ses bras, l'emmener au lit, la border et, avec ses mains et de belles paroles, effacer les souvenirs de la nuit. Elle travaillait aux urgences, à l'époque, et, le matin, elle était encore sous le coup de ce qu'elle avait vu et entendu. Lasse à mourir et pourtant complètement excitée.

– Jalouse d'Ann, alors ?

– Qu'est-ce que tu crois ? Tu cries son nom dans ton sommeil !

La honte d'être pris en flagrant délit et mis à nu le fit se recroqueviller. Il se retourna avec le sentiment de ne plus jamais pouvoir la regarder dans les yeux.

– Tu viens te coller à moi, je sens ton corps, mais tu cries son nom à elle.

Elle parlait dans son dos. « C'est la fin », pensa-t-il en se mettant stupidement en colère contre les parents de Rebecca, qui avaient proposé de garder les enfants pendant le week-end pour qu'elle et lui puissent se reposer et avoir un peu de temps pour eux-mêmes. « C'est leur faute à eux, bon sang ! »

Et, par-dessus le marché, un assassinat. Il aurait dû être au travail mais était rentré à la maison parce qu'il savait qu'elle était seule et comptait sur une soirée en amoureux. Il leva les yeux vers le plafond et éclata de rire.

– Pourquoi ris-tu ?

Il se retourna lentement. « Il faut que je la regarde, pensa-t-il, que je soutienne son regard. » Mais elle avait baissé la tête comme si elle priait.

– De désespoir, je suppose.

Il sentait combien cette réponse était pitoyable, mais il n'avait plus de mots à lui offrir.

– Est-ce que tu m'aimes ? demanda-t-elle à voix basse.

« Pourquoi tant de questions ? Est-ce que je suis au tribunal ? » Les morceaux de porcelaine crissèrent sous ses pieds, lorsqu'il fit un pas. Son morceau de viande à moitié entamé gisait sur le sol comme une crotte de chien. Il ne répondit pas et se mit à parler de son travail, disant qu'il se laissait influencer par ce qui se passait et que la lassitude s'était emparée de lui quand il avait vu toutes ces vitrines brisées.

– C'est comme si on avait tous été violés, dit-il en tentant de l'obliger à lever les yeux.

Et puis ce jeune, assassiné dans la librairie. « On n'a pas été préparés à ça », avait dit un collègue, peut-être Fredriksson, un jour où ils se trouvaient devant un cadavre découpé en morceaux.

– Ne rejette pas la faute sur ton travail, dit-elle un peu plus fort. Je vois la mort tous les jours, moi aussi.

– Mais pas la violence.

– La mort est rarement belle.

Le silence qui régnait maintenant menaçait d'étouffer Ola, qui piétinait dans cet enfer qu'était devenue leur vie conjugale sans savoir quoi faire. « Pourquoi ne dit-elle rien d'autre ? pensa-t-il. Il faut qu'elle parle, et moi aussi. » Soudain, les enfants lui manquèrent. Si au moins la radio avait été allumée. Chaque seconde de silence était une véritable torture. Rebecca frissonna. Pourvu qu'elle ne se mette pas à pleurer. Il tâta le morceau de viande du pied, avec un sentiment d'écœurement. Il aurait aimé le piétiner. Il respira profondément, hésitant à se précipiter hors de l'appartement, monter dans sa voiture et retourner à l'hôtel de police. Il ne fallait pas qu'il parte, il le savait. Car alors tout serait terminé.

L'image de son père s'effondrant sur la table, par cette merveilleuse soirée d'été, lui revint à l'esprit. Il avait été piqué par une guêpe et ses grosses mains de travailleur du bâtiment raclaient vainement la surface de la table. Ces quelques minutes de lutte, puis les secondes qui suivirent, au cours desquelles il avait compris que son père ne se relèverait plus, alors que la pendule de la pièce sonnait huit heures et demie. Un paisible écho de ce tintement planait toujours dans l'air et semblait ne jamais devoir s'éteindre. Il faisait chaud, ce soir-là. Et tellement beau. Ils avaient mangé quelque chose de léger. Par la fenêtre ouverte, il avait fixé la pendule des yeux.

La mort était rarement belle. Il avait la nostalgie de la voix de son père, de ses petits gestes et de ses paroles prononcées en confidence. C'était un homme puissamment bâti, mais qui maîtrisait parfaitement les petits gestes précis. Et ceux-ci le possédaient.

– Est-ce que tu m'aimes ?

La question resta suspendue quelques instants en l'air. « Plus jamais cela, entre nous », se dit-il et ses larmes se mirent alors à jaillir, totalement par surprise.

– On s'aime, Ola, non ?

Il pleurait, incapable d'une seule pensée lucide, en voyant devant lui Drottninggatan dévastée et le visage méconnaissable de Sebastian.

– On a tellement à perdre, sanglota-t-il.

« Pauvre petit. » Était-ce Riis qui avait dit cela ? Il n'était pas capable d'aimer sa femme comme il l'aurait dû. Seul le sentiment de cohésion avec ses collègues avait encore du sens pour lui. Était-ce vrai ? Avait-il perdu la capacité de mener une vie ordinaire ?

– Qui peut le faire, sinon nous ? dit Rebecca.

« Ta gueule », pensa-t-il, sentant à nouveau la colère monter en lui telle une tempête. « Ta gueule, il ne s'agit pas de nous. C'est faux, il s'agit de toi et de moi. Chère Rebecca, bien sûr que je t'aime. Nos enfants. » Son corps se crispa comme sous l'effet d'une crampe. « Réponds-lui ! Elle a besoin de toi, elle a confiance en toi. Elle t'a donné tout ce que tu as. Elle a souffert pendant vingt heures pour donner naissance à notre premier enfant et ensuite elle a dû être recousue. »

Les coups de marteau du mépris de soi le rendaient fou. « Ce n'est pas ma faute ! » Le téléphone sonna. Il regarda sa montre. Cinq sonneries retentirent avant que le bruit ne cesse.

Chapitre 13
Samedi 10 mai, 22 h 20

Quatre hommes se penchent sur la table avec fièvre. Ils se regardent et se sourient de joie. Le plus âgé, Ulf Jakobsson, pose la main sur l'épaule du plus jeune.

– Beau travail, Jonas, dit-il. Mes compliments.

Ce dernier a un petit rire gêné et lance un regard aux autres, comme pour dire : « Vous voyez, je suis des vôtres. »

– Si on en distribue deux mille exemplaires, trois personnes sur quatre de celles à qui on le donnera verront les titres, repris Ulf Jakobsson. Les statistiques le prouvent. Et une sur deux lira tout.

– Et combien seront d'accord ?

– Suf-fit de lire pour être d'ac-cord, bégaya Rickard Molin.

– C'est vachement bien, dit le quatrième, comment t'as fait, bon sang ?

– L'ordinateur, expliqua Jonas.

– La photo de Sebastian ? Les dates et tout.

– Très simple, répondit Jonas.

– Et si on appelait à l'action ?

– Le ton est exactement celui qu'il faut, triste mais pas trop agressif. Les gens doivent tirer les conclusions eux-mêmes. L'action, ce sera pour plus tard, quand des choses commenceront à se passer. Le tract, c'est l'huile qu'on verse sur le feu. Vous pouvez être sûrs que les gens reprendront nos arguments mot pour mot, sans s'en rendre compte.

Molin regarda Ulf Jakobsson. Ses cheveux peignés en arrière grisonnaient, mais son profil était toujours aussi puissant. C'était ce qu'il avait remarqué en premier, lors de la réunion de cellule à Haninge : le profil d'aigle. Ulf avait été invité à prendre la parole et ne s'en était pas privé. Il y en avait qui le comparaient à Adolf Hitler. Molin regarda à nouveau le tract.

– Comment faire pour le tirer ?

– J'ai les clés du boulot, dit Jonas.

Il se rejeta en arrière sur le siège, prit sa bière et en but une gorgée.

– Et ensuite ?

Ulf le regarda. Rickard Molin vit aussitôt qu'il y avait quelque chose qui n'allait pas en lui.

– On verra, lâcha Ulf. Tire toujours ça, on avisera après.

– Comment ça ? s'étonna Jonas. On va quand même pas rester assis sur le cul à attendre.

Jakobsson sourit mais ne répondit rien.

Chapitre 14
Dimanche 11 mai, 6 h 40

Ann se réveilla en entendant geindre Erik. Elle lui tendit la main et il la saisit aussitôt, car son lit n'était qu'à un mètre du sien. Elle ouvrit les yeux et croisa son regard, il lui sourit et elle fit de même. Il dit quelque chose comme « bout », pour exprimer son désir de la voir se lever. Elle rit. Ce petit mot, qui l'avait si souvent réveillée, était pour elle le signe de sa détermination et de son obstination, en particulier le matin.

Plus d'une fois, elle avait été reconnaissante qu'il soit aussi facile. Quant à savoir envers qui elle l'était, c'était moins évident. Il ne lui avait pas donné trop de mal, jusque-là, estimait-elle. Il était d'humeur agréable, certes têtu et parfois presque querelleur, mais il était rare qu'il soit difficile ou exigeant. Il lui suffisait de pouvoir dire « bout » quand il le voulait, souvent très tôt le matin, et d'avoir à manger à heures régulières, pour être content.

Le personnel de la crèche disait la même chose et Ann pouvait se dorer au soleil de la bonne humeur constante de son fils. Il était bien vu des autres enfants, avait des petits camarades, était actif et inventif, ce qui ne l'empêchait pas d'être obéissant et attentif aux signaux que lui envoyaient tant les adultes que ceux de son âge.

Ann soupira de joie au contact de sa petite main chaude et moite dans la sienne. Il ne cessait de répéter « 'bout », de façon à la fois monotone et inutile car il savait qu'Ann n'avait besoin de nulle autre exhortation que ce sourire sur ses lèvres.

Elle écarta la couverture, se leva et sortit Erik de son lit, le tout en un seul mouvement.

– Houp, dit-elle en le tenant à bout de bras.

– Houp, fit-il en écho.

Le *Dagens Nyheter* faisait sa Une sur les événements d'Uppsala : le saccage de Drottninggatan et le meurtre de Sebastian. Le courrier des lecteurs abordait même le sujet et faisait état d'une réelle émotion. L'un d'eux exprimait l'idée que ce n'était pas que du verre qui avait été brisé, mais beaucoup plus que cela. Un autre que c'était cette « immigration incontrôlée » qui en était la cause.

L'éditorial soulignait qu'à ce stade il était impossible de dire qui était derrière les événements de la veille et ajoutait que, même s'il apparaissait que de jeunes immigrés soient impliqués dans l'événement, cela ne devait pas servir de prétexte à des accès de xénophobie. Il fallait simplement redoubler d'efforts d'intégration, au contraire.

Ann posa le journal. Elle ne savait trop quoi penser mais, cette intégration dont il était tellement question, elle n'en avait guère vu le signe, du côté de la police. La municipalité était aussi impuissante que la société dans son ensemble et ils n'étaient pas nombreux à être issus de l'immigration, parmi les forces de l'ordre. De plus, certains de ses collègues utilisaient des termes qui ne témoignaient pas d'un haut degré de compréhension pour les conditions de vie de ces populations. Pour sa part, elle ne connaissait pratiquement pas d'immigrés et en fréquentait encore moins, bien entendu. Il lui arrivait de s'entretenir avec une Bosniaque et un Turc, à la crèche, mais c'était tout le contact qu'elle avait avec d'autres cultures, ou peu s'en fallait. Dans la section d'Erik, une demi-douzaine de pays étaient représentés et elle n'avait pas noté de signes de racisme parmi les enfants. « Peut-être faut-il laisser passer une génération, se dit-elle, ce sont sans doute nos enfants qui réaliseront une intégration digne de ce nom. »

Elle regarda Erik, qui avait la bouche pleine de banane et tapait sur la table avec la peau.

Son optimisme du réveil avait été dissipé par la lecture du journal. Elle espérait que l'arrestation, la veille, d'un jeune Suédois, déboucherait sur quelque chose. Au fond d'elle-même, elle priait pour qu'il soit coupable du meurtre. Cela leur faciliterait la tâche, se dit-elle en ayant aussitôt honte de ses pensées, ce qui ne l'avait pas empêchée de partager l'enthousiasme de Sammy la veille au soir.

Il y avait une autre raison à l'espoir qu'elle nourrissait d'une rapide solution de l'affaire. Elle répugnait à s'avouer cette idée, mais elle était présente à son esprit depuis le coup de fil tardif de Sammy. Sa dernière pensée, avant de s'endormir, avait en effet été pour Edvard et sa proposition inattendue.

Chapitre 15
Dimanche 11 mai, 6 h 55

Viktor monta à bord avec concentration et prudence. Une fois dans le bateau, il put se permettre d'afficher un sourire et de balayer le bras de mer du regard.

– Ça va se calmer, dit-il, une fois qu'il eut pris place sur le bac de bières renversé, à l'avant.

Edvard resta un instant assis sur la lisse. Le seau contenant les lignes pour la pêche au hareng était posé à ses pieds. Sur l'écueil, les oiseaux de mer poussaient leurs cris, sachant parfaitement ce qui se préparait. L'eau clapotait sous la coque et le ponton sentait le goudron. Bien que le bois fût imprégné à l'avance, Viktor s'obstinait à le badigeonner chaque printemps et chaque été.

– Qu'est-ce qu'en dit Viola ?

En descendant à la mer, ils s'étaient entretenus du voyage qu'Edvard envisageait. Comme toujours, Viktor avait mis un certain temps à réagir. Il restait parfois une heure ou deux avant de formuler un commentaire ou poser une question au sujet de ce qui avait été dit. Au début de leur amitié, Edvard avait été assez perturbé et Viktor l'avait parfois regardé comme s'il le trouvait sénile de ne pas être capable de rattacher ses propos à une discussion tenue longtemps auparavant. Mais il avait fini par comprendre que le silence du vieil homme n'était pas synonyme d'absence d'intérêt. Il y aurait toujours une suite.

– Elle est inquiète, dit Edvard.

– C'est vrai qu'elle n'est jamais allée plus loin que Stockholm.

– Et toi ?

– L'Estonie. C'était avant la guerre, avec mon père.

– La contrebande ? suggéra Edvard.

– Disons : du commerce de détail, répondit Viktor avec un sourire. Le temps était moins mauvais, avant la guerre. Bon, on y va ?

Edvard largua les amarres et pénétra dans le rouf. Ils quittèrent le quai à petite vitesse. Aussitôt, les oiseaux prirent leur envol et vinrent se placer dans leur sillage.

Le vieil homme ne bougeait pas. Chaque fois qu'ils prenaient la mer, Edvard se disait que, pour Viktor, c'était peut-être la dernière fois. Il avait décliné, au cours de l'hiver, comme Viola. Ils semblaient s'imiter, tous les deux. D'un autre côté, Edvard avait déjà eu la même impression l'année précédente et l'hiver n'était pas une période d'épanouissement. Au printemps, ils reprenaient toujours de la vigueur. Cette année, pourtant, ni Viktor ni Viola n'avaient l'air d'être revenus à leur niveau d'avant l'hiver.

Lundström rentrait au port. Comme toujours, il sortait de bonne heure. Viktor le désigna, Edvard le salua avec sa ligne et Lundström répondit d'un geste de la main.

« Ça peut être aussi simple que ça », pensa Edvard, ému par le sourire bonhomme de Viktor, qui suivait du regard le retour de son voisin au port.

– Il faudrait que tu viennes, Ann, dit-il à voix basse.

Comme souvent, il s'adressait à elle, parfois pendant son travail, mais surtout quand il était sur l'île. Il ne savait trop ce que cela signifiait. Était-ce simplement par habitude et parce qu'il n'avait personne d'autre à qui parler ?

Il avait été fier de la voir, en ville. Il avait toujours pensé qu'elle excellait dans ses fonctions et pourtant, quand il l'avait vue sur Nybron, au milieu de ses camarades de travail, c'était d'un œil neuf, en partie. « Les gens l'écoutent, se dit-il, elle a un rôle à jouer, de même que les vieux, sur cette île. Gräsö serait bien plus pauvre sans eux deux. La police d'Uppsala serait plus pauvre, elle aussi, sans Ann. »

Son grand-père Albert avait toujours été d'avis qu'il fallait jouer un rôle. Non pas être adulé, mais tenir son rang. Il estimait que ce n'était pas la richesse ou la position dans la société qui décidait de la valeur de l'individu. « Ce sont les plus haut placés qui sont les pires », disait-il souvent. Selon lui, les êtres humains faisaient partie d'un ensemble et c'était cela qui était important, pour la masse. Il avait milité pendant une cinquantaine d'années dans son syndicat pour permettre aux travailleurs de sortir de leur pauvreté et de leur misère culturelle. Et, comme pour prouver que tout est possible, le simple porcher qu'il était avait appris six langues étrangères à l'aide de méthodes audio.

Edvard avait vu Ann dans son cadre de travail et avait constaté qu'elle était différente de celle qui avait partagé sa vie, fût-ce par intermittence, pendant deux ou trois ans. Pourtant, une partie de son amour tenait à ce dont parlait son grand-père, à savoir qu'elle avait de l'importance pour les autres.

Malgré leurs différences, ils étaient un peu le même genre d'êtres humains : inquiets face à la vie et incapables de vivre près des autres sans renoncer à soi. Ils s'efforçaient d'exister le mieux possible, chacun de son côté, en nourrissant le désir de relations harmonieuses au sein d'une société placée sous le signe de la dignité et de la confiance.

Elle l'avait trompé, avait eu un enfant avec un autre et choisi de le mettre au monde. Au début, la haine lui avait servi de bouclier. Fredrik Stark, l'un de ses rares amis du temps jadis, lui avait prodigué les propos habituels pour le consoler et minimiser l'affaire. Et Edvard l'avait détesté, lui aussi, pour cela.

Mais, au bout d'un certain temps, il avait mis sa propre existence en parallèle avec celle d'Ann. Il avait mal agi, lui aussi, en quittant Marita et ses enfants. Il n'était donc pas très bien placé pour juger Ann. Tous deux avaient commis un faux pas, chacun à sa façon.

Pourtant, il l'aimait toujours. Il avait compris cela sur le pont, la veille. Et il se sentit soudain mal à l'aise, à la fois devant les gestes empruntés de Viktor et d'être à Gräsö, de façon générale.

Ils approchaient du goulet et Viktor commençait à fouiller dans les bacs. Edvard coupa les gaz et Viktor attrapa le grappin. Edvard l'observait calmement. Les mains du vieil homme tremblaient, mais il parvint à crocher l'ancre et se retourna avec un sourire, comme pour dire : il est pas encore fini, le vieux.

Chapitre 16
Dimanche 11 mai, 8 h 15

C'est une bande presque joyeuse qui se réunit le matin du dimanche 11 mai. Lundin et Fredriksson, en réserve, étaient là eux aussi. Quant à Lindell, nul ne s'attendait à autre chose de sa part. Ottosson se demandait ce qu'elle avait fait d'Erik. Il comprenait mal comment elle parvenait à concilier son travail avec son fils. Il savait naturellement que celui-ci allait à la crèche, mais elle passait bien plus de temps que cela à l'hôtel de police. Pourtant, il se refusait à poser la question, ayant peur d'aggraver la mauvaise conscience d'Ann à ce sujet.

– Opération Marcus, dit-il pour ouvrir les débats, avec une jovialité inhabituelle pour lui.

Sammy et Haver regardèrent leur patron, l'air surpris. Il n'avait pas l'habitude de faire preuve d'autant de gaieté à propos d'affaires de meurtre. Or, il n'était nullement certain que Marcus Ålander soit le coupable qu'ils recherchaient, même si divers indices parlaient en ce sens, surtout après la perquisition qui avait été effectuée chez lui tôt le matin. En outre, Ottosson faisait toujours preuve de beaucoup de retenue en matière de garde à vue, en particulier à propos de jeunes. C'était certes son travail de veiller à ce que la loi soit respectée et les coupables identifiés mais, quand on approchait de la solution d'une affaire, il se renfrognait presque toujours d'une façon qui surprenait son entourage. On pouvait y voir une faiblesse, le signe qu'il répugnait à faire condamner quelqu'un. Il lui arrivait souvent de parler en bien du délinquant, alors que les autres se réjouissaient de constater que leur patient labeur avait permis de mettre un voyou de plus derrière les barreaux. Ils triomphaient et Ottosson s'attristait. Ils parlaient de « faire le ménage dans la pègre », tandis qu'il regrettait « ce triste événement ».

Et pourtant, il était presque euphorique, ce matin-là. Il demanda le silence et adressa ses félicitations à tous. D'un signe de tête il désigna en particulier Lundin, toujours debout près de la porte, tel un visiteur égaré et perplexe. Quant à Lindell, il lui lança un sourire, le pouce levé.

– Nous tenons Marcus Ålander et il n'a pas l'air très à l'aise. Je n'ai pas besoin de préciser qu'il est heureux que vous l'ayez arrêté dès hier. Sammy et Bea ont réussi, je ne sais pas trop comment, à organiser un tapissage auquel le témoin de Västra Ågatan va pouvoir assister. Tous ces jeunes vont arriver vers dix heures. Si le témoin identifie Ålander, nous aurons ce qu'il nous faut pour le mettre en examen pour meurtre.

– S'il a un tel comportement, c'est peut-être parce qu'il est trop inquiet, simplement, fit observer Bea.

– Il faudra dire à tous les autres d'avoir l'air inquiets, eux aussi, répliqua-t-il. Facile comme Basile.

– Comment avez-vous fait pour les trouver ? demanda un stagiaire dont nul hormis Ottosson ne se souvenait du nom.

– Ce sont des bidasses, dit Sammy.

– Des bidasses ? s'étonna le stagiaire, qui ne connaissait pas ce mot.

– Disons plutôt des conscrits, hurla presque Ryde, qui entrait à cet instant. On ne vous apprend pas à appeler les choses par leur nom, à l'École de police ?

– Krajovic a des mots pour désigner à peu près tout, dit Ottosson avec un sourire, il en a même dont tu ne connais pas la signification, Eskil. Combien de langues parles-tu ?

– Quatre, maugréa le stagiaire.

– Qu'en dit Ulrika, sa petite amie ? demanda Lindell.

– Elle n'est pas très claire dans ses propos, c'est vrai, admit Beatrice, mais elle ne croit pas un seul instant que Marcus ait pu tuer Sebastian.

– Pas de tendances à la violence, jusque-là ?

Beatrice secoua la tête.

– Il n'a pas de dossier chez nous et Ulrika Blomberg le décrit comme très paisible.

– De la famille en ville ? demanda Lindell pour ne pas trop se laisser dépasser par ses collègues.

– Ses parents sont divorcés. Sa mère habite dans un coin perdu du nord du pays et son père est ingénieur du bâtiment en Arabie Saoudite, répondit Sammy. Quant à Marcus, il est étudiant et il a l'air d'être assez à gauche, si on en juge par ce qu'on a trouvé chez lui.

– Et puis il y a la veste, coupa Ottosson en se tournant vers Lindell. Tu n'es pas au courant mais on a aussi trouvé une veste tachée et un pantalon sale. Kristiansson y a jeté un coup d'œil ce matin et pense qu'il s'agit de sang. On n'en est pas encore sûrs, bien entendu.

– Qu'en dit Marcus ?

– Il ne sait pas encore que nous avons perquisitionné chez lui, dit Sammy.

Ann hocha la tête. Elle avait connu pire, comme situation de départ. Sebastian avait été tué au cours de la nuit de vendredi à samedi et, dès le dimanche matin, ils tenaient un suspect. C'était presque un record local. Elle comprit que si l'atmosphère était aussi détendue c'était en partie dû à cela, mais peut-être aussi au fait que le meurtrier présumé était suédois.

– Que dit Fritte, le procureur ?

– Il attend le tapissage. S'il confirme nos soupçons, il nous délivrera le mandat de mise en examen.

Huit jeunes gens pénétrèrent dans la salle. Lindell trouva qu'ils se ressemblaient à un degré étonnant. Certains portaient un jean, d'autres un pantalon en coton et deux, enfin, un en tissu de couleur sombre et bien repassé. Sur le haut du corps, c'étaient les T-shirts et les chemises sans col qui l'emportaient, sous un blouson ou une veste assez simple. Lors d'un tapissage, quelques années auparavant, le suspect portait les chaussons de la maison d'arrêt. Cette fois, tout le monde avait des chaussures ordinaires. Elle tenta de deviner lequel était Marcus, en se basant sur la mine qu'il affichait, mais ils avaient tous bien retenu les instructions de Sammy sur l'air inquiet à arborer. Tous les huit regardaient autour d'eux, très préoccupés, et deux eurent même un petit rire nerveux, en prenant place.

C'était Kristiansson, de la Scientifique, qui organisait la séance et veillait à ce qu'ils se tiennent face à la vitre avec leur numéro dans la main droite. L'éclairage leur donnait des mines assez blafardes. Lindell les observa. La plupart d'entre eux avaient sans doute quelque chose sur la conscience, mais il s'agissait probablement de petits délits.

Le tapissage avait lieu dans l'atelier de photographie de la Scientifique. On avait simplement écarté les lampes et les écrans, et tiré un rideau pour obtenir un fond neutre. Un photographe s'entretenait avec le témoin mais, dès que l'alignement fut terminé, ce dernier fut introduit dans une petite pièce contiguë. Il avait l'air un peu inquiet, lui aussi, et salua Lindell et le procureur Fritzén d'une poignée de main mal assurée, en répétant qu'il n'était pas sûr de lui, car il faisait sombre. Sammy le rassura en précisant que ce tapissage n'était qu'un moyen de vérification et qu'il n'avait rien à craindre. Une fois Ottosson entré, la pièce fut à peu près comble. Le patron de la brigade toussa. Fritzén regarda autour de lui, à la fois inquiet et contrarié. La tension entre Ottosson et lui, qui datait de l'enquête sur le meurtre de Petit-John*, n'était pas encore dissipée.

Sammy plaça le témoin devant la vitre sans tain, en lui donnant toutes les instructions qu'il fallait et insistant sur le fait qu'il devait prendre son temps et bien regarder. Puis le rideau fut tiré et le témoin eut une sorte de mouvement de recul en voyant les huit hommes, à la fois si proches et si lointains.

Lindell tenta une nouvelle fois de déterminer lequel était Marcus Ålander, sans plus de succès. Elle décida donc d'observer le témoin, à la place, et vit que son regard hésitait. Il tourna lentement la tête pour suivre toute la ligne des yeux et il ouvrait la bouche pour parler lorsque Sammy l'en empêcha.

– Ne dites encore rien.

Au bout de trente secondes, Kristiansson ordonna aux huit hommes de se mettre de profil, puis de faire lentement le tour du local. Lindell se crut à la crèche, l'espace d'un instant.

– C'est le numéro six, dit le témoin.

– Vous en êtes sûr ?

– Oui. C'est lui l'assassin ?

– Pour l'instant, on vous demande d'identifier quelqu'un qui a pris part à une bagarre, rien d'autre, fit observer le procureur.

– C'est le numéro six, répéta le témoin.

– N'oubliez pas qu'il faisait sombre et qu'il y avait beaucoup de gens dehors, insista Ottosson à son tour.

* Voir *La Princesse du Burundi*, même auteur, même éditeur.

Le témoin hocha la tête. Lindell regarda le numéro six. Il était peut-être un peu plus pâle que les autres mais, par ailleurs, rien dans sa façon de se présenter ne tranchait sur celle des autres.

Nul ne disait mot. Le témoin avala bruyamment sa salive et se passa la main sur le visage.

– Le numéro six, répéta-t-il une fois de plus.

– Vous n'ignorez pas que vos dires peuvent mettre la personne en question dans une situation délicate, avertit le procureur.

– C'est lui, répondit le témoin en hochant la tête et avalant à nouveau sa salive.

Ils se réunirent une fois de plus. Ryde marmonnait dans son coin et Lindell prenait connaissance de l'enquête de personnalité, assez peu détaillée, sur Sebastian Holmberg. Il n'était pas suffisamment âgé pour avoir beaucoup attiré l'attention des autorités. Il avait toujours payé ses impôts, n'avait pas de fortune personnelle et jamais eu affaire à la justice. Il avait passé le conseil de révision mais n'avait pas encore été appelé, s'était fait délivrer un passeport en 1992, l'avait perdu et en avait obtenu un autre en 1999. Enfin, il n'était pas titulaire du permis de conduire. Lindell referma le dossier.

– Qui était-ce ? demanda-t-elle à Ryde, qui raccrochait.

– Le labo. Je leur ai dit qu'on leur enverrait la veste dès demain, mais il va leur falloir au moins une semaine. Avec un peu de chance, on aura le résultat lundi en huit. Enfin, quand je parle de chance… ! Je suppose qu'ils sont en train d'analyser une crotte de chien qu'un retraité a trouvée dans un parc et qu'ils vont mettre notre veste en attente.

Lindell eut un rire un peu forcé. Elle savait parfaitement ce qu'il en était, ainsi que Ryde, mais ils étaient toujours aussi frustrés, quand ils avaient affaire au laboratoire, et déchargeaient leur colère sur les techniciens. Combien de fois, chaque semaine, les enquêteurs leur téléphonaient-ils pour réclamer tel ou tel rapport ou résultat d'analyse ?

– Qu'est-ce que Lundin fiche ici ? grogna Ryde.

– Il est en réserve, répondit Lindell.

– D'habitude, il ne se présente pas de lui-même.

– Il s'intéresse peut-être à l'affaire.

– C'est Ottosson qui lui a demandé de venir ?

– Je ne crois pas.

– Qu'est-ce qui lui arrive, alors ? Et puis, il n'est pas encore allé se laver les mains une seule fois.

– Je ne sais pas, lâcha Lindell.

Ce qu'elle savait, c'était que Lundin était en thérapie. Sa manie obsessionnelle de la propreté avait dépassé les limites du tolérable et Ottosson l'avait obligé à consulter. Peut-être ses entretiens avec un psychologue portaient-ils enfin leurs fruits, car Lindell elle-même avait noté un changement. Il était plus disponible, plus physiquement présent, pendant des périodes de plus en plus longues, et plus ouvert. Quelques jours auparavant, il était allé jusqu'à lancer une plaisanterie. Tout le monde avait éclaté de rire, moins à cause de l'histoire en soi que de l'amusement puéril de Lundin quand il avait vu les mines intéressées de ses collègues, conclu qu'on le laissait terminer et constaté qu'il en était capable.

– Il est drôlement bizarre, en tout cas, dit Ryde.

Cette fois Lindell ne put se retenir. Ryde leva les yeux, eut l'air un peu vexé, d'abord, mais finit par sourire.

Haver et Lindell pénétrèrent dans la salle d'interrogatoire, tous deux bien décidés à obtenir des aveux de Marcus Ålander, après son identification par le témoin. C'était dans l'air. D'après l'agent chargé de surveiller les gardés à vue, Marcus avait mal dormi et pas beaucoup mangé au petit déjeuner : un verre de lait et une demi-tartine.

Il était penché sur la table. Ses cheveux étaient luisants de graisse et mal peignés. Un gros bouton rouge avait percé sur son menton et brillait comme un phare sur son visage blême.

Les deux policiers prirent place sans rien dire. Haver installa le magnétophone et énonça à voix basse les indications permettant d'identifier l'interrogatoire. Puis il demanda à Marcus s'il refusait toujours l'assistance d'un avocat. Le suspect le confirma d'un signe de tête.

Lindell feuilleta son bloc puis le referma et regarda Marcus.

– Connaissiez-vous Sebastian Holmberg ?

– Oui.

– De quelle façon ?

– On se rencontrait parfois.

– Où cela ?

– On jouait au minigolf, tous les deux, jadis, et depuis on se voyait de temps en temps.

– Bonjour, Marcus, dit Ola Haver. Je sais que ce n'est pas très agréable, mais on va essayer d'aller aussi vite que possible. As-tu mangé, ce matin – tu me permets de te tutoyer, n'est-ce pas ?

Le jeune homme hocha la tête en jetant un coup d'œil en direction de Lindell.

– Tu connaissais donc Seb, reprit Haver en regardant Marcus droit dans les yeux. De quoi avez-vous parlé quand vous vous êtes vus avant-hier soir ?

– Qui est-ce qui vous a dit qu'on s'était vus ?

– On le sait, lâcha Lindell sur un ton un peu vif.

– Vous vous êtes rencontrés et vous avez bavardé, reprit Haver. De quoi ? De minigolf ou d'aller prendre une bière ?

Marcus Ålander resta sans rien dire, les yeux fixés sur le plateau de la table.

– Avez-vous parlé d'Ulrika ? demanda Lindell.

Marcus leva les yeux.

– Ulrika, se contenta-t-il de dire.

– Elle venait de rompre avec toi. Tu as erré en ville et croisé Sebastian, n'est-ce pas ? Vous vous êtes disputés, tu l'as frappé et il est parti en courant, résuma Ola Haver d'une voix un peu triste.

– Oui, on s'est vus, bon. Vous êtes contents ?

– Non, coupa Lindell. Je veux savoir pourquoi vous l'avez frappé.

Marcus parut hésiter sur la conduite à tenir. C'est en tout cas l'impression qu'eurent Lindell et Haver.

– Je ne l'ai pas frappé, finit-il par dire. Il a filé, c'est tout.

– Foutaises, lâcha Lindell.

– C'est parce que Sebastian t'a parlé d'Ulrika et t'a appris qu'ils étaient amoureux ?

Marcus dévisagea Lindell, qui soutint son regard. « Ce n'est qu'un gamin », pensa-t-elle.

– C'est pas terrible de se faire larguer par sa petite amie, je sais, reprit Haver. Je comprends même qu'on ait envie de taper sur la figure de l'autre.

– Je ne l'ai pas frappé.

– Comment expliquez-vous les taches sur votre veste ? demanda Lindell. Nous sommes persuadés qu'il s'agit de sang et nous saurons bientôt si c'est celui de Sebastian. Alors, vous feriez aussi bien de parler.

– Quelle veste ?

– On a trouvé une veste, chez toi, expliqua Haver. Il va falloir qu'on l'analyse pour déterminer l'ADN. Mais là, ce sera du sûr, tu ne l'ignores pas.

– Vous êtes allés fouiller chez moi ?

– Inutile de vous mettre dans cet état, vous comprenez bien pourquoi, dit Lindell.

– Bon d'accord, c'est vrai que je l'ai frappé, mais une seule fois et ensuite il a filé, convint Marcus en tâtant son bouton.

– Et toi, qu'est-ce que tu as fait ?

– Je suis resté sur place. J'ai aussitôt regretté mon geste.

– Et ensuite ?

– J'ai marché, j'avais l'intention de retourner chez Ulrika, mais je ne l'ai pas fait.

– Vous comptiez lui taper dessus, également ?

Marcus ne répondit pas, le regard qu'il lança à Lindell était assez éloquent.

– D'après certains de nos renseignements, vous avez poursuivi Sebastian, reprit Lindell en lisant sur son bloc.

– C'est faux !

– Ah bon. Vous niez l'avoir suivi dans Drottninggatan ? Vous étiez furieux contre lui car il vous avait pris votre petite amie. Comme vous aimiez Ulrika, ça a dû être dur à avaler, non ?

– Ça suffit ! s'écria Marcus. Je n'ai jamais mis les pieds dans cette foutue librairie.

– Comment savez-vous que c'était une librairie ?

– Je l'ai vu, souffla Marcus.

– Comment ça ? Vous avez vu Sebastian dans la librairie ?

Marcus secoua la tête.

– Parle, dit Haver.

– Je suis passé par là samedi matin.

Par bribes, il leur expliqua qu'un chauffeur de taxi l'avait pris à son bord et qu'ils étaient ensuite descendus en ville ensemble.

– Comment s'appelle-t-il, ce chauffeur ?

– Martin quelque chose.

– Vous étiez curieux ? demanda Lindell.

– Je ne voulais pas vraiment, mais j'étais complètement dans le noir et je désirais un peu de compagnie.

– Qu'est-ce que vous faisiez sur Islandsbron ?

– Rien.

Le regard de Marcus confirmait le sentiment d'égarement que trahissait sa personne tout entière. Il semblait se ratatiner, devant ces deux policiers, et rentrer en lui-même, en quelque sorte.

– Vous vouliez vous jeter à l'eau ? demanda Lindell sur un ton légèrement ironique.

Marcus ne répondit pas et lui lança un regard dans lequel on pouvait lire de la supplication.

– Vous étiez triste et furieux contre vous-même pour avoir tué votre copain et vous vouliez en finir, c'est ça ?

Haver observait Lindell tandis qu'elle parlait. Elle était rejetée en arrière sur sa chaise et son stylo dépassait de ses mains, qu'elle avait croisées sur son giron.

Marcus secoua la tête. « Quand va-t-il craquer ? » se demanda Haver.

– Non seulement vous avez réduit la tête de Sebastian en bouillie, mais vous lui avez volé son portefeuille, sa montre et son portable. Où sont-ils maintenant ? insista Lindell.

Haver toussa.

– Ce genre de crime crapuleux est odieux, dit Lindell en appuyant sur les mots et lançant son stylo sur la table. Nous vous laissons réfléchir à votre situation, le temps de prendre un café, ajouta-t-elle en se levant. Vous pouvez rester ici, sous la surveillance d'un collègue. Mais, à notre retour, nous voulons le récit complet de ce que vous avez fait cette nuit-là. Et pas de faux-fuyants, rien que des faits.

Haver regarda Lindell, fit un instant mine d'arrêter le magnétophone mais retira la main.

– Je reste, dit-il en regardant Lindell. Je n'ai pas envie de café. Et puis si, apporte-moi une tasse, si tu veux bien. Et un muffin. Tu désires quelque chose, Marcus ?

Celui-ci secoua la tête et Lindell quitta la pièce. Haver et Marcus restèrent face à face, en silence. Puis le premier se pencha en avant, prit le stylo de Lindell et le fit tourner entre ses doigts.

– T'occupe pas d'elle, dis-moi tout, à moi. Tu te sentiras mieux, je te garantis. Je ne crois pas que tu lui aies volé son portefeuille. Ma collègue a horreur des crimes crapuleux et c'est pour ça qu'elle s'est fichue en colère. Tu n'ignores pas que la rue entière a été vandalisée. C'est sûrement quelqu'un d'autre qui lui a piqué ses affaires.

– Je ne lui ai rien volé, dit Marcus à voix basse. Je l'ai frappé une fois et puis il a filé. Il y a sûrement des gens qui l'ont vu, il y avait plein de monde devant le cinéma. Vous avez vérifié ? Il a filé et moi je suis resté là, je vous le jure !

Haver l'observait en silence.

– Parle-moi d'Ulrika, reprit-il au bout d'un moment. Depuis quand étiez-vous ensemble ? C'est une fille bien, j'ai l'impression.

Haver consulta sa montre, constata que l'interrogatoire avait pris exactement une heure, le déclara terminé et arrêta le magnétophone.

Lindell n'était pas revenue et il s'interrogea sur la raison de ce comportement. Ce n'était pas très agréable et on pouvait se demander si c'était efficace. Ils n'avaient pas convenu au préalable de la façon de mener ce premier interrogatoire, si important. Or, il avait été amené à endosser le rôle du gentil, alors qu'elle apparaissait comme froide et impulsive.

Il ne savait pas quoi penser, mais Lindell avait sans aucun doute révélé un nouveau côté de sa personnalité. Peut-être quelque chose l'avait-il irritée chez le suspect ?

Il regarda les notes éparses qu'il avait prises. Marcus avait marché le long de la rivière, affecté par la rupture, avait croisé le chemin de Sebastian et lui avait raconté ce qui venait de lui arriver. « Moi, c'est le contraire, lui avait répondu Sebastian, je vais chez une fille que j'ai rencontrée il y a quelques mois. Elle s'appelle Ulrika. » Haver imaginait fort bien Sebastian, amoureux de fraîche date et incapable de réprimer sa joie. Marcus lui avait demandé où elle habitait, Sebastian le lui avait indiqué d'un geste de la main et Marcus l'avait frappé.

– Quelque chose s'est brisé en moi, avait-il expliqué à Haver. Je lui ai tapé dessus sans réfléchir.

Haver sortit la bande de l'appareil et raccompagna Marcus à sa cellule. En regagnant son bureau, il rencontra deux collègues de la brigade des mandats qui le félicitèrent. Haver leur répondit que c'était peut-être encore un peu tôt, mais les autres considéraient que l'affaire était close. « Le mobile, l'arme et les circonstances », avait jubilé l'un des deux. Haver n'avait rien à ajouter et préférait réécouter la bande. Il était incontestable que Marcus avouait avoir frappé son rival, mais il restait encore à prouver le crime.

Aucune trace de Lindell. Peut-être était-elle partie déjeuner ou manger un sandwich dans son bureau. Comme pour répondre à cette interrogation, il la vit arriver dans le couloir. Il constata aussitôt qu'elle avait pleuré.

– J'ai terminé l'interrogatoire, dit Haver.

– Je m'en suis rendu compte, répondit-elle sèchement.

– J'ai la bande, ici, si tu veux l'écouter.

– Qu'est-ce qu'il a dit ?

– Il reconnaît qu'il a frappé Sebastian, mais rien d'autre.

– Bon, se contenta-t-elle de dire.

Ils étaient face à face. Au plafond, le tube au néon grésillait. Ils entendirent une porte se refermer.

– Comment ça va ?

– Très bien, dit-elle.

– On n'a aucun témoin qui ait vu Marcus poursuivre Sebastian, n'est-ce pas ?

Lindell secoua la tête.

– J'ai tenté un coup de poker, dit-elle. Peut-être pas à très bon escient, mais…

– Tu n'aimes pas Marcus, hein ?

– Ça dépend ce qu'on entend par là. Il est un peu trop triste.

– Y a de quoi être déprimé, quand on a passé une nuit en cellule.

Lindell eut un geste d'impatience de la main.

– Juste après avoir été largué par sa petite amie, ajouta Haver.

– Sans aucun doute, dit Lindell et Haver comprit soudain la raison de son accès de mélancolie.

– J'écouterai cette bande plus tard, Ola. J'ai autre chose à faire d'abord, dit-elle avant de regagner son bureau.

Chapitre 17
Dimanche 11 mai, 9 h 05

– Aujourd'hui, on va à la campagne, dit Hadi.
– Encore ? protesta Mitra.
– On m'a invité à prendre le café. À la suédoise.
Mitra se retourna pour regarder son père.
– Qui donc ?
– Invité à la suédoise, se contenta-t-il de répéter.
– Grand-père a rencontré un paysan, hier, expliqua Ali. Il a même sauvé son troupeau de vaches.
– C'étaient des bêtes élevées pour la viande, rectifia Hadi.
– Raconte-moi ça, demanda Mitra avec un sourire.
Hadi lui narra par le menu son escapade de la veille.
– Et comme ça, ils t'invitent à prendre le café ?
Hadi hocha la tête, très fier de lui.
– Ali vient avec moi, précisa-t-il.
– Je n'ai pas le temps !
– Il faut que tu traduises, ordonna le grand-père.
– Mais…
– Pas de mais, coupa Mitra. Fais ce que grand-père te dit, ajouta-t-elle avec un regard impérieux.
Sachant qu'il était inutile d'insister, le garçon finit par accepter d'un signe de tête. La question était réglée et la lutte perdue d'avance.

Ils partirent juste avant dix heures. Ali surveillait la cour, tandis que le grand-père parlait, tapait avec sa canne sur la clôture et les corbeilles à papier près desquelles ils passaient et saluait poliment lorsqu'ils croisaient une femme habitant dans la cour voisine. Il faisait un temps splendide. Ali scruta la rue en direction de la lisière de la forêt. Derrière ces sapins et mélèzes peu fournis vivait celui qui voulait le faire taire. On pouvait voir sa maison depuis l'arrêt d'autobus.
– Tu écoutes ce que je te dis ?
– Bien sûr, répondit Ali.

Il entendit une moto approcher. Il savait que Mehrdad n'était pas loin, il le sentait. Quelque part aux alentours, à l'abri des arbres, derrière le garage ou le dépôt d'ordures, il se faufilait avec une seule idée en tête : faire taire Ali. Et c'est à reculons que celui-ci vint se placer sous l'auvent de l'arrêt d'autobus. Deux femmes d'un certain âge arrivèrent à pied, ainsi que des hommes un peu plus jeunes. Il y eut bientôt une dizaine de personnes autour de lui et il se sentit un peu plus en sécurité. Il regarda son grand-père, en se demandant si celui-ci comprenait.

Il fut interrompu dans ses pensées par l'arrivée de l'autobus. Le grand-père leva sa canne pour se frayer un chemin, monta le premier, salua le chauffeur et sortit un billet froissé de la poche de son manteau. Ali eut le sentiment que quelque chose de grand était en train de se passer, qu'ils étaient en chemin, son grand-père et lui.

– C'est mon petit-fils, dit Hadi en persan au chauffeur, pourtant suédois, en désignant Ali.

Le chauffeur hocha la tête comme s'il comprenait.

– C'est mon grand-père, expliqua Ali.

Le chauffeur lui lança un regard amusé.

« C'est mon grand-père », se répéta Ali à voix basse en suivant ce dos imposant vers le fond du bus. « Quelque chose de grand est en train de se passer », pensa-t-il encore, mais, en prenant place sur le siège et regardant par la fenêtre, il découvrit Mehrdad de l'autre côté de la rue. Il portait son casque noir décoré de flammes, visière relevée. C'était la première fois qu'ils se voyaient depuis qu'ils avaient échangé ce regard, l'espace d'une seconde, à travers la vitrine brisée.

Ali se recroquevilla. Le grand-père lui dit quelque chose. Tous les passagers étaient maintenant montés et le bus partit. Ali savait qu'ils n'étaient pas seuls, que quelqu'un les suivait.

– Ils ont des moutons, dit le grand-père et Ali comprit qu'il parlait de la famille à qui ils allaient rendre visite.

Jusque-là, il avait été avare de détails sur l'endroit où ils se rendaient. Le matin, il s'était montré à la fois gai et inquiet. Peut-être ne savait-il pas lui-même ce qui l'attendait. Mais il avait compris qu'il y avait des moutons et cela lui suffisait.

Il lui avait fallu près d'une heure pour s'habiller, peigner ses cheveux et sa moustache, et cirer ses chaussures. Il avait même essuyé sa canne. Ali observait sa silhouette très droite et digne, sur son siège. Il avait la mine résolue, les mains sur le pommeau de sa canne. Aux yeux d'Ali, cela lui donnait l'air d'un chef, d'un homme qui en savait long, qui avait l'habitude de décider et était capable d'affronter les dangers la tête haute.

Il aurait voulu dire quelque chose à son grand-père, mais ne cessait de se retourner pour lorgner par la vitre arrière. Or, il ne pouvait voir ce qui circulait juste derrière le bus. Aux différents arrêts, il regarda par la fenêtre sans apercevoir son cousin. Ils n'étaient pas vraiment cousins, d'ailleurs, mais c'était ainsi qu'ils se désignaient car ils savaient qu'ils appartenaient à la même famille. Seul grand-père pouvait dire exactement ce qu'il en était.

Il ne comprenait pas comment celui-ci pouvait supporter ce gros manteau boutonné jusqu'au menton. Sans compter qu'il portait un pull en laine, dessous. Pour sa part, Ali avait trop chaud et aurait aimé être à l'air libre. Il ne se sentait pas bien, dans ce bus, comme cela lui arrivait parfois. En voiture c'était encore pire, mais il y avait longtemps qu'il n'en avait pas emprunté. Cela n'arrivait que quelques fois par an et c'était en général Konrad, ou un autre membre du club, qui conduisait. Mitra ne possédait même pas le permis et son grand-père ne savait mener que les ânes, et peut-être les chevaux car il en avait eu un pendant sa jeunesse. Un noir, Ali ne parvenait pas à se souvenir de son nom. C'était une jument, ça il en était sûr. Mais il ne voulait pas demander à Hadi, car il aurait eu droit à un long discours pour réponse.

Ali avait eu une camarade de classe qui montait à cheval. Elle s'appelait Camilla et, en cinquième et sixième année d'école, il avait été très amoureux d'elle, en vain. Ils se parlaient rarement et maintenant elle allait dans une autre école et ils ne se voyaient plus. Pourtant, Ali pensait parfois à elle. Un jour, elle lui avait demandé quelque chose à propos d'un devoir et il avait été incapable de répondre. Il connaissait pourtant la réponse, mais il n'était parvenu qu'à bégayer, tellement il était ébahi que Camilla lui ait adressé la parole. Elle l'avait regardé et lui avait tourné le dos en riant. Depuis ce jour, ils n'avaient plus échangé un seul mot.

Elle possédait son propre cheval et, un jour, elle avait fait un exposé sur les chevaux et la façon d'en prendre soin. Camilla était blonde, la plus blonde de toutes les élèves, et avec des genoux un peu cagneux. L'école où elle allait maintenant était peut-être située très loin, Ali ne savait pas trop, mais, quand il voyait des chevaux, il pensait à elle et à ses beaux cheveux.

– C'est ici qu'on descend, dit le grand-père, mettant fin à ses pensées.

– Ils ont des chevaux, dans cette ferme ?

– Je crois bien répondit le grand-père, elle est grande, tu sais.

Ils se dirigèrent vers la gare routière.

– Ils ont forcément des chevaux, répéta Hadi en souriant.

La première chose qui surprit Ali, quand ils entrèrent chez les Olsson, ce fut la taille de la cuisine. Il eut l'impression de pénétrer dans un musée. De vieux objets voisinaient avec des instruments modernes. Sur un grand pan de mur, une cheminée se dressait, telle une lèvre tuméfiée toute blanche. Des jattes et des assiettes étaient accrochées, la table et les surfaces de travail étaient décorées de petites nappes blanches et de vases contenant des fleurs de printemps. Un lambris brun courait tout autour de la pièce, ce qui n'empêchait pas la cuisine d'être claire, grâce aux nombreuses et vastes fenêtres. Cela sentait bon les fleurs et le four.

La seule chose qui portait des traces d'usure, c'était le sol, en particulier devant la cuisinière. Un panier d'osier rempli de morceaux de bois y disputait l'espace à un chat gris. La table pouvait accueillir une famille nombreuse, mais Ali soupçonnait le couple de vivre seul.

Ils furent accueillis par une poignée de main, un peu plus réservée de la part de la femme.

– La quiche n'est pas tout à fait prête, dit-elle, il n'y en a pas pour longtemps.

Ali hocha la tête.

– Tu es son petit-fils.

– Oui, Hadi est mon grand-père maternel. Mais il ne parle pas suédois, alors il m'a demandé de venir.

– Soyez les bienvenus, dit Arnold. Tu veux bien traduire cela pour ton grand-père ?

Ali débita une longue phrase en persan, que le couple de paysans écouta, fasciné.

– Quelle langue parlez-vous ? demanda Beata.

– Le persan.

– C'est très rapide, observa Arnold.

Le grand-père prit alors la parole et Ali fit de son mieux pour le suivre. Puis il sortit de sa poche un petit paquet plat dont il n'avait rien dit jusque-là. Il le tendit à Beata Olsson, qui eut l'air un peu intimidée. Elle s'essuya les mains sur son tablier et prit le paquet avec hésitation. On voyait bien que c'était Hadi qui l'avait fait lui-même, à l'aide de papier de Noël et de scotch, et Ali eut un peu honte.

– Il ne fallait pas... commença à dire Beata, mais Arnold lui coupa la parole.

– Cela contient peut-être des forces pour tondre les moutons, dit-il en riant, imité par le grand-père.

– Il dit que nous sommes reconnaissants de votre gentillesse, traduisit Ali, c'est un honneur pour nous.

Pour Ali, ces formules n'étaient pas très familières. « C'est cela, ce qui se passe de grand », pensa-t-il, n'y tenant plus de curiosité, pendant que Beata ouvrait le cadeau. Elle vit ce que c'était, alors que le papier dissimulait encore le cadeau à la vue d'Ali.

– Dis que c'est ma sœur qui l'a fait, lui demanda Hadi d'une voix ferme.

Impressionné, Ali traduisit aussitôt. Il n'avait jamais rencontré cette sœur mais avait entendu parler d'elle. Elle était belle et s'était jetée à l'eau ou noyée accidentellement.

Arnold prit le papier des mains de sa femme et Ali vit que c'était le petit tableau brodé représentant un cerf au bord d'une source qui était accroché au mur de la chambre du grand-père.

– Comme c'est beau, s'exclama Beata en contemplant le tableau à bout de bras, comme pour le tenir à distance. Puis elle l'approcha de son visage pour examiner les petits points de croix. Hadi eut l'air ravi, en voyant l'expression sur son visage.

« C'est cela, le grand événement », pensa à nouveau Ali, incapable de retenir ses larmes. Hadi posa la main sur son épaule et, à travers ses larmes, il vit que son grand-père avait une mine qu'il n'avait encore jamais affichée. Elle était moins résolue, ses yeux étaient plus clairs et Ali crut voir sur ses traits comment il était dans son jeune âge.

– Il ne faut pas pleurer, mon petit, dit Beata.

« Il donne le tableau, pensa Ali. Le tableau. »

– Quel beau travail, s'enthousiasma Arnold. Ça ressemble vraiment à un cerf. Dis à ton grand-père que nous n'avons jamais vu de tableau venant de Perse.

– Vous n'auriez pas dû, répéta Beata en regardant Hadi, qui ressemblait de plus en plus à un chef de bande, au milieu de la cuisine.

– Ma sœur, dit-il.

Ils prirent place à table. Ali eut bien du mal à traduire. Une fois dissipée la gêne des premiers moments, Beata et Arnold s'avérèrent fort bavards, sautant du coq à l'âne, s'interrompant mutuellement et se corrigeant, une façon de converser qui intrigua beaucoup le grand-père. Celui-ci se contentait essentiellement de sourire et de lisser sa moustache, apparemment très content d'être assis à cette table et d'écouter des propos qu'il ne comprenait pas. Puis le couple se tut et regarda Hadi et Ali comme s'il attendait quelque chose d'eux. Ce dernier ne savait pas vraiment que dire, mais sentait qu'il devait faire quelque chose.

– Mon grand-père aime beaucoup les animaux, finit-il par lâcher.

– Nous avons pu le constater.

– Il a eu des moutons. Il en parle souvent.

– En Perse ?

– Ça s'appelle l'Iran, maintenant, rectifia Ali.

– Ah bon, soupira Beata. C'est l'Iran, je me demandais aussi… On se rappelle bien le shah et Farah Diba, mais toi tu ne te souviens pas d'elle, hein ?

Le grand-père avait dressé l'oreille à ce nom connu.

– Farah Diba, répéta-t-il.

La conversation s'arrêta, et pourtant le silence qui s'ensuivit ne fut nullement gênant. Hadi était capable de rester sans rien dire pendant des journées entières, alors ce n'était sûrement pas lui qui risquait d'en souffrir.

– Ton grand-père ressemble à l'engoulevent, reprit Arnold. Il arrive au printemps, quand on lâche les bêtes dans la nature. J'ai entendu son cri, cette nuit. C'est un oiseau, ajouta-t-il en voyant la mine étonnée d'Ali.

Ali répéta à son grand-père qu'il était comme un oiseau qui vient au printemps.

– Quel oiseau ? demanda celui-ci.

Ali demanda à Arnold de répéter, pour être sûr du nom.

– À quoi ressemble-t-il, cet oiseau ? s'enquit le grand-père.

Ali estimait qu'il pouvait se satisfaire de savoir que c'était un oiseau, peu importait à quoi il ressemblait.

Arnold expliqua et Ali s'efforça de traduire, mais Hadi secoua la tête. Arnold mit alors ses lèvres en forme de cercle et lança un cri bourdonnant, dans la cuisine. Hadi se mit aussitôt à rire.

– Je le reconnais, dit-il. Il y en a chez nous.

– Il sait lequel c'est ? demanda Arnold.

– Oui, dit Ali. Il existe aussi en Iran.

– C'est étrange, commenta Arnold.

– L'engoulevent, répéta Beata d'une voix dans laquelle Ali crut entendre percer un soupçon de critique. Tu ne peux quand même pas comparer un homme aussi superbe à un engoulevent.

– Elle dit que tu es superbe, traduisit Ali.

Il ne savait pas bien ce que voulait dire « superbe » et hésitait donc pour traduire. Il opta pour « beau » et le grand-père fut très content. Ali éprouva alors une fierté qui effaça la gêne qu'il ressentait devant les autres quand son aïeul se lançait dans un de ses longs discours.

– Je l'ai vu tard hier soir, reprit Arnold, c'est bien plus tôt dans l'année que d'habitude. Je note toujours la date. Aussi loin que je me souvienne, on a toujours fait nicher des engoulevents, ici. C'est un oiseau hors du commun, expliqua-t-il encore à Ali. Il vit dans la forêt, là-bas, sur les rochers.

– Mon mari traîne dehors, la nuit, expliqua Beata.

– C'est mon père qui a commencé, poursuivit Arnold indifférent à l'interruption de sa femme. En général, on pense que c'est signe de malheur, mais pas mon père : il disait que c'était un bel oiseau annonciateur du printemps.

– Un jour, tu te casseras une jambe, dans le noir.

– Mon père estimait qu'il portait bonheur à la ferme.

– Il disait toujours le contraire de tout le monde, coupa de nouveau Beata. Ce n'est pas vraiment un oiseau, laid comme il est, il fait peur aux gens.

Arnold eut un grand sourire et lança un clin d'œil à Ali.

– Les gens disaient qu'il leur volait du lait. Mais en fait, c'étaient les valets et les filles qui le buvaient et qui l'accusaient.

Arnold continua à parler de l'engoulevent et de ce que les gens disaient de lui. « C'est bizarre, pensa Ali, de pouvoir parler aussi longtemps d'un oiseau. »

Hadi observa longuement les deux paysans puis regarda Ali d'un air interrogateur.

– Ils parlent de l'oiseau, se contenta de lui expliquer le garçon et le vieillard hocha la tête.

– Quand on voit l'engoulevent, on voit sa mort, c'est ce qu'on disait dans mon enfance, commenta-t-il.

Il eut l'air de vouloir continuer mais s'interrompit brusquement. Ali préféra ne pas traduire.

Arnold sortit deux combinaisons propres à l'intention de Hadi et Ali, qui les passèrent sur leurs vêtements. Le grand-père avait l'air comique, dans cette tenue jaune canari, mais il choisit d'en sourire.

Ils sortirent. Hadi et Arnold levèrent les yeux vers le ciel, tandis qu'Ali préféra scruter l'horizon. La combinaison lui donnait une certaine assurance et il se sentait plus sûr de lui, comme si elle pouvait le protéger des regards et des mauvaises pensées de Mehrdad.

Ils allèrent d'abord dans la laiterie, où il y avait un énorme bac en métal inoxydable. Ali trouva qu'il faisait frais et que cela sentait le renfermé. Hadi, lui, examinait l'endroit avec beaucoup d'attention, comme un acheteur potentiel. Arnold parlait et Ali traduisait. Beata remplit une assiette de lait et, aussitôt, un chat apparut, se pencha sur l'assiette et se mit à laper. Ils l'observèrent en silence.

– On en a cinq, dit Arnold en ouvrant la porte de l'étable.

Ils furent accueillis par un mugissement paisible et un peu mélancolique. Cela sentait encore plus fort bien que l'étable fût vide, à part une vache qui y était attachée.

– Elle n'est pas très bien, dit Arnold en se tournant vers Ali. Explique cela à ton grand-père.

– Vous n'avez qu'une seule vache ? demanda Ali.

– Bien sûr que non, répondit Beata en riant. On a vingt-six laitières, en ce moment. Les autres sont à la pâture, mais celle-ci, il faut la surveiller un peu. Le vétérinaire est venu la voir hier. Et puis on a des génisses et des veaux. Et quelques bêtes qu'on élève pour la viande.

Un chat passa en courant et Ali éternua. La vache mugit à nouveau, Arnold et Hadi se dirigèrent vers elle. Le grand-père se posta près d'elle et lui caressa l'échine. La vache hocha alors la tête et Hadi s'accroupit.

« Ne va pas faire de bêtise », pensa Ali, au moment où Hadi posa la tête contre le flanc de l'animal pour lui tâter le pis. Quelques secondes s'écoulèrent. Arnold regardait Hadi avec une mine difficile à interpréter. On aurait dit qu'il ne savait pas vraiment quoi penser.

– Elle est très sensible, fit Hadi.

Arnold regarda Ali, qui traduisit.

– Ça, c'est sûr, dit-il ensuite avec un sourire.

Le vieil homme se redressa, tapa légèrement sur le flanc de la vache comme pour lui dire « ça va s'arranger » et se tourna vers le paysan avec un signe de tête.

Quand ils ressortirent dans la cour, les nuages s'étaient dissipés. Il faisait chaud, au soleil, et la terre semblait en pleine fermentation. Dans les arbres, des oiseaux lançaient sans cesse des trilles obstinés. Au loin, on entendait pétarader une moto. Une demi-douzaine de corbeaux s'envolèrent d'un frêne, passèrent au-dessus de la ferme en croassant et disparurent aussi vite qu'ils étaient venus.

Arnold Olsson eut un large sourire en voyant Hadi regarder ses champs jusqu'à la ligne d'horizon, comme s'il scrutait le paysage.

– On va voir les moutons, suggéra-t-il en se tournant vers Ali, qui s'attardait sur le seuil de l'étable.

On aurait dit que celui-ci avait vu un fantôme. Le bruit de la moto ne cessait de se rapprocher et il lança un regard de supplication à Arnold, qui revint vers lui.

– Il y a quelque chose qui ne va pas ?

Ali secoua la tête. Le visage du paysan était tout contre le sien et il sentait son odeur, forte mais pas désagréable. Ses traits accusés étaient soulignés par les rides qui s'étaient creusées dans sa peau. Ses cheveux couleur de brosse étaient dressés sur sa tête et, quand il ouvrit la bouche, Ali vit des dents en or.

– Tu n'as pas l'air gai, dit-il gentiment. Tu ne t'amuses peut-être pas beaucoup, ici.

– Si, si, protesta Ali.

– Ton grand-père est quelqu'un de bien, mais tu le sais déjà. Ce n'est pas souvent qu'on a de la visite, ici. Jadis, c'était plus animé.

Arnold observa une pause pour regarder Hadi, qui s'était légèrement avancé, bien droit, une main dans le dos, l'autre plantant sa canne dans le sol et les yeux perdus dans le lointain.

– On dirait qu'il se croit en Iran, commenta Arnold.

– Il y est presque toujours, répondit Ali.

– Pourquoi êtes-vous venus dans ce pays ?

– À cause de ma mère.

Le paysan se satisfit de cette réponse laconique.

– On va aller voir les moutons, dit-il. Il y a des agneaux, aussi.

– Je vous attends, fit Ali. Je vais me promener un peu par ici, ajouta-t-il en voyant la réaction d'Arnold.

Ali eut du mal à interpréter sa mine, dans laquelle se lisait déception et soupçon à la fois, et il avait l'impression de lui faire faux bond.

– Grand-père, les moutons, cria-t-il, pour masquer sa perplexité.

Ali marchait sur le bord du chemin, avec le sentiment d'aller à la mort. Mehrdad n'était pas loin de là, et pourtant Ali se sentait invulnérable, dans sa combinaison jaune. Il baissa les yeux vers le sol, examina les mauvaises herbes du fossé, balaya du regard les champs ensemencés de frais et l'arrêta sur une petite maison rouge à l'imposante cheminée. Elle venait d'être repeinte et des taches de peinture maculaient l'herbe ainsi qu'une pierre couverte de mousse. Près de cette pierre étaient posés une boîte en fer-blanc et un pinceau, comme si le peintre les avait mis là le temps d'une pause et avait ensuite oublié de revenir. Ali avança jusqu'à cette boîte, dans laquelle la peinture s'était figée en une masse rouge sombre. Il la renversa d'un coup de pied mais regretta aussitôt son geste et la remit d'aplomb. Il eut l'impression qu'elle lui disait « merci » et il en sourit.

Il regagna le chemin. Des boules brunâtres gisaient dans la poussière. Il comprit que c'était du crottin de cheval, posa délicatement le pied sur l'une d'elles et elle se fendit en morceaux. Et si c'était Camilla qui était passée par là ? Ali n'avait encore jamais marché sur un chemin de terre battue dans la campagne de l'Uppland. Il avait bien sûr déjà vu des petites maisons rouges, mais il ne s'était jamais approché suffisamment de l'une d'elles pour sentir l'odeur de peinture de ses murs. Il avait aussi vu du crottin de cheval, sans jamais poser le pied dessus.

Il y avait quelque chose de solennel dans l'air, comme s'il était en vacances. Si seulement il n'y avait pas eu Mehrdad. Ali savait qu'il n'était pas loin. C'était assez fou de la part de Mehrdad de les suivre jusque-là, lui et son grand-père, mais Ali connaissait l'obstination de son cousin. Il ne lâchait jamais prise.

Le chemin contournait un fourré et, au bout du virage, Mehrdad était assis sur une butte herbue.

Il avait l'air totalement déplacé, dans ce paysage rural. La verdure qui l'entourait et l'odeur qui montait du sol, sous le soleil, le réduisaient à l'état de petit garçon égaré. Leurs regards se croisèrent. Ali se posta près de la motocyclette, au bord du fossé.

– Comment connais-tu ces gens-là ? finit par demander Mehrdad, en désignant la ferme de la tête.

– Ce sont de bons amis, répondit Ali.

Le cousin pouffa.

– De bons amis, lâcha-t-il sur un ton de mépris.

– On les connaît, quoi. On a pris le café avec eux et on est allé voir leurs bêtes.

– Qu'est-ce que c'est que ce truc que tu portes ?

– C'est une tenue de travail, dit Ali en baissant les yeux sur son vêtement.

L'espace d'un moment, il eut l'impression qu'ils avaient une conversation parfaitement banale.

– T'as la trouille ?

Ali secoua la tête.

– Est-ce que je serais venu ici, alors ?

– Ta gueule, lança Mehrdad. Tu sais ce qui t'arrivera si tu l'ouvres.

– À qui est-ce que je parlerais ?

Tout était tranquille, alentour. Les oiseaux avaient cessé de gazouiller et le vent faisait à peine bouger les brins d'herbe et les petites plantes aux pieds de Mehrdad. Soudain, le bruit d'une scie à moteur déchira le silence. Ali tourna la tête et leva les yeux vers la forêt.

– Pourquoi tu réponds pas au téléphone ?

– Je n'ai pas envie.

– On est cousins, plaida Mehrdad.

Ali secoua de nouveau la tête. « Je ne veux pas d'un cousin qui soit un assassin », pensa-t-il, soudain satisfait de lui-même.

– Si tu caftes, je te bute.

– Et tu dis que t'es mon cousin ? ironisa Ali.

Mehrdad le regarda longuement.

– Pourquoi t'as tué ce gars ?

– Laisse-moi tranquille, cria Mehrdad.

– Bon, alors, dit Ali en se retournant et commençant à revenir sur ses pas.

– Eh, lui cria Mehrdad.

Ali continua son chemin comme s'il n'avait rien entendu et Mehrdad se mit debout d'un bond, le rattrapa à la course et lui barra le chemin. Ils étaient aussi grands l'un que l'autre mais Mehrdad était plus fort. Un jour, il avait terrassé le champion junior des welters.

– Je vais te buter !

Ali vit la démence s'inscrire dans les yeux de son cousin et ce n'est qu'à ce moment qu'il comprit qu'il avait été stupide de quitter la ferme. On aurait dit qu'il s'était jeté volontairement dans la gueule du loup. Il lui revint à l'esprit les paroles de Konrad sur l'importance de ne pas avoir peur de son adversaire et de prévoir son prochain coup. Mehrdad, lui, se fichait pas mal des règles en vigueur sur les rings.

– Je vais te buter ! Tu piges ! Te buter !

Ali fit un pas de côté, mais Mehrdad fut aussi rapide que lui. Ali le repoussa. Il était en sueur, sous sa grosse combinaison, et se sentait engoncé et maladroit dans ses mouvements. Sa couleur jaune le mettait en danger, car elle le rendait plus visible, et son sentiment de sécurité avait disparu.

Mehrdad l'attrapa par le devant de son vêtement et le tira vers lui jusqu'à ce que leurs visages soient l'un contre l'autre. Ali sentit son haleine. « Si je lui fichais un coup de genou quelque part », pensa-t-il, sans passer à l'action et en se concentrant totalement sur le fait de ne pas lâcher son cousin du regard.

L'attaque les surprit autant l'un que l'autre, comme si Ali n'avait pas pris lui-même la décision de ce coup de boule. La douleur qu'il ressentit lui fit voir trente-six chandelles, mais l'effet sur Mehrdad fut encore plus puissant. Ali l'avait touché à l'arcade sourcilière droite, qui éclata aussitôt, et le sang se mit à couler le long de sa joue. Il vit la douleur et la stupéfaction de son cousin, dont la moitié du visage fut bientôt ensanglantée.

Ali compléta au moyen d'une droite, son meilleur coup, qui toucha Mehrdad à la joue. Celui-ci vacilla, tenta de garder l'équilibre, mais tomba dans le fossé.

L'ensemble s'était déroulé en quelques secondes. Ali lança un dernier regard à Mehrdad et s'éloigna en courant. L'adrénaline affluait dans son corps, à la fois euphorique et en proie à une peur sans cesse grandissante. Non pas vis-à-vis de Mehrdad, dont il voyait bien qu'il était sonné pour le compte, mais parce qu'il savait qu'il avait agi violemment et sans réfléchir. Mehrdad ne le rattraperait pas. Pas ce jour-là. Il y en aurait hélas bien d'autres.

Il pénétra dans la cour, à peine capable de bouger les jambes. Il sentait la colère de son cousin et voyait devant lui ses yeux, et surtout le sang qui coulait sur sa joue.

Il avait mal au front et quand il baissa les yeux vers sa main droite, il vit que le coup avait arraché un morceau de peau de sa phalange. Il avait frappé en plein dans le mille, il le sentait jusque dans le bras et l'épaule. Konrad aurait apprécié. Mais peut-être pas, après tout, car il avait frappé sous le coup de la peur et l'entraîneur s'en apercevait toujours.

Mehrdad était capable de tout, Ali ne l'ignorait pas. Il l'avait déjà vu en action auparavant. Il y avait quelque chose qui clochait chez son cousin, il se laissait trop aller à la colère. Tout ce qu'il faisait, c'était sous l'empire de la violence et de la haine, motivées par un sentiment d'impuissance. Il en avait toujours été ainsi.

Mehrdad avait trois ans de plus qu'Ali et avait été une sorte de héros pour lui. Mais, au cours de l'année écoulée,

Ali l'avait évité. Pourtant, Mehrdad imposait sa présence à tous. Personne ne passait près de lui sans le remarquer, personne ne lui échappait.

Or Ali venait de se comporter comme lui et avait laissé parler la violence. « Je suis peut-être capable de tuer, moi aussi », pensa-t-il.

Pendant le voyage de retour, le grand-père s'assoupit. Ali observa son visage détendu et en vint à penser que cette journée serait pour lui la plus agréable qu'il ait connue depuis son arrivée en Suède. Il avait ri et s'était comporté avec aisance. Pendant qu'ils regagnaient l'arrêt, il avait même raconté des blagues. Maintenant, il était épuisé et sa tête oscillait d'avant en arrière au gré des mouvements du bus.

Ali pensa à ce que Mitra avait dit : Mehrdad était comme un volcan qui risquait d'exploser à tout moment et de cracher une pluie de feu, d'étincelles et de cendres. Mustafa, son père, avait été un « camarade », élevé dans un foyer profondément religieux mais, au cours de ses études à Téhéran, il s'était radicalisé. Il avait été emmené par la police alors que Mehrdad venait d'avoir cinq ans. Sa mère, incapable de s'occuper d'elle-même et encore moins de son fils, s'était complètement laissé aller.

– Mustafa avait fini par symboliser ce qu'il y avait de mieux dans notre lutte, avait expliqué Mitra. Alors que nous prenions la fuite, tous autant que nous étions, il est resté. Il souriait souvent.

Mitra avait généralement les larmes aux yeux quand elle parlait du père de Mehrdad. Rien n'était plus pareil depuis qu'il avait disparu. Le groupe dont il faisait partie, avec Mitra, s'était dispersé, certains avaient pris la fuite, d'autres avaient renoncé ou avaient été arrêtés. Mitra était l'une de celles que le régime avait réussi à emprisonner.

– J'étais avec la mère de Mehrdad. Vous, les enfants, vous dormiez, pendant que nous essayions de trouver des moyens de quitter le pays. C'était surtout moi qui parlais, je crois, je tentais de me raccrocher à une forme d'espoir. Si nous ne pouvions plus croire en la victoire de notre cause, il fallait se rabattre sur la fuite. C'était pour vous, dit Mitra, en regardant Ali de cette façon insupportable à laquelle il n'avait jamais pu s'habituer.

– Ils nous ont prises, nous, deux femmes sans homme mais avec des enfants.

À ce point, Mitra se mettait en général à pleurer, sans pour autant s'interrompre dans son récit. On aurait dit qu'elle était forcée de le répéter. Ali l'avait entendue bien des fois mais, à chacune, il y avait quelque chose de différent, un petit détail que Mitra avait peut-être omis ou oublié précédemment.

Elle était enceinte de sept mois, quand Nahid et elle avaient été arrêtées. En prison, à Shiraz, elle avait fait une fausse couche.

– Tu aurais dû avoir un frère, lui avait-elle révélé la dernière fois qu'elle lui avait raconté comment ils avaient entrepris le long voyage jusqu'en Suède.

– Comment sais-tu que c'était un garçon ?

– J'ai bien regardé, avant qu'on l'emporte. Ils emmenaient même les enfants mort-nés. J'aurais aimé le tenir quelques minutes dans mes bras.

Elle n'avait jamais dit que c'était à cause des mauvais traitements qu'elle avait perdu son enfant. Ali s'était efforcé d'imaginer ce frère. Quelle était la taille d'un fœtus de six mois ? Il aurait aimé en savoir plus mais n'osait pas poser la question.

Après ce jour-là, Ali s'était mis à parler à son frère, pas à voix haute mais il lui faisait part de ses pensées en brodant un peu pour que ce soit accessible à un petit frère.

Nahid, la mère de Mehrdad, avait mal supporté la prison. Mitra et les autres femmes tentaient de prendre soin d'elle et de ses enfants, mais elle sombrait de plus en plus dans un état dépressif risquant de devenir chronique.

Puis elles avaient été libérées. Un jour, les deux femmes avaient été extraites de leur cellule et jetées à la rue avec leurs enfants. Hadi était allé les chercher, avec l'aide d'un voisin qui possédait un camion. Elles étaient rentrées au village pour apprendre que la sœur de Hadi était morte deux jours auparavant.

– On aurait dit que le monde entier était contre nous. On devait habiter chez ma tante, provisoirement, mais mes cousins voulaient maintenant vendre la maison. Et il y avait peu de gens qui osaient nous parler et encore moins nous venir en aide.

Ali n'avait pas revu Mehrdad, après ce violent incident. Il pensait qu'il était aussitôt rentré en ville, mais savait qu'il serait toujours là, derrière lui.

Chapitre 18
Dimanche 11 mai, 12 h 05

Lisbet classait les photos. La première datait de la maternité et montrait Sebastian, imposant bébé de près de cinq kilos à la peau squameuse. Heureusement, elle avait beaucoup de lait, car il ne refusait jamais la tétée.

Puis il y avait une série de clichés datant de ses deux premières années et ensuite un intervalle avant qu'elle ne s'achète son propre appareil photo. Karl-Gunnar était parti, emportant presque tout avec lui, y compris leur appareil, mais elle trouvait que Sebastian avait l'air plus gai sur les photos qu'elle avait prises elle-même.

Elle gardait deux clichés de leurs premières véritables vacances, dont un sur lequel figurait sa propre mère. Elle poussa un soupir, comme si la perte de son fils se faisait plus pénible au fil des minutes. Elle se rappelait sa voix, sa façon de rire et la chaleur de ses mains. Pour sa part, elle avait toujours froid. Alors qu'il avait toujours chaud, lui.

Elle continua à feuilleter les photos et les étala comme pour une réussite. L'adolescence, la période la plus dure. À la fin du collège, il avait eu de grosses difficultés, ce qui avait donné lieu à maintes réunions avec les professeurs et les psychologues.

Sebastian savait ce qu'il voulait et cédait rarement. Elle avait d'ailleurs fini par admirer la force de sa volonté, mais il était déjà dans la période où il entrait en conflit avec elle pour un oui ou un non et claquait les portes.

Le dernier cliché datait du Noël précédent. Il avait eu un seul cadeau, car il avait fallu une année entière à Lisbet pour économiser le coût d'une chaîne stéréo. Il en possédait déjà une, mais il disait qu'elle était défectueuse. C'était Johannes qui avait suggéré la marque à choisir et l'avait aidée à l'acheter et à l'apporter à la maison. Le secret avait été pour elle une grande source de joie. Pendant un mois entier, elle avait attendu le soir de Noël avec impatience, tout en désirant presque que cela dure quelques semaines de plus.

« Ma petite maman », s'était-il contenté de dire en la serrant dans ses bras, avec des larmes dans les yeux. Et quand il étreignait, il ne faisait pas semblant.

Puis elle versa des larmes sur l'image d'un jeune homme dont la vie s'était éteinte. Elle ne parvenait pas à comprendre cela et fixait son visage des yeux. Peu auparavant, il était encore vivant et nourrissait une foule de projets.

Dans un moment de lucidité, elle se demanda pourquoi elle se torturait avec ces photos, mais elle en connaissait la raison, en réalité. C'étaient la douleur et le chagrin qui la porteraient.

Elle entendit la clé tourner dans la serrure et rassembla les clichés à la hâte, avec une première réaction de honte qui laissa vite la place à la colère.

Il se tenait sur le seuil de la cuisine.

– Qu'est-ce que tu fais ? Tu regardes des photos ? demanda-t-il d'une voix douce.

Il vint prendre l'une d'elles, la regarda de près, puis la reposa sans rien dire. Il mit ensuite la main sur son épaule. « C'est inutile », pensa-t-elle.

– C'était un bon garçon, dit-il en ôtant sa main.

Lisbet eut l'impression que son corps se figeait. Elle était hors d'état de bouger, de dire quoi que ce soit, voire de déplacer le regard.

– Je vais mettre du café à chauffer, dit-il.

– Je ne crois pas qu'on puisse continuer, tu sais, souffla-t-elle soudain.

L'homme ne répondit pas, il versa de l'eau dans le récipient, sortit un filtre et le remplit de café. Ce n'est qu'ensuite qu'il se tourna vers elle et la regarda.

– Je comprends que tu sois triste et je suis désolé de te dire ce que je vais dire, parce que c'est banal à pleurer, mais il faut que tu continues à vivre. Je ne veux pas m'imposer. Mais je serai toujours là.

Lisbet secoua la tête. Elle savait ce qu'il allait ajouter.

– Laisse-moi t'aider, dit-il, et elle eut peur qu'il la touche à nouveau.

– Je ne veux pas que tu dormes ici.

– Bon, je comprends. Tu veux être en paix et penser à Seb dans le calme.

– Sebastian, corrigea-t-elle.

Il se tourna vers la machine à café et s'appuya des deux mains sur l'évier. À part le sifflement asthmatique de la machine, le silence régnait dans la pièce. « Quel silence », pensa-t-elle. Le merle du grand tilleul de la cour avait lui-même cessé de lancer ses trilles. Les voisins du dessous, qui jouaient souvent de la musique jusque tard dans la nuit, semblaient avoir déménagé.

– Tu comprends que je m'inquiète ?

Il se retourna brusquement.

– Je t'aime, ajouta-t-il avec une conviction qui lui inspira un mouvement de recul. C'était la première fois qu'il le disait à la lumière du jour. D'habitude, il ne marmonnait ces mots que dans le noir, quand ils faisaient l'amour, et il eut l'air presque gêné de ce soudain accès de franchise.

– Je sais, dit-elle, sans savoir pour autant.

– Je suis capable d'attendre, tu le sais. On peut partir quelque part, cet été. Prendre un charter pour aller dans un pays chaud. Rien que toi et moi.

À ces mots, elle eut un sursaut. « Je ne veux pas, pensa-t-elle. C'est Sebastian et moi qui partirons en voyage. Je ne veux personne d'autre. »

– On prend une tasse ?

Elle hocha la tête. Elle aurait aimé lui demander de lui rendre la clé de l'appartement et de partir pour ne plus jamais revenir. Elle l'aimait bien, d'une certaine façon. Il était parfois très gentil et détendu. Sebastian, lui, ne l'aimait pas, mais elle avait toujours défendu Jöns. « Il a un foutu accent de la campagne », avait déclaré son fils, la première fois que Jöns et lui s'étaient rencontrés. Il était revenu sur le sujet à plusieurs reprises et Lisbet avait fait valoir qu'on ne peut rien à sa façon de parler. « Mais c'est joli », avait-il ajouté en riant.

Il riait toujours de bon cœur. Et, depuis qu'il s'était fait soigner les dents, il avait un beau sourire. Elle aurait aimé sortir à nouveau les photos et le regarder, mais Jöns les avait remises en tas et fait de la place pour le café.

– J'ai acheté à manger, dit-il, en ouvrant un sac en papier de la boulangerie et en posant quelques bretzels sur un plat, sous le regard de Lisbet.

– Du sucre perle, dit-elle à voix basse en s'effondrant en larmes.

Il voulut se lever mais se laissa retomber sur sa chaise en voyant le regard qu'elle lui lança.

– Je sais que tu essaies d'être gentil avec moi, mais je n'ai plus la force. Je veux… rends-moi la clé.

Il la dévisagea comme si elle lui crachait au visage.

– Je ne veux voir personne, en ce moment, tu comprends.

– C'est terminé entre nous ? demanda-t-il d'une voix rauque.

Comme elle ne répondait pas, il repoussa brusquement sa tasse, faisant déborder le café, sortit le trousseau de sa poche, décrocha une clé et la jeta sur la table en fixant Lisbet du regard comme pour la forcer à lever les yeux.

– Je ne suis pas seulement quelqu'un qui se trouve avoir une clé, dit-il, je suis celui avec qui tu vis. Ça n'a vraiment aucune importance pour toi ?

Il avait élevé la voix et Lisbet serra les mâchoires, comme pour le faire disparaître par simple exercice de sa volonté.

Il se leva lentement, pour lui laisser la possibilité de revenir sur sa décision ou la forcer à dire quelque chose, mais elle restait obstinément muette.

– Je comprends l'état dans lequel tu es, dit-il d'une voix plus calme. Je te viendrai en aide si tu le désires, tu le sais. Je m'en vais, mais on s'appelle ce soir ou demain. D'accord ?

Elle hocha la tête.

– Je t'aime, dit-il à voix basse.

Chapitre 19
Dimanche 11 mai, 16 h 10

Trois témoins avaient vu Marcus Ålander dans Västra Ågatan. Des jeunes de dix-huit, vingt-trois et vingt-quatre ans. Ola Haver mit joliment en tas les feuillets A4 de leurs déclarations, qui faisaient du petit-bois de la version de Marcus.

Beatrice Andersson buvait du thé et une légère odeur de citron se répandait dans la pièce. Haver observait sa collègue en catimini, se doutant de ce à quoi elle pensait. Elle avait évoqué quelque chose dont avait parlé la mère de Sebastian Holmberg, à savoir que celui-ci vivait pour les autres. Elle n'avait cessé de le répéter, sans expliquer ce qu'elle voulait dire par-là. Bea lui avait posé la question sans obtenir de réponse. En revanche, elle avait compris que la relation entre la mère et le fils n'était pas très intime, car Sebastian se confiait rarement à elle.

Et puis quelque chose s'était passé pendant l'automne et l'hiver derniers. Il restait plus longtemps à la maison, le soir, alors qu'auparavant il sortait dès qu'il pouvait. Une ou deux fois, ils étaient même allés boire une bière au Pub 19 et avaient parlé comme jamais auparavant, avant de rentrer ensemble.

– C'était comme s'il me voyait, tout d'un coup, avait dit la mère à Ola et Bea, non plus comme une vieille qui radotait mais d'égal à égale.

Bea avait formulé un commentaire sur cette relation, sans expliciter sa pensée, et pourtant Ola sentait que les propos de la mère l'avaient touchée. Sa collègue était maintenant debout au milieu de la pièce, portant sa tasse de thé à sa bouche avec des gestes lents et réguliers, et buvant une gorgée de temps en temps, le regard posé pensivement quelque part où Ola ne pouvait le suivre.

De l'audition des trois témoins se dégageait un tableau d'ensemble concordant. Ils n'avaient pas encore été confrontés à Marcus, mais deux d'entre eux l'avaient formellement identifié sur la sélection de photos que les collègues de la Scientifique leur avaient présentée. Le troisième avait hésité entre deux clichés, dont l'un représentait Marcus.

Ils étaient également d'accord en ce qui concernait le déroulement des événements. Sebastian avait été frappé, était tombé, puis s'était relevé et était parti en courant vers Drottninggatan. Marcus Ålander, lui, était resté un instant sur place, avait crié quelque chose au fugitif puis s'était élancé sur ses talons.

Après en avoir discuté, Ola et Bea avaient estimé leurs déclarations dignes de foi : indépendamment l'une de l'autre, trois personnes sobres ou peu s'en fallait avaient donné une version identique, en gros, des événements. Marcus Ålander avait poursuivi Sebastian dans Västra Ågatan et s'était engagé dans Drottninggatan. L'un d'entre eux l'avait vu tourner le coin de cette rue, même si aucun ne l'avait suivi pour observer ce qui arrivait ensuite.

– Il se passe tellement de choses, en ville, avait dit l'un d'eux, on peut pas mater toutes les bagarres.

Bea posa sa tasse de thé et regarda Haver. Sa mine et ses gestes étaient toujours pensifs, et pourtant Ola voyait qu'elle s'efforçait de revenir à la réalité.

– C'est ridicule de la part de Marcus de nier s'être lancé à la poursuite de Sebastian, dit-elle en sachant fort bien, comme son collègue, que les déclarations des suspects ne sont pas toujours logiques, beaucoup étant capables de s'obstiner dans des contradictions manifestes.

– Il finira par le reconnaître, il n'ignore pas qu'on sait ce qu'il en est, dit Haver.

– Il ne s'est pas rafraîchi les idées sous la douche ?

– Sans doute que si, mais tu sais ce que c'est. Ils prennent peur et se mettent à voir des pièges partout.

– De toute façon, il ne suffit pas qu'il reconnaisse avoir poursuivi Sebastian, fit observer Bea.

Haver marmonna qu'il en convenait.

– Même pas si le sang sur la veste est le sien, ajouta-t-elle. Il a reconnu avoir frappé Sebastian mais, tant qu'on ne pourra pas prouver sa présence dans la librairie…

– … on ne pourra pas en tirer argument, acheva Ola.

Ils examinèrent la situation sous toutes ses coutures, au cours de ces minutes lourdes de conséquences, le long de la rivière, sans parvenir à quoi que ce soit d'autre que des évidences qui n'étaient pas destinées à convaincre l'autre, plutôt à se faire une idée personnelle en vue de poursuivre la discussion.

Bea revint à sa tasse de thé et l'acheva d'un geste rapide accompagné d'une grimace.

– On devait aller à Stockholm, aujourd'hui, dit-elle. On y va toujours, au printemps, pour se balader et s'offrir un bon petit repas.

« Que devions-nous faire, Rebecca et moi ? » pensa Haver. La soirée précédente s'était déroulée dans le silence, ils s'étaient endormis dos à dos et réveillés avec une gueule de bois morale qui les avait incités à prendre la fuite chacun de son côté. Ola avait avalé un rapide petit déjeuner improvisé et avait quitté l'appartement sur un bref « salut », avec des sentiments mêlés de culpabilité et de soulagement.

L'idée de sa relation avec Rebecca lui taraudait l'esprit, tandis qu'il entendait Bea évoquer d'une voix pleine de nostalgie ce que Patrik et elle auraient fait ce jour-là, si leur ville n'avait été le théâtre d'un meurtre et de scènes de vandalisme.

Il observait sa collègue avec une attention nouvelle, comme si sa voix, à la fois parfaitement normale et d'une chaleur inattendue, pouvait lui fournir un indice quant à la façon de sauver un ménage qui allait à vau-l'eau.

Bea se tut et regarda Ola.

– Mais c'est comme ça, conclut-elle, et je suis ici, pleine d'énergie et de bonnes idées.

Elle posa bruyamment sa tasse sur une armoire de rangement, en s'efforçant de se donner l'air d'avoir du cran d'une façon qui rappela à Haver les films des années 40. Elle s'avisa ensuite qu'elle avait oublié de lui demander s'il était parvenu à identifier le chauffeur qui avait pris Marcus à son bord, sur Islandsbron, d'après ses dires.

– Tu as trouvé le gars du taxi ?

– Sans difficulté. J'ai appelé les diverses compagnies et tout de suite obtenu la réponse. C'est un gars sympa qui s'appelle Martin Nilsson et qui se souvient très bien de Marcus. Il l'a emmené chez lui prendre une tasse de café et ensuite ils sont redescendus en ville dans sa voiture, ce qui cadre parfaitement avec les déclarations de Marcus.

– Comment était-il ?

– Pas très bavard et plutôt égaré, d'après le chauffeur. Il avait l'air d'un candidat au suicide, en fait, et c'est ce qui l'a incité à s'arrêter.

– Et à inviter Marcus à venir chez lui ?

– Je ne sais pas, je suppose qu'il lui a trouvé l'air déprimé et, comme il prend toujours une tasse de café au petit matin, il a proposé à Marcus de venir avec lui. Peut-être désirait-il avoir un peu de compagnie, lui aussi. Il m'a d'ailleurs rappelé par la suite, ce Martin Nilsson, pour me dire qu'il venait de se rappeler que Marcus s'était d'abord présenté sous le nom de Sebastian, avant de rectifier.

Bea haussa les sourcils.

– Quoi ? dit-elle. Il a dit qu'il s'appelait Sebastian ? Ça alors !

– Oui, c'est un peu bizarre, je ne sais pas trop comment interpréter ça. Autre chose, poursuivit Ola, Marcus a appelé la fille de Martin Nilsson, pendant la soirée, sans doute peu avant qu'on vienne l'arrêter.

– Pourquoi ?

– D'après elle, uniquement pour parler. Il n'a pas tenté de la rencontrer ou quoi que ce soit. Ils ont seulement parlé pendant un quart d'heure, vingt minutes. Il était triste mais pas vraiment désespéré.

– De quoi ont-ils bavardé ?

– Du meurtre, répondit Haver, ou plutôt de la mauvaise conscience qu'avait Marcus de s'être comporté comme une hyène, en allant voir ce qui s'est passé en ville. Et puis ils ont parlé photo, car ils s'y intéressent tous les deux.

– Curieux type, fit observer Bea. C'est lui qui a suggéré qu'ils retournent en ville ?

– Non, d'après le chauffeur, c'est sa fille qui a eu l'idée. Il n'en était pas fier, ça s'entendait, et il ne parvenait pas à expliquer pourquoi il avait accepté, si ce n'est pour ne pas décevoir sa fille.

– La décevoir ? répéta Bea.

– Tu sais comment sont les gens.

Bea prit place sur le siège du visiteur.

– La torture, dit-elle. Et si on y avait recours ?

– Tu n'es pas sérieuse ?

– Non, ce n'est pas ce que tu crois. Je pensais à la souffrance, en réalité, ajouta-t-elle non sans hésiter. Celle de la mère de Sebastian, qui a perdu son fils unique. Et si on la laissait décider de la suite des événements ?

Haver était las et un peu démoralisé. Ils avaient déjà parlé de cela sans parvenir à une conclusion quelconque.

– Je ne sais pas, dit-il tout en sachant très bien.

« Il faut nous concentrer », pensa-t-il en se répétant le mot comme un mantra. Il se refusait à entrer dans les considérations alambiquées de Bea sur la culpabilité et la justice, et à laisser la vie en dehors de l'hôtel de police s'imposer à lui de cette façon. Car, s'il sortait du cadre d'un raisonnement strictement professionnel, ce n'était pas la mère de Sebastian qu'il voyait, c'était Rebecca.

Il y avait, dans l'esprit de Bea, quelque chose qui se situait hors de l'enquête au sens strict, on aurait dit qu'elle tentait de philosopher à la manière d'Ottosson et cela lui semblait faire de plus en plus obstacle à leur collaboration.

– On n'a pas vraiment le temps, dit-il.

Bea le regarda comme s'il lui avait craché à la figure.

– Le temps ! siffla-t-elle.

– Tu vois ce que je veux dire.

– Oui, je ne comprends que trop.

« Pourquoi adoptes-tu toujours ce ton-là ? » pensa-t-il non sans amertume. Cela lui rappelait ses disputes avec Rebecca, c'était aussi fatigant et destructeur.

– Tu sais aussi bien que moi qu'on ne peut ruminer ce genre d'idées, on n'en a pas le temps. On a besoin de chacun de nos instants pour tenir cette merde à distance. On ne peut pas faire de la baraque un club de discussion sur la morale et la société. C'est parfait lors des séminaires ou pour les émissions de télé, mais nous, on a un crime très concret à résoudre. C'est vrai que les victimes sont à plaindre, et pourtant il faut avoir la force de mettre ça de côté.

Il s'était levé de son siège, en disant cela, mais il s'y laissa retomber, comme vidé de son énergie.

– Sinon, c'est nous qui allons y passer, ajouta-t-il en attrapant un stylo sur la table et le rejetant aussitôt sur le tas de papiers qui la recouvrait.

– C'est déjà fait, dit-elle en le regardant.

Ola se remémora ce qu'avait dit Rebecca, un soir, à propos de l'absence de perspectives qui gagnait peu à peu et de manière sournoise les pensées de tout un chacun. Ils ne s'effondraient pas d'un seul coup, victimes de crampes mortelles, mais se décomposaient par petits morceaux en s'efforçant désespérément de défendre leur vie, conscients que, si ce gaz ne les tuait pas, il les rendrait méconnaissables, les priverait de ce qui faisait d'eux des êtres humains et les réduirait à une sorte de non-existence.

Il n'avait pas saisi parfaitement ce qu'elle voulait dire, mais il avait tenté d'imaginer ce gaz, quelle odeur il avait et comment il agissait.

– Je comprends ce que tu veux dire, mais je n'ai pas la force. On dirait que le gaz me paralyse, moi aussi.

– Le gaz ?

Il eut un sourire d'excuse en expliquant :

– C'est Rebecca qui m'a parlé d'un gaz invisible qui… ce serait trop long à t'expliquer, mais c'est une image de la façon dont on vit, de la pression qui s'exerce sur nous.

– Mince alors, dit Beatrice en s'efforçant de faire passer sa réaction au moyen d'un sourire.

Haver comprit qu'elle tentait de l'aider à sortir du cercle vicieux de ses pensées.

– C'est un peu confus dans mon esprit, tout ça, en ce moment, dit-il.

– Je m'en rends compte, répondit Beatrice. Excuse-moi d'avoir « un peu charrié », comme dirait Ottosson.

Haver se leva et alla se poster à la fenêtre, le dos tourné à sa collègue.

– Ça s'arrangera, finit-il par dire.

Chapitre 20
Lundi 12 mai, 4 h 58

Il avait toujours mal et ce n'est qu'avec peine qu'il parvint à se mettre debout. L'une de ses béquilles lui échappa, glissa sur le sol, et il ne put réprimer un juron. « Salauds de bouchers », pensa-t-il.

La femme de Gustav Eriksson avait prédit que c'était ainsi que cela finirait, et pourtant elle s'était trompée, ce qui réjouissait le vieux routier. Pendant des années, elle lui avait rebattu les oreilles avec son dos et c'étaient ses hanches qui avaient lâché les premières.

Il parvint à ramasser la canne et fit quelques pas prudents. Sa femme dormait à poings fermés et il la voyait sous la forme d'une masse indistincte, dans le lit placé contre le mur opposé. Il n'entendait plus sa lourde respiration et pourtant il savait qu'elle était là, inconsciente de ses douleurs nocturnes. Il gagna la cuisine en boitillant. Il n'entendit pas le tic-tac de la pendule, ni sonner cinq heures, mais vit la trotteuse poursuivre inlassablement sa course. Elle n'avait pas besoin de béquilles, elle.

Il était à la fois content et irrité de voir qu'elle dormait. Si elle se réveillait, elle s'inquiéterait et viendrait l'aider à gagner les toilettes, lui proposer de prendre un comprimé contre la douleur ou d'aller lui chercher un verre d'eau. Comme elle dormait, il ne serait pas exposé à ses attentions et c'était peut-être aussi bien. On aurait dit qu'il ne les supportait plus, ce qui ne l'empêchait pourtant pas d'être pris d'un sentiment d'abandon, pendant ses longues nuits d'insomnie.

Il se traîna jusqu'au cabinet de toilette mais urina dans la baignoire et non dans le siège. Comme d'habitude, ce n'était qu'un petit jet de rien du tout. Il décrocha la pomme de la douche et rinça. L'odeur âcre de l'urine l'écœura, de même que la vue de ses jambes maigres et blanches.

– Saloperie de vieillesse, marmonna-t-il.

Après avoir remonté son pantalon de pyjama, il regagna la cuisine, toujours en boitillant. La fenêtre donnait vers l'est et le lino qui recouvrait le sol était jaune vif, sous la lueur du soleil matinal. Il baissa les yeux vers ses orteils décharnés et les laissa se réchauffer avant d'aller se poster à la fenêtre, sans savoir s'il devait se faire du café ou se recoucher. Les oiseaux étaient déjà à l'œuvre dans le buisson de jasmin devant la fenêtre. Ce qui le contrariait le plus, c'était de ne pouvoir aller chercher le journal. Car il annonçait sûrement le décès de quelqu'un qu'il connaissait ou un accident de la circulation. Il y avait toujours une nouvelle susceptible d'atténuer ses douleurs, dans ce canard.

L'explosion dispersa les moineaux en un instant. À vrai dire, Gustav Eriksson sentit plus qu'il n'entendit la maison d'en face se soulever de quelques centimètres avant de s'effondrer sur elle-même. Les fenêtres volèrent en éclats, libérant des gerbes de feu semblables à la flamme d'un chalumeau. Muet de stupeur, il vit les éclats de verre pleuvoir sur le terrain avoisinant, sur la pelouse et l'entrée de garage gravillonnée. Un rideau prit feu et voltigea l'espace de quelques secondes.

– Ragni, cria-t-il pour réveiller sa femme, inutilement d'ailleurs car la puissance de la déflagration l'avait tirée de son sommeil et elle était déjà sur le seuil de la cuisine, se demandant bien ce qui se passait.

– C'est la chaudière ?

En un certain sens, Gustav n'était pas fâché de ce qui se produisait. Pour une fois qu'il arrivait quelque chose, il était aux premières loges.

– Non, dit-il, c'est les négros qui tirent un feu d'artifice.

Il s'avisa soudain que sa propre maison pouvait être menacée. L'incendie se propageait avec rapidité sur les murs du bâtiment voisin et les étincelles ressemblaient à un énorme essaim de mouches de feu se faufilant entre les pommiers pour aller se poser sur le vieux bûcher.

– Appelle les pompiers, lança-t-il à sa femme.

Ragni Eriksson se précipita vers la fenêtre, contempla la désolation et regagna aussitôt l'entrée.

Les flammes léchaient maintenant le haut du pignon, le noircissant en l'espace d'un instant avant de prendre dans les boiseries et de les dévorer. « Tout est en flammes », se dit Gustav, à la fois effrayé et fasciné par la rapidité avec laquelle l'incendie se propageait.

Ragni revint près de la fenêtre.

– Merde alors, dit Gustav.

– Agnes, s'exclama soudain Ragni en se précipitant à nouveau vers le téléphone.

– Il faut que tu déplaces la voiture, lui cria Gustav, avec toute cette suie et ces trucs qui tombent.

Il n'était même plus capable de faire cela seul, pensa-t-il amèrement, et c'était Ragni qui lui servait de chauffeur, après cinquante années passées au volant. Il lui arrivait parfois de s'amuser à essayer de compter le nombre de chargements qu'il avait transportés ou les fois où il avait klaxonné, et de s'imaginer la hauteur du tas de bordereaux et de papiers en tout genre que représentait sa vie. Ce genre de calcul était absurde pour quiconque d'autre que lui, mais Gustav aimait bien savoir. Les années, ce n'était pas tout. Certaines d'entre elles, il avait passé deux mille heures à la centrale et il était presque toujours en tête de liste. Or, il n'était même plus capable de déplacer sa propre voiture de quelques mètres et dépendait de Ragni, qui conduisait aussi mal que toutes les autres bonnes femmes, selon lui.

Agnes Falkenhjelm était princesse de la glace diplômée. C'était du moins la plaisanterie par laquelle elle répondait à toute question sur son métier. Et le fait était que, dès le début de son adolescence, on avait vu en elle une des étoiles montantes du patinage artistique suédois. Elle avait été trois fois championne junior du pays et avait pris part à des compétitions internationales. Grâce aux divers contacts de Konstantin, son entraîneur biélorusse, en Europe, elle avait été admise à l'école de patinage de Budapest. Mais elle y était tombée enceinte à l'âge de dix-sept ans et cela avait mis un terme à sa carrière. Malgré les pressions exercées sur elle par la direction de l'école, son entraîneur et ses parents, elle avait choisi de garder l'enfant. Le père était lui aussi patineur artistique, devenu par la suite champion du monde. En le voyant à la télévision, Agnes trouvait qu'il était à distance convenable et ne le regrettait nullement. « Il avait mauvaise haleine », aimait-elle répondre quand on l'interrogeait sur le papa de Jesper.

Elle pesait maintenant vingt kilos de plus mais patinait toujours, surtout à Fjällnora et aussi sur la côte, où son mari et elle avaient une résidence secondaire.

En descendant du taxi, elle fit quelques pas mal assurés vers la maison à moitié dévorée par les flammes, avant de s'effondrer. Les curieux tendaient le cou pour mieux voir. On se serait cru devant une scène de théâtre sur laquelle les acteurs ne cessaient d'entrer et de sortir. Après les pompiers et la police, c'était maintenant cette femme qui faisait une arrivée à sensation.

Lundin se précipita vers Agnes, suivi par Kristiansson, de la Scientifique. Elle était consciente, mais incapable de répondre aux questions et se contentait de le dévisager d'un air d'incompréhension, l'effroi gravé sur le visage.

Le technicien l'aida à se relever. Lundin continuait à lui poser des questions, toujours en vain.

– Emmenons-la jusqu'à l'ambulance, siffla Kristiansson, vas-y, aide-moi.

Lundin la prit par le bras, non sans hésiter, et tous deux la conduisirent vers la voiture. Ils furent arrêtés dans leur mouvement par une vieille femme qui leur cria :

– Amenez-la chez moi. Ma pauvre petite chérie, dit-elle en écartant Lundin du bras et prenant sa place pour se diriger vers la maison en face de celle qui était en train de brûler.

– Bande de charognards, grommela Lundin en fixant d'un œil torve la foule des curieux massés derrière le ruban délimitant le périmètre de sécurité.

Lyksell, le médecin légiste, était un homme sensible. Ryde le savait déjà, et pourtant il fut étonné de la violence de sa réaction.

Tous braquaient le regard vers lui : les agents de la Scientifique dans leur combinaison bleue, une poignée d'inspecteurs de la Criminelle, et Munke, un des gradés de la Sécurité publique, qui avait fait son apparition alors que nul ne l'attendait.

August Lyksell reprit rapidement son rôle d'observateur et d'expert mais, l'espace d'un instant, il s'était comporté de façon peu professionnelle. Eskil Ryde s'approcha de lui.

– Je sais, August, lui dit-il à voix basse. Je déteste ce spectacle autant que toi.

Ils se regardèrent, avant de fixer à nouveau les trois corps. Les bras de l'un d'eux étaient totalement calcinés et il n'en restait que des moignons. Sur la tête de l'un des autres, un morceau de chair était resté accroché à la boîte crânienne, contre toute vraisemblance, ainsi que quelques cheveux crépus que les flammes avaient épargnés.

– C'est allé vite, dit Ryde.

– Espérons qu'ils ont été asphyxiés, répondit Lyksell.

– On ne sait jamais.

Ryde s'accroupit pour observer de près ce qu'il pensait être le cadavre d'un homme.

– Il n'était pas bien grand, dit-il. L'autre est une femme, hein ?

– Sans doute, lâcha le légiste.

– Et ça, c'est leur enfant, compléta Ryde.

Le troisième corps ne mesurait qu'un peu plus d'un mètre et était étendu entre les deux adultes.

– J'ai des raisons de penser qu'il s'agit d'un incendie volontaire, déclara Ryde.

– Quoi qu'il en soit, ça nous fait quatre cadavres en l'espace de deux jours.

– Les incendies, c'est ce qu'il y a de pire, reprit Ryde, qui savait que ses hommes allaient devoir passer au moins deux jours à fouiller les décombres. C'était un travail sale, pénible et déprimant. Seul parmi eux, Fälth y prenait un réel intérêt, or il était en congé de maladie.

L'un des photographes de la Scientifique faisait le tour de l'endroit avec son appareil. Un autre filmait à l'aide d'une caméra vidéo, mais le lieu de l'incendie était plongé dans le silence. Ryde avait déjà constaté cela auparavant : en pareil cas, tout le monde baissait la voix et se déplaçait avec précaution, comme pour ne pas déranger les morts.

La Criminelle, elle, n'avait pas grand-chose à faire là. Sammy Nilsson avait organisé le porte-à-porte dans les rares maisons d'habitation du voisinage. Beatrice, Lundin, Fredriksson, Berglund et le stagiaire restèrent sur place et burent, debout, du café que Fredriksson avait apporté dans une Thermos, avec des gobelets en carton.

Ils n'étaient guère loquaces, tandis qu'ils contemplaient les poutres noircies, les particules de suie qui flottaient dans l'air et les décombres de cette maison, semblable à une plaie toute noire. Une plaque de zinc tordue vibrait légèrement dans le vent et un morceau d'étoffe était resté accroché dans l'un des pommiers. Deux pompiers étaient en train de discuter, l'un montrait quelque chose du doigt et l'autre l'écoutait attentivement, avant de hocher la tête.

« Des théories, pensa Berglund, on a tous des idées sur le pourquoi et le comment. » Y compris les curieux assemblés non loin de là. Ainsi que les policiers, ils étaient là, bras ballants et le regard fixe, attirés par ce que le spectacle avait d'horrible et effrayant, et répugnaient à s'éloigner, comme s'ils pensaient pouvoir trouver la réponse à leurs questions dans le simple fait de s'attarder.

Berglund savait que tout lieu sur lequel s'est déroulé un crime alimente les supputations, non seulement sur les faits mais aussi sur la situation de l'observateur lui-même. « Ce pourrait être ma propre maison, et donc ma famille qui aurait brûlée vive », se disait-on en remerciant le ciel que ce ne soit pas le cas.

– Serait-ce celui qui a mis le feu à Svartbäcken dans la nuit de vendredi ? demanda Beatrice sans s'adresser à qui que ce soit en particulier.

– Ce n'est pas exclu, répondit Lundin, quelqu'un qui a complètement perdu les pédales.

– Elle appartient à qui, cette maison ? demanda le stagiaire.

– À la commune, répondit Lundin. C'est une sorte de centre pour immigrés, à ce que j'ai compris. Ils peuvent s'y rencontrer, trouver de l'aide pour remplir les papiers, chercher du boulot et ce genre de choses.

– Est-ce que ça pourrait être un crime raciste, alors ? demanda encore le stagiaire.

Berglund lui lança un regard et personne ne répondit à cette question.

– Une bande de skinheads qui verrait d'un mauvais œil que la commune dépense de l'argent pour les bronzés, poursuivit-il.

« Quel âge a-t-il, au juste ? » se demanda Berglund.

– Ce n'est pas impossible, répondit-il en finissant de boire son café. Bon, si on s'en allait de là ?

– À propos des trois victimes, demanda Beatrice, est-ce qu'on a une idée de leur identité ?

– Aucune, mais la femme qu'on a transportée là-bas, dit Lundin avec un signe de tête en direction de la maison, le sait peut-être, elle. Elle travaille ici. Sammy est en train de l'entendre. Je crois que je vais aller le rejoindre.

– Nous, on part, lança Beatrice.

– C'est ça, trancha Berglund, l'ancien de la bande.

Dogan rangeait des pensées, douze bleues et douze jaunes, dans une cagette, à l'intention d'une cliente.

– Comme le drapeau suédois, dit-il à la femme avec un sourire.

Elle le lui rendit.

– C'est lourd, ajouta-t-il.

– J'ai un porteur, répondit-elle en désignant un homme à une dizaine de mètres de là.

Elle paya et fit signe à son compagnon. « Pourquoi les hommes suédois ont-ils tant de réticences envers les fleurs ? se demanda-t-il. Ils restent toujours à une certaine distance, comme si ça ne les intéressait pas. »

Il s'apprêtait déjà à servir le client suivant mais quelque chose de blanc, au milieu du bleu des lobélies, attira son attention. Il crut d'abord que c'était un bordereau oublié, mais vit ensuite que cela ne ressemblait pas au papier rose pâle du grossiste. Il prit l'enveloppe et lut ce qui était marqué dessus : « Message à tous les négros. »

S'attendant à la ritournelle habituelle, cette fois par écrit, à savoir qu'il n'avait qu'à retourner dans la jungle, il ouvrit avec un soupir le message soigneusement cacheté tout en voyant son client potentiel s'éloigner et s'arrêter devant chez Abdullah.

« Ne venez pas détruire notre ville. Tout était tranquille avant que vous arriviez. La prochaine fois, ça va cramer pour de bon, dans le ghetto. »

La lettre était manuscrite mais pas signée. Dogan eut l'idée de compter les mots et parvint au chiffre de vingt-cinq. Il les comprenait tous.

Il regarda vers chez Abdullah. Le client avait acheté des tagètes. « Je n'ai pas perdu grand-chose », pensa-t-il. Il s'avança vers son collègue et lui tendit la lettre.

– Qu'est-ce que tu penses de ça ? demanda-t-il en arabe, langue qu'il maîtrisait, quoique ce ne fût pas son idiome maternel.

Abdullah regarda la lettre et secoua aussitôt la tête.

– Qu'est-ce qu'il y a de marqué ? Je ne sais pas lire ces caractères-là.

Dogan lut à haute voix. Omar, surnommé « le mollah », était venu se joindre aux deux marchands de fleurs.

– Qu'est-ce que ça signifie ? demanda Abdullah. Comment l'as-tu eue, cette lettre ?

Dogan expliqua comment il l'avait trouvée.

– Je suppose que c'est un idiot de raciste, ajouta-t-il, mais je ne comprends pas ce qu'il veut dire par « ça va cramer pour de bon ».

– J'ai appris ce matin qu'une maison a brûlé, coupa le mollah Omar, vous savez : le centre pour immigrés.

– Là où on leur donne des sandwichs au jambon ? ironisa Abdullah.

Omar hocha la tête.

– Il y a trois morts, dont un enfant, ajouta-t-il.

Le sourire d'Abdullah se figea.

– Il faut que tu ailles à la police, dit-il au Kurde.

Dogan replia la lettre et la remit dans l'enveloppe.

– Fais-le, toi, dit-il en la donnant à Abdullah. La police, je préfère l'éviter, moi, tu sais.

Abdullah hocha la tête. Il connaissait l'histoire de Dogan.

Ils se retrouvèrent de façon informelle dans la petite bibliothèque située au-dessus de la cafétéria. Lundin venait de les informer des renseignements qu'ils avaient obtenus d'Agnes Falkenhjelm, pourtant sous le choc. Elle travaillait depuis un an au centre pour immigrés et avait pour tâche de fournir conseils et assistance aux titulaires d'un permis de séjour mais également aux demandeurs d'asile. Il s'agissait de les aider dans leurs démarches auprès des autorités, à remplir des dossiers et formulaires et à trouver du travail. C'était un service à caractère expérimental qui s'était avéré utile, après un début difficile, et recevait une moyenne de trente-cinq personnes par jour. Ce centre hébergeait aussi diverses activités, en plus de la mission qui lui avait été assignée par la municipalité. Un groupe de réfugiés somaliens y avait fondé une troupe de théâtre et un club féminin s'y était constitué, après une réunion consacrée à la situation des femmes d'immigrés.

Agnes Falkenhjelm était l'âme de ce centre et y passait beaucoup de temps, bien plus que ce pour quoi elle était rémunérée. Pour l'aider dans sa tâche, elle disposait d'une assistante sociale et d'un jeune dont le salaire était pris en charge par l'agence pour l'emploi. Elle assurait aussi l'entretien des lieux et tenait le petit buffet.

Cela, c'était le versant public de ses activités. Ce qui était beaucoup moins officiel, c'était le rôle qu'elle jouait auprès des immigrés clandestins. Au cours de l'entretien qu'elle avait eu avec Sammy Nilsson et Lundin, elle avait reconnu en avoir caché, pendant quelques années. Elle avait par exemple hébergé chez elle, à Åkerlänna, deux Africains de l'Ouest menacés d'expulsion. L'un avait par la suite obtenu un permis, alors que l'autre avait été arrêté et renvoyé on ne savait où.

Les victimes de l'incendie venaient du Bangladesh. Agnes les cachait au centre dans l'attente du résultat de l'appel qu'ils avaient interjeté sur la décision d'expulsion prise à leur encontre. L'avocat de la famille avait en effet pu invoquer des faits nouveaux. Son nom – cité par Lundin – était familier de plusieurs d'entre eux. Riis poussa un soupir, tandis que Sammy Nilsson souriait, sans doute surtout au spectacle de la mine de son collègue.

La veille au soir, Agnes avait installé la famille dans les locaux et arrangé un couchage de fortune. Le lendemain, ils devaient être transférés dans une famille du nord de l'Uppland. C'était désormais inutile.

– Quel genre était-ce ? demanda Ottosson.

Il avait l'air fatigué et s'était plaint auprès d'Ann d'avoir du mal à soutenir le rythme. Il était capable de s'occuper des délinquants ordinaires, à l'ancienne pour ainsi dire, à savoir voleurs, meurtriers et auteurs d'actes de violence, car il connaissait leur musique. Mais, devant ces nouveaux noms et nouvelles langues, il avait le sentiment d'être un étranger dans son propre pays. Il n'était plus capable de comprendre les comportements, avait-il confié à Lindell en l'observant comme si elle avait pu le renseigner sur l'état de la Suède. Elle n'ignorait pas que son patron aimait bien les gens, au fond. Il était capable de surprendre son entourage par un discours mettant en avant les circonstances atténuantes, même chez le criminel le plus endurci, et elle était persuadée qu'il tentait de comprendre les « nouveaux Suédois », comme il appelait les immigrés, mais avait du mal à cause de son manque d'expérience en ce domaine. Il perdait pied, sans verser dans le cynisme et les préjugés comme tant d'autres collègues, ni savoir trop quoi penser. Il ne demandait pas mieux que de bien faire et désirait comprendre, mais s'y cassait les dents.

– Le mari était un syndicaliste très actif dans son pays, ce qui ne lui avait pas valu que des amis, rapporta Lundin. Il a été arrêté et tabassé, s'est évadé pendant une émeute à la prison de Dacca et est parvenu à quitter le pays. Il est arrivé en Europe et en Suède via la Malaisie, et sa famille l'a rejoint quelques mois plus tard.

Sur ces mots, il se tut.

– Dacca, répéta Ottosson.

– Quel était son métier ? demanda Sammy Nilsson, lui-même membre du bureau de la section syndicale de la police locale.

– Il était docker, dit Lundin, qui semblait pour une fois connaître la réponse à toutes les questions. Il chargeait des bateaux, quoi, expliqua-t-il en voyant la mine étonnée de Lindell.

– Docker, répéta Ottosson comme un perroquet.

– On a donc un type qui charge les richesses de son pays sur des bateaux, peu importe lesquels, qui n'est pas satisfait de son salaire, se retrouve en taule, s'évade et finit par trouver la tranquillité et la sécurité en Suède, où il meurt. Pour plus de sûreté, on tue aussi sa femme et son enfant, résuma Sammy Nilsson.

– Comment ça : on tue ? demanda Haver. Insinuerais-tu que l'armateur de Dacca a engagé un tueur à gages pour venir faire la peau à un employé pas très maniable ?

Haver savait très bien que Sammy Nilsson n'avait pas envisagé un seul instant que les choses se soient passées ainsi, mais il s'offusquait du ton badin de son collègue.

– Il se trouve que la femme n'était pas beaucoup mieux vue que son mari, reprit Lundin. Falkenhjelm était sous le choc, bien entendu, mais elle nous a quand même dit que la femme s'était fait des ennemis, elle aussi, en essayant d'inciter des ouvrières à se syndiquer. Je n'ai pas compris tous les tenants et les aboutissants, seulement…

Soudain, Lundin eut l'air désemparé d'être au centre de l'attention générale et se tut brusquement.

– Dans l'industrie textile, finit-il par ajouter avant de se taire à nouveau.

– Des noms, réclama Ottosson. Un peu d'ordre, voyons. Comment s'appellent les victimes ?

– L'homme Mesbahul Hossian, la femme Nasrin et l'enfant Dalil, répondit Lundin en consultant ses notes.

– C'est un garçon ? Bon. Riis va chercher leur dossier de demande d'asile, Lundin se chargera du porte-à-porte et nous fera un rapport lisible, cette fois, et Sammy continuera à s'occuper de Falkenhjelm, ordonna Ottosson. J'espère que vous avez enregistré ces trois noms, parce qu'ils ne sont pas très faciles à retenir, bon sang.

– Toute la question est de savoir si nous avons affaire à des racistes ou des pyromanes ordinaires, conclut Lindell.

– On procède comme d'habitude, reprit Ottosson. Tu t'en charges, Berglund ? Parles-en à Fredriksson, il s'occupe du pyromane de Svartbäcken. Ann, passe me voir tout à l'heure. Appelle d'abord Ryde et Kristiansson. C'est un incendie volontaire, hein ?

– Ça paraît évident, fit Sammy.

– Ce n'est pas de la tarte, aujourd'hui, car il ne faut pas oublier Drottninggatan. Ola et Bea vont continuer à cuisiner… comment s'appelle-t-il, déjà ? Marcus.

Ottosson se tut et regarda autour de lui. Il désirait manifestement ajouter quelque chose, mais le groupe attendit en vain de savoir quoi.

– Bon, tu passes me voir, Ann, n'est-ce pas ?

Quand Ann pénétra dans le bureau d'Ottosson, celui-ci était penché sur sa table et feuilletait un atlas. Il leva les yeux et elle crut discerner une certaine gêne dans son regard.

– Il faut se repérer, dit-il en refermant l'atlas.

– Je ne sais pas où c'est, moi non plus, répondit-elle avec un sourire.

Ottosson ouvrit à nouveau le gros volume, qu'il avait sans doute pris dans la bibliothèque, au passage, et arrêta son choix sur une double page représentant l'Inde et le Bangladesh. Puis il suivit du doigt la frontière entre les deux pays, tracée en rouge, comme pour bien se mettre dans la tête la taille du pays.

– Ça fait beaucoup d'endroits, dit-il. Et puis quels noms. Ils sont à peu près impossibles à prononcer.

Un atlas comporte en effet bien des pages et Ottosson n'en connaissait pas beaucoup. Pas étonnant, dans ces conditions, qu'il perde un peu son latin parmi toutes ces cartes. Il connaissait certes la géographie de la Suède et se fâchait contre les collègues qui n'étaient pas capables de situer Arbrå, Sorsele ou Tranemo mais, une fois sorti des pays du Nord, il était perdu.

Or le vaste monde s'abattait sur sa tête, sa table et son ordinateur, pendant qu'il était mentalement en train de traquer les voyous du centre de la ville, où il connaissait chacun, et surtout « ceux qui commettent des faux pas », comme il disait. L'expression n'avait rien de désobligeant dans sa bouche, c'était plutôt une constatation.

– Assieds-toi, dit-il en prenant lui-même place derrière son bureau.

« Bon, pensa Lindell, je vais avoir droit à un petit sermon de papa Otto. » Mais elle se trompait.

– Y a-t-il un rapport ?

Il avait posé la question à brûle-pourpoint, sitôt qu'elle eut pris place dans le siège du visiteur, le plus confortable de tout l'hôtel de police.

– Ou bien il y a un rapport entre l'acte de pyromanie de vendredi dernier et l'incendie de cette nuit, ou alors c'est entre le meurtre et l'incendie, reprit-il en voyant que Lindell hésitait à répondre.

– Ou encore entre les deux incendies et le meurtre.

– On peut hésiter, non ?

– C'est tiré par les cheveux, en effet. Mais, supposons que les événements de vendredi soir aient été planifiés, d'abord un petit feu à Svartbäcken pour attirer les voitures radio dans le secteur et pouvoir tuer tranquillement Sebastian Holmberg par ailleurs…

– En brisant les vitrines pour brouiller les pistes ? coupa Ottosson. Non, il ne faut pas dépasser les bornes. Le fait que Sebastian se soit trouvé en ville à ce moment précis est sûrement dû au hasard. Il venait d'obtenir un rencart avec la fille d'Östra Ågatan, il a rencontré Marcus de façon inopinée et s'est enfui dans Drottninggatan où il a été tabassé à mort – ou peut-être poursuivi par Marcus et mis à mort par celui-ci. Qu'est-ce que tu penses de celui-ci ?

– Je ne sais pas. Il ne me fait pas vraiment l'effet d'un assassin, mais il nous est déjà arrivé de nous tromper lourdement en pareil cas. Il n'est pas bien dans sa peau, c'est sûr, mais c'est peut-être dû au fait que... je ne sais pas, marmonna Lindell avant de se taire.

– Et puis le Bangladesh, par-dessus le marché, dit Ottosson. Le pyromane savait-il que les réfugiés logeaient là ou bien voulait-il seulement brûler la baraque ?

Lindell se rejeta en arrière sur son siège.

– Pourquoi as-tu demandé à Ola et Bea de continuer à entendre Marcus ? Est-ce que je me suis mal comportée ?

Lindell était surprise de sa propre question, car cela lui était indifférent, et elle baissa le regard sur ses genoux.

– Mais non, dit Ottosson, tu le sais bien.

– Ola t'a dit quelque chose ?

– Oui, mais ce n'est pas cela qui m'a incité à demander à Bea de te remplacer. Je ne veux pas que tu joues un trop grand rôle sur le plan opérationnel, c'est tout.

– Opérationnel, répéta Lindell.

Ottosson eut un sourire. Elle vit pourtant qu'il était loin de plaisanter.

– Qu'est-ce que tu veux que je fasse, alors ?

– Que tu t'occupes de la vue d'ensemble, on en a déjà parlé. Tu as trop tendance à t'emballer et à tout renverser sur ton passage, y compris toi-même.

C'était une des rares fois où Ottosson intervenait dans une enquête. Il n'était pas d'usage de relever un enquêteur en cours d'interrogatoire. Si quelqu'un commençait à tirer sur un fil, il devait aller jusqu'au bout de la pelote, c'était la règle. Sans compter qu'il s'agissait d'un meurtre, cette fois, et non d'une bagarre à la sortie d'un bistrot.

Ann resta sans rien dire, interloquée et surtout gênée, et avec le sentiment d'avoir été prise sur le fait.

– À propos de ça, reprit Ottosson, j'ai eu un coup de fil d'Alfredsson, de la police criminelle nationale, qui suggérait une inscription à un cours de formation permanente.

– Pour qui ?

– Pour toi, répondit Ottosson avec un sourire.

– Arrête, je ne vais pas partir suivre une formation alors que je viens de reprendre du service.

– Alfredsson estimait que...

– Tu sais ce que je pense... commença à dire Lindell.

– Bon, d'accord, il a des bons et des mauvais côtés.

– Il a surtout de la surface, lâcha Lindell en regrettant aussitôt ses paroles.

Trente-cinq ans auparavant Ottosson et Alfredsson constituaient un tandem légendaire qui patrouillait dans le centre de la ville et une foule d'histoires avaient couru sur leur compte. Maintenant, Edgar Alfredsson était si gros, pour ne pas dire informe, qu'il avait du mal à se lever de son siège pour aller aux toilettes.

– Penses-y, dit Ottosson.

– Il dure combien de temps, ce cours ?

– Six semaines, à Stockholm.

Ann Lindell referma soigneusement la porte du bureau d'Ottosson. Elle n'avait pas à se plaindre. La formation qui lui était offerte signifiait une promotion, elle le comprenait bien et ses collègues n'allaient pas manquer de la féliciter, et Sammy Nilsson, sans aucun doute, voire Ola Haver, risquaient fort de ressentir une pointe de jalousie. Ce cours était un encouragement, un barreau de plus sur l'échelle de la carrière auquel elle n'avait guère songé. En même temps, elle avait un peu le sentiment d'être mise sur la touche. Les propos d'Ottosson l'incitant à se concentrer sur ce qu'il appelait la vue d'ensemble et la coordination de l'enquête en cours, pouvaient être pris dans un sens positif aussi bien que comme une critique à demi-mot de ses insuffisances dans la façon de conduire les interrogatoires. Non, elle n'aimait pas Marcus, c'était exact, mais était-ce si étrange ? Cela arrivait tous les jours et à tout le monde. Elle avait quitté la pièce après voir clairement indiqué son mécontentement, c'était exact cela aussi, et pourtant cela ne justifiait pas de courir chez le patron pour le rapporter.

En rentrant dans son propre bureau, elle avait décidé de prendre le point de vue du patron de la brigade par le bon côté et de ne pas se laisser perturber par des ragots, surtout de la part d'Ola.

Elle prit place à sa table de travail et contempla la pièce. « Ma citadelle », pensa-t-elle avec un sourire, sans pour autant être complètement rassurée. Elle savait que Sammy Nilsson avait la visite de l'employée du centre pour immigrés et se demandait si elle ne devait pas assister à l'audition, mais elle écarta cette idée.

– Concentre-toi sur la vue d'ensemble, se dit-elle à voix basse.

Par exemple, lire le rapport de la Säpo* posé devant elle. Celle-ci avait réagi beaucoup plus vite que d'habitude et Lindell avait aussitôt compris qu'elle avait ce centre pour immigrés dans le collimateur. Friberg avait laissé entendre qu'il servait de couverture et de refuge pour un certain nombre de personnes suspectes.

– Avez-vous eu des raisons d'intervenir ? avait-elle demandé innocemment.

Friberg avait alors eu une mine de conspirateur un peu comique, comme s'il n'était absolument pas au courant de l'opinion bien connue de Lindell sur son service.

– Non, pas vraiment, avait-il répondu sèchement.

– Bon, avait lâché Lindell sans refréner un soupir.

– Mais nous avons recueilli diverses informations, avait ajouté Friberg, en voyant que Lindell souhaitait passer sans plus tarder à autre chose.

– Ah oui ? s'était enquise Ann, à la suite de quoi Friberg s'était contenté de sourire.

Et maintenant, le rapport était sur sa table et elle devait en prendre connaissance.

Sammy Nilsson ne savait quoi penser de cette femme. Elle était solidement bâtie et s'exprimait avec force, mais d'une voix si agréable que Sammy se surprit à prendre plaisir à l'entretien, alors même qu'il portait sur des faits très tristes et regrettables.

Il avait fait monter du café, mais Agnes Falkenhjelm avait préféré de l'eau minérale. Elle en avait déjà vidé une bouteille et en ouvrait une autre. Fasciné, Sammy observait ses doigts potelés, aux ongles longs et aux nombreuses bagues.

– Les voyages à l'étranger, c'est quelque chose que je connais bien, pour en avoir effectué quelques-uns avec mes patins puis comme touriste, déclara Agnes après avoir bu une gorgée d'eau.

– Pardon ? demanda Sammy, craignant d'avoir mal entendu.

* L'acronyme Säpo désigne l'ensemble des services de sûreté suédois, comme on le fait souvent en France avec la D.S.T.

– Oui, j'ai participé à des compétitions de patinage artistique, jadis. J'étais jeune et je pesais quelques kilos de moins, à l'époque. À l'âge de quatorze je me suis classée quatrième du tournoi de Bologne et, si les pays de l'Est n'avaient pas voté les uns pour les autres, j'aurais été sur le podium.

Sammy perçut la fierté dans sa voix et se demanda comment elle pouvait être aussi calme.

– C'est-à-dire que j'aurais eu une médaille, crut-elle bon d'expliquer.

– Je comprends, répondit Sammy avec un sourire.

– Mais ce voyage-là était très différent, reprit Agnes. Nous avons été confrontés à une misère considérable. La première chose que j'ai vue, en descendant du bus, c'est une femme qui n'avait plus de pieds. De pieds, vous comprenez. Moi qui étais patineuse, c'étaient mes pieds qui m'avaient permis de faire le tour du monde.

– Pourquoi êtes-vous allée là-bas ?

– Par curiosité, répondit immédiatement Agnes. Je faisais partie d'un groupe… enfin, vous savez.

Sammy hocha la tête, bien que ne sachant pas.

– À l'origine, c'était une initiative des syndicats de l'industrie, mais l'intérêt n'était pas grand dans les sphères dirigeantes. Il y a des enthousiastes, dans le mouvement, et pourtant il est parfois un peu lent à se mettre en branle. On était un certain nombre à désirer que les choses bougent et on a fondé un groupe indépendant. Ce qui n'empêche qu'on doive beaucoup au syndicat, je dois le reconnaître. Il…

– Ce groupe, coupa Sammy.

– Oui, bon, on a rassemblé de la documentation, filmé, pris des photos et réalisé des interviews. On est aussi entrés en contact avec une organisation américaine œuvrant pour les *workers and human rights.*

Agnes Falkenhjelm s'interrompit et regarda Sammy comme pour s'assurer qu'il l'écoutait vraiment. Celui-ci eut l'impression qu'elle était si soucieuse d'efficacité qu'elle se tairait ou se contenterait de très brèves indications, si son intérêt à lui venait à fléchir.

– On pensait naturellement être bien préparés, mais Dacca a dépassé tout ce à quoi je m'attendais, reprit-elle. Êtes-vous déjà allé dans le Tiers Monde ?

– En Malaisie, répondit brièvement Sammy avec un petit sourire en coin, en se maudissant de se sentir aussi vite en état d'infériorité face à cette femme à la volonté de fer et en espérant qu'elle ne lui demanderait pas ce qu'il avait fait là-bas.

– La première impression, c'est une misère sans fond : les mendiants, les ordures et surtout l'odeur. On s'imagine d'abord que ce sont les êtres humains, mais on se rend vite compte que c'est l'oppression qui pue ainsi. Tous les gens qu'on rencontrait, même dans les taudis, avaient des vêtements propres. Je ne sais pas comment ils s'y prennent, mais ils sortent de leurs masures avec une chemise d'un blanc étincelant ou une robe repassée depuis peu. Quelle dignité.

Sammy se remémora la résidence de Lankawi, où il avait séjourné, et ses petits groupes de bungalows nichés dans la végétation tropicale et entourés de piscines. Le personnel se déplaçait sur de petits véhicules électriques chargés de fruits, serviettes propres et approvisionnement pour les minibars.

– Oui, c'est vrai qu'il fait une chaleur lourde, dit-il.

Agnes le jaugea du regard. En croisant celui-ci, il comprit ce qui avait fait son succès sur la glace. « Comme on peut se tromper », pensa-t-il en sentant le rouge de la honte lui monter au visage. Derrière cette masse de cheveux, ces bijoux clinquants et cette robe légère, ces longues phrases éloquentes et ce ton de missionnaire, se cachaient une ardente conviction et surtout une masse de connaissances et d'informations. Il se prit soudain de sympathie pour cette femme, son sérieux et son dynamisme, et se dérida. De son côté, elle baissa les yeux vers ses mains, posées sur ses genoux, avec un sourire difficile à interpréter, puis se tourna de nouveau vers lui.

– Cela vous intéresse que je continue ?

Sammy hocha la tête.

– Je me posais la question. Alors, je vais vous fournir de la documentation sur les ouvrières du textile au Bangladesh. Quand vous aurez lu ça, vous comprendrez de quoi je parle, d'accord ?

– Tout à fait d'accord, répondit Sammy.

– Nasrin avait une sœur qui est morte, reprit Agnes et,

de façon totalement inattendue, des larmes se mirent à couler le long de ses joues. Elle a été brûlée vive dans l'incendie d'une usine en 1997. Il y a eu de nombreuses victimes et encore plus de disparus. Après ce massacre, Nasrin s'est engagée. Massacre, c'est le mot, car les employés étaient dans l'incapacité de s'enfuir, puisque les portes de l'usine étaient fermées de l'extérieur.

Sammy sortit un mouchoir en papier du tiroir de son bureau et le tendit à Agnes, qui le prit sans le regarder.

– Je ne comprends pas, je ne comprends toujours pas, dit-elle en buvant une nouvelle gorgée d'eau.

– Vous avez pris un calmant ? demanda Sammy en constatant que la seconde bouteille était maintenant vide, elle aussi.

– Je n'ai pas pu faire autrement, sinon je n'aurais pas tenu le coup.

– N'en abusez pas, conseilla Sammy.

– Maintenant, je vais tout vous dire. Ou presque tout, car je ne vous révélerai pas de quelle façon nous travaillons.

– Qui ça, nous ?

– Ceux qui s'occupent des gens qui se réfugient ici, après avoir fui Disneyland.

– Que voulez-vous dire ?

– Lisez ça et vous comprendrez, dit Agnes en prenant une grosse liasse dans le sac posé à ses pieds. Elle la posa sur le bureau, l'égalisant avec un soin poussé jusqu'à la méticulosité qui irrita profondément Sammy. « Est-ce que je me serais trompé, se demanda-t-il, ne se serait-elle pas échappée d'un asile de fous ? »

– Dites-moi tout ce que vous voulez et pouvez.

D'un geste coordonné des deux mains, Agnes rejeta ses cheveux en arrière et se lança dans un long discours sur l'accueil des réfugiés, les quotas, la nouvelle politique d'immigration et la montée en flèche du nombre des demandeurs d'asile au début des années 80. Elle termina en expliquant comment elle avait été amenée à cacher des immigrés à la fin des années 90, elle aussi.

Tout cela rappela à Sammy les frères Mendoza, ces réfugiés péruviens que l'entomologiste Rosander avait cachés. C'était Edvard Risberg, celui qui avait ensuite été en couple – fût-ce à distance – avec Ann Lindell, qui avait trouvé le cadavre d'Enrico sous un arbre. Ricardo, son frère, s'était jeté par la fenêtre au moment où il allait être arrêté par la police*.

– Vous connaissez Rosander ? demanda-t-il. Il cache des étrangers, ou il en a caché, en tout cas.

– Je sais qui c'est, répondit Agnes avec un sourire.

Aurait-elle connaissance de cette histoire ? Rosander faisait-il toujours partie du réseau ? Agnes se lança dans de nouvelles explications, après avoir dégagé son visage de ses cheveux au moyen du même geste.

Les informations qu'elle détenait n'avaient rien de sensationnel, comme il le soupçonnait. Il put cependant noter un réel désir de sa part de lui faire plaisir, à moins que ce ne fût un effort pour le gagner à sa cause ? Pousserait-elle le souci du prosélytisme jusqu'à ne pouvoir s'empêcher de prêcher son évangile à un enquêteur de la police ?

– Est-ce que vous ne risquez pas d'être licenciée par la municipalité ? demanda-t-il pour changer de sujet.

– Je ne sais pas, répondit-elle, apparemment surprise par la question. Peu importe, ajouta-t-elle d'une façon qui manquait de force de persuasion.

– Je pourrais aller raconter ce que vous venez de me dire à la Säpo. Je suis sûr qu'ils adoreraient.

– Je ne crois pas que vous le feriez, répliqua Agnes en lançant un regard de côté vers le tas de papiers posé sur le bureau, devant Sammy. Et puis, ils sont sans doute déjà au courant.

– Bon, continuons. Qui d'autre que vous savait que la famille Hossain logeait dans le centre ?

– Une seule personne.

– Comment s'appelle-t-il ?

– Il ? Pourquoi pas « elle » ?

– Elle, si vous voulez.

– Je suis sûre que cette personne n'a pas cafté ni eu la langue trop bien pendue.

– Le centre a-t-il fait l'objet de menaces ?

– Nous avons reçu des lettres, en effet.

* Voir *Den upplysta stigen (Le Sentier lumineux)*.

– Combien et où sont-elles ?

– Trois, que nous avons brûlées. Mais nous avons aussi eu des appels téléphoniques.

– Que disaient ces messages ?

– Comme d'habitude, qu'il ne faut pas gaspiller l'argent en le dépensant pour des négros qui refusent de travailler et pour des… putes – je suppose que c'est moi qui suis visée par ce terme.

– Pensez-vous qu'ils émanent d'une seule et même personne ?

– Je le crois, en effet, encore que deux de ces lettres aient été rédigées sur ordinateur et l'autre à la main. La première est arrivée au mois de mars, le jour du début de la guerre en Irak. Les deux autres la semaine dernière.

– Vous n'avez pas avisé la police ?

Agnes secoua la tête.

– Vous n'avez pas eu l'impression d'être épiée ?

– Non, pas du tout. Les voisins étaient un peu méfiants, au début, bien entendu, mais ça s'est calmé. Au bout de quelque temps, nous avons invité tout le monde à venir prendre le café et, maintenant, il y a même une dame qui nous amène parfois des gâteaux de sa conception.

– Mais la lune de miel est terminée, conclut Sammy, obtenant en retour un regard courroucé d'Agnes.

– Il y a eu trois victimes, dit-elle sèchement.

– C'est vrai, excusez-moi, je n'aurais pas dû, bredouilla-t-il, confus, avant de reprendre ses questions.

– Quand et comment cette famille est-elle arrivée au centre ?

– Hier soir, en voiture, avec ce il ou elle dont je ne vous donnerai pas le nom. J'étais sur place pour les accueillir.

– D'où venaient-ils ?

– De la région de Stockholm.

– À ce que j'ai cru comprendre, c'est vous qui êtes allée les chercher à Järfälla.

– Qui vous a dit ça ? C'est faux. Je suis restée toute la journée sur mon lieu de travail.

– Très bien, dit Sammy. L'autre personne est repartie aussitôt ?

– Oui.

– La famille ne vous a pas dit qu'elle se sentait menacée, qu'on la suivait ou que…

– Seulement par la police suédoise, coupa Agnes.

– Bien, dit Sammy, qui se sentait de moins en moins de taille face à elle.

– Il ne s'est rien passé de bizarre, hier soir, on était heureux de se retrouver, on s'est embrassés et on a versé une petite larme.

– Vous connaissiez donc cette famille ?

– J'avais interviewé Nasrin à Dacca et nous nous sommes revues à Stockholm, ensuite.

– Quand êtes-vous rentrée chez vous ?

– J'étais chez moi à onze heures et demie, ce qui veut dire que j'ai dû partir de là-bas aux environs de onze heures. Nous devions tous nous lever de bonne heure, puisqu'ils allaient partir vers le nord.

– Le reste du personnel n'était au courant de rien ?

– Non, répondit Agnes, sans parvenir à convaincre totalement Sammy de sa sincérité.

– Qu'allez-vous faire, maintenant ?

– Je ne sais pas, dit-elle après un moment de réflexion, je me sens coupable, comme si j'étais responsable de leur mort.

Elle se tut, lança un regard interrogateur à Sammy, mais baissa les yeux lorsqu'ils croisèrent les siens.

– Je comprends, dit-il, incapable de trouver comment apaiser sa conscience. Vous allez devoir lutter, ajouta-t-il.

Agnes leva les yeux, stupéfaite.

– Vous ne montez pas sur vos grands chevaux, vous.

– C'est parce que je ne suis pas dans la police montée, ne put s'empêcher de dire Sammy en éclatant de rire.

« Où est-ce que je suis allé pêcher ça ? » se demanda-t-il, se réjouissant que l'entretien dévie dans une direction un peu moins délicate.

– Qu'est-ce que vous voulez dire ?

– Je pense qu'il faut oser faire sauter les obstacles, dit Sammy en s'étonnant lui-même de la facilité avec laquelle il se rattrapait.

Agnes tendit la main par-dessus la table et Sammy hésita une fraction de seconde avant de la saisir. « Pourvu que personne n'entre sans frapper », eut-il seulement le temps de penser, soudain très gêné.

– C'est agréable de parler avec vous, déclara Agnes en

lâchant sa main, se levant et tirant sur certains des pans de tissu qui constituaient son vêtement.

– Lisez ça, lança-t-elle en désignant la liasse de la tête, avant de quitter le bureau.

Sammy respira profondément. Une vague odeur de parfum s'attardait dans la pièce. Il poussa un soupir, en regardant le tas de papiers qu'Agnes lui avait laissé. Il était en proie à un sentiment de déloyauté, comme s'il avait joué la comédie devant cette forte femme. Pourtant, s'adapter aux circonstances sans renoncer à son intégrité ou son professionnalisme faisait partie des prérogatives de la police. Et cependant, il était mal à l'aise, comme s'il était passé à côté de quelque chose d'important.

Chapitre 21
Lundi 12 mai, 7 h 30

– Ali, Ali.

Il prononçait son nom comme s'il lui était étranger. Combien de personnes au monde s'appellent Ali ? Ils n'auraient pas pu trouver quelque chose d'autre, d'un peu moins banal ? Si tous les Ali se rassemblaient dans un seul et même pays, cela correspondrait à la population de la Suède, voire plus. Il sourit à cette idée et au manque d'espace qui s'ensuivrait.

– Salut, Ali, dit-il d'abord en suédois, puis en persan.

Combien sommes-nous ?

– *Hello, Ali. Hello, my name is Ali. I am from Sweden. I am fifteen years old.*

– Qu'est-ce que tu dis ? lui cria Mitra depuis la cuisine, le rappelant à la réalité.

– Rien. Je m'entraîne à parler anglais.

Sa mère vint se poster sur le seuil de sa chambre.

– À parler anglais, répéta-t-elle en le regardant.

Ali sentit qu'il rougissait.

– C'est bien, il faut savoir l'anglais, dit Mitra en venant s'asseoir sur le bord de son lit. C'était gentil de ta part d'accompagner grand-père, hier. Il y a longtemps que je ne l'ai pas vu aussi heureux. Vous allez retourner là-bas ?

– Je ne sais pas. Pourquoi est-ce que je m'appelle Ali ?

– Ton grand-père paternel portait ce nom. Pourquoi me demandes-tu ça ?

– Si je m'appelais autrement, est-ce que je serais différent ?

– Non, répondit sa mère en riant.

– Vous avez choisi ce nom ensemble ?

– C'est surtout ton père... répondit Mitra d'une voix lente. Il aimait beaucoup son père et, quand nous avons eu un fils, il a trouvé normal de lui donner ce nom-là.

– Si j'étais suédois, comment je m'appellerais ?

– Quelle question ! s'exclama sa mère en riant puis se taisant aussitôt.

– Sérieusement, j'aimerais savoir.

– Il n'est pas possible de répondre à cette question. Tu es né en Iran, alors…

– Je suis iranien, donc ?

– Bien sûr que oui.

– Même si je passe toute ma vie en Suède ?

– Je ne sais pas ce qu'il en est, dit la mère. Chacun de nous est un être humain qui cherche à trouver sa place sur terre.

Ali la regarda comme pour savoir si cette réponse renfermait un message caché, méthode à laquelle son grand-père avait fréquemment recours et dont Mitra s'inspirait de plus en plus souvent, lui semblait-il.

– Si je mourais, qu'est-ce que tu ferais ?

Cette fois, Mitra fut sonnée pour le compte, comme si elle avait reçu un violent crochet du droit. Ali regretta ses paroles, mais il était trop tard. « C'est peut-être comme ça qu'elle était, en prison », pensa-t-il.

– Tu ne vas pas mourir, dit-elle d'une voix rauque. Ne dis jamais ça.

– Je voulais dire…

– Je me fiche bien de ce que tu veux dire, ne répète jamais ça !

Mitra se mit à pleurer et Ali comprit que c'était ce genre de larmes qu'elle avait versées, au cours de la période difficile de sa vie.

– Maman, dit-il maladroitement.

– Des morts, il y en a eu beaucoup trop. Je n'ai plus que toi.

Il lut de l'effroi dans les yeux de sa mère. Pendant un instant, elle fut en proie à quelque chose d'inconcevable, alors qu'en temps normal elle était très forte.

Elle se leva, alla se pencher sur son fils et prit ses frêles épaules entre ses mains. Son haleine était chaude et sentait bon les épices de son thé.

– Mon petit Ali, dit-elle.

Puis elle desserra son étreinte, en laissant ses mains posées sur ses épaules. L'enfant regardait fixement droit devant lui, et pourtant il ne pouvait éviter de voir, du coin de l'œil, le mince bracelet en or qui entourait son poignet.

– Je ne sais pas à quoi tu penses, mais prends bien soin

de ta vie. Est-ce que tu es brimé par les autres, à l'école ? ajouta-t-elle brusquement.

Ali secoua la tête.

– Personne ne te lance des insultes ?

– Non, je te promets. Qui ce serait ?

– Ne te laisse jamais faire.

« C'est bien ma mère, de dire ça », pensa Ali.

– Sois honnête avec tout le monde, poursuivit-elle en resserrant l'emprise de ses mains. Tu es Ali, il faut que tu deviennes un homme.

– Tous les hommes sont honnêtes, alors ?

Un sourire courut sur le visage de la mère.

– Tu es le résultat d'un mélange de cultures, dit-elle en le lâchant. Va réveiller ton grand-père, maintenant.

Ali se rendit dans la chambre du vieil homme, dont le visage ressemblait à une figue sèche, sur le blanc des oreillers. Hadi couchait toujours la tête surélevée et dormait presque en position assise. Sa lourde respiration était un peu sifflante. Ali hésita une seconde, car il aimait voir son grand-père ainsi. Le spectacle de cet homme à l'allure de patriarche l'apaisait, son sommeil semblait d'un calme parfait, comme s'il se préparait à la mort, s'entraînait à s'assoupir définitivement et se trouvait pour l'instant à un stade préliminaire très agréable. Il était affreux de penser qu'il mourrait vraiment un jour mais, en même temps, Ali souhaitait que sa longue et pénible existence se termine de belle façon.

Si, jusqu'à vendredi, l'existence lui avait paru pleine d'incertitude, elle lui faisait maintenant l'effet d'être encore plus fragile et précieuse. Chaque seconde méritait d'être vécue de façon convenable. Il s'étonnait de la quantité de vie dont étaient dépositaires ceux qui avaient vécu plus longtemps que lui et il avait soudain compris, au cours de ces heures pendant lesquelles il était resté paralysé sur son lit, combien il était difficile de vivre. Jusque-là, tout avait été non pas dépourvu de tracas, mais assez évident. Or, Ali avait maintenant peur à la fois de vivre et de mourir.

La menace émanant de Mehrdad s'était un peu atténuée. Son cousin avait perdu de sa stature depuis qu'il avait été témoin de sa frayeur. C'était comme sur le ring : si on lisait la peur dans le regard de l'autre, on avait gagné, car il est facile de parer les attaques mal contrôlées qu'elle inspire.

Qu'importait qu'il vive ou qu'il meure, maintenant qu'il avait découvert que vivre consistait surtout à tenir la mort à l'écart ? Les pensées se croisaient dans sa tête, qui menaçait d'éclater sous la pression de ces contradictions.

Il avait peur, peur de perdre Hadi et Mitra. Comment vivre, s'il restait seul ? Il n'avait personne d'autre. Chez ces paysans, la veille, il avait vu les photos de leurs enfants et petits-enfants, bien vivants, alignées sur la commode. Chez lui, les photos ne montraient que des morts.

Il ne possédait rien. Le bref trajet qu'il avait effectué sur ce chemin de campagne, avant de rencontrer Mehrdad, le lui avait fait comprendre. Derrière la joie qu'il avait éprouvée à sentir les cailloux sous ses pieds et à découvrir un pot de peinture sur une pierre, il y avait le sentiment que rien de tout cela ne lui appartenait.

Il n'avait que sa mère et son grand-père, leurs rêves et leur histoire. Ses propres rêves ressemblaient à ce crottin de cheval qu'il avait écrasé. Il désirait devenir boxeur et faire partie de l'équipe nationale. Mais laquelle ? Celle de Suède ?

Ali observait son grand-père. Sa moustache d'un noir de jais montait et descendait au rythme de sa respiration. « Tu peux bien dormir, pensa-t-il, mais ne meurs pas. » Il tendit la main et, au même instant, Hadi ouvrit les yeux. Ali n'y lut ni l'étonnement de celui qui vient de se réveiller ni la perplexité du vieillard, rien que de la sagesse.

Il aurait aimé se jeter sur son grand-père, le serrer dans ses bras et lui dire de ne jamais mourir.

– Quel âge as-tu, mon petit Ali ?

– Quinze ans.

– Parfait. Tu te portes bien ?

– Oui, oui.

– Parfait, répéta Hadi. Tu seras bientôt un homme.

Ils se regardèrent comme s'ils avaient conclu un pacte.

Après le petit déjeuner, qu'Ali avait redouté mais qui fut au contraire égayé par la bonne humeur du grand-père et le rire de sa mère, il se leva de table. Mitra avait déjà commencé à desservir. Elle eut un geste pour l'arrêter et quelques mots qui furent couverts par la voix du grand-père s'amusant d'une de ses propres plaisanteries.

Ali devina ce que désirait sa mère et sortit de la cuisine à reculons. Il ne voulait ni ne pouvait rester à table, de peur que l'hilarité ne cède la place à la tristesse. À certains moments, on aurait cru que Hadi et Mitra se souvenaient de quelque chose de lugubre, au beau milieu de la joie.

Il alla dans sa chambre. Il savait qu'ils étaient toujours à table en train de manger des gâteaux que leur avait apportés l'une des femmes vivant dans la même cage d'escalier. C'était une petite Syrienne voûtée, de confession chrétienne, qui parlait un curieux mélange de suédois et d'arabe. Elle montait parfois toutes ces marches d'un pas malhabile, avec une boîte très colorée à la main. Ali ne savait pas pourquoi elle était venue ce jour-là, mais elle avait coutume de leur rendre ainsi visite, bredouiller quelques paroles incompréhensibles et leur donner des douceurs à manger. Après cela, elle restait un moment assise à la table de la cuisine, sans rien dire, avant d'entreprendre la pénible descente jusqu'à son propre appartement.

Ali avait trop mangé pour avoir la force de donner des coups dans le punching-ball, il s'attarda seulement près de la poire de cuir pour en renifler l'odeur comme s'il s'agissait d'un animal domestique chéri.

– Tu ne veux pas un gâteau, Ali ? lui cria sa mère. Ils sont très bons.

– Non merci, répondit Ali en se regardant dans la glace.

Du bout des lèvres, il articula quelques mots qu'il n'alla pas jusqu'à prononcer vraiment : « Que faire ? » Ou bien il ne disait rien, s'efforçait de continuer à vivre comme si de rien n'était, ainsi que sa mère et son grand-père le faisaient à propos de ces horreurs qu'ils avaient connues dans leur pays natal, ou alors il en parlait à quelqu'un. Son grand-père était le premier, et aussi le seul, à qui il pouvait se confier, et pourtant il hésitait, ne sachant pas comment il réagirait.

Il pouvait aussi aller à la police et leur expliquer ce qu'il avait vu. Il continua à se mirer dans la glace pour tenter de voir clair en lui, comme s'il était possible de lire sur la pâleur de son visage et dans ses traits qu'il avait assez de courage pour dénoncer son cousin. « Si je fais ça, demanda-t-il à son reflet, est-ce que je deviendrai un autre ? » C'était sur ce point qu'il aurait aimé avoir l'avis de son grand-père.

Quant à la façon dont Mehrdad et les siens réagiraient, il ne le savait que trop bien. S'il disait ce qu'il avait vu, il serait honni par beaucoup de gens. Mais que dirait sa propre famille ?

Le téléphone sonna. Ali alla se poster à la fenêtre. Il pleuvait à verse, l'eau crépitait sur l'asphalte et s'écoulait à torrents vers la grille d'égout, le long des caniveaux. Un homme traversait la rue en courant comme si sa vie en dépendait. Si chaque goutte de pluie était une bombe, cet homme n'aurait eu aucune chance de survie, s'imagina-t-il.

– C'est pour toi, lui cria Mitra de la cuisine.

– Qui c'est ?

– Je ne sais pas.

Ali ne bougea pas et pensa aux vaches d'Arnold et de Beata, à la place. La pluie tombait sûrement sur elles, aussi.

– Ali !

– J'arrive, dit-il à voix basse.

L'homme parvint à l'auvent de l'entrée du numéro 6 et s'y abrita pour observer le ciel, comme pour lui demander pourquoi il avait déclenché une attaque aussi violente. Pourtant, Ali le vit éclater de rire, soudain.

– Ali ! Le téléphone !

Il alla lentement prendre l'appareil, dans l'entrée, et l'emporta dans sa chambre pour répondre.

– Ali, c'est moi, ton cousin.

– T'es pas mon cousin, coupa-t-il aussitôt.

– Écoute. J'ai quelque chose à te dire. C'est important.

– Je raccroche.

– Écoute ! C'est pas moi. Sérieux. J'étais là, c'est tout.

– Tu me prends pour un imbécile ? Ne mens pas.

– C'est vrai, c'est pas moi, je te jure.

– T'es complètement cinglé, dit Ali en mettant fin à la communication.

Il eut alors l'impression de venir d'achever la plus longue séance d'entraînement de sa vie.

– Ali, dépêche-toi de partir à l'école, lui cria sa mère depuis la cuisine, tu vas être en retard.

Chapitre 22
Lundi 12 mai, 13 h 35

Tout en scrutant ses notes comme si elle pouvait espérer trouver un résumé de la situation au milieu de ces pattes de mouche, Ann Lindell se remémora avec un sourire les propos d'Ottosson sur la nécessité d'une vue d'ensemble. Elle avait au contraire le sentiment, que le saccage de Drottninggatan, le meurtre de Sebastian Holmberg et l'incendie volontaire partaient dans toutes les directions et mettaient en péril l'unité de la brigade. C'était du moins l'impression qu'elle avait. Ils n'avaient pas besoin de cela, alors qu'ils croulaient déjà sous les dossiers en instance. Elle n'était même pas sûre de savoir qui faisait quoi, parmi ses collègues. Elle dressa donc la liste de leurs noms et porta en regard ce qu'elle estimait être leur tâche respective. Puis elle classa systématiquement les rapports, les procès-verbaux d'audition, les résultats d'analyses et les renseignements fournis par le public. Au bout d'une demi-heure, l'ordre régnait sur son bureau.

– Je l'ai maintenant, ma vue d'ensemble, dit-elle à voix haute en se levant.

La réponse était à trouver quelque part au milieu de ces tas de papier. À moins que… Elle se mit à faire les cent pas dans l'espace exigu dont elle disposait avant de se rendre compte que cela ne servait qu'à lui donner le vertige et elle alla ouvrir au maximum le volet d'aération de la fenêtre. Cela sentait la pluie mais l'air était doux.

Elle venait de prendre connaissance d'un tuyau qui paraissait intéressant. Il ne fallait pas trop espérer des canaux habituels, même si elle savait que c'était souvent la patiente collecte de renseignements qui finissait par donner des résultats. C'était cela, la vue d'ensemble dont parlait Ottosson, mais elle savait aussi depuis longtemps que ce n'était pas ainsi qu'elle fonctionnait, pour sa part. La plupart des collègues, surtout ceux de la Scientifique, s'accrochaient becs et ongles aux faits et ne lâchaient pas prise avant d'avoir réussi à tirer des conclusions logiques de cette masse d'informations. Elle préférait se fier à l'inspiration. Martin Nilsson, le chauffeur de taxi, avait appelé pour la troisième fois. C'était Franzén, ce tâcheron très sous-estimé qui avait rédigé la note qu'elle lisait maintenant pour la seconde fois : *Pendant la nuit en question, Nilsson a empreinté Trädgårdsgatan en direction du sud et, à hauteur du salon de thé de Fågelsången, il a remarqué quelque chose*, était-il dit pour commencer.

Lindell sourit devant la faute d'orthographe, excusable pour un policier. Le chauffeur avait observé un jeune « sans doute d'origine étrangère », qui semblait sous le coup d'une très vive émotion. Il frappait de la main sur un vélomoteur et, au moment où Nilsson passait près de lui, il s'était mis à vomir abondamment. Le chauffeur avait ralenti pour s'assurer que tout allait bien pour ce garçon. « Il n'avait pas l'air d'être ivre, simplement "très affecté", et Nilsson avait été sur le point de s'arrêter, mais avait continué vers Svandammen, où il avait pris la direction de l'est. »

« Avait été sur le point, se répéta Lindell. Vélomoteur, jeune immigré, très affecté, vomir. » Une « empreinte », en quelque sorte. Elle s'écarta de la fenêtre et alla consulter le plan d'Uppsala apposé sur le mur, pour avoir sous les yeux le damier des rues. « Une vue d'ensemble », marmonna-t-elle à nouveau, en suivant Trädgårdsgatan du doigt depuis Drottninggatan jusqu'à Svandammen.

D'après Martin Nilsson, il était à peu près une heure et demie. Lindell tenta de se figurer le spectacle du centre de la ville à cette heure-là, dans la nuit de vendredi à samedi, et comprit vite la vanité de son entreprise. Elle saisit alors le téléphone et appela Munke, à la Sécurité publique. Tout en écoutant les sonneries retentir, elle préleva sur le tas de papiers le rapport concernant ce qui s'était passé cette nuit-là, les déplacements et interventions de la police, ainsi que tout ce qui avait pu être signalé une fois l'alerte donnée à 1 h 21. À peu près ce que raconterait le journal local dans son édition de lundi, mais dans une version plus détaillée et véridique.

La communication fut établie avec un répondeur qui l'invita à laisser un message.

Quelques minutes plus tard, Munke rappela.

– Y a des moments où je préfère ne pas répondre, commença-t-il par dire et Lindell comprit à sa voix que l'infarctus auquel chacun s'attendait n'était pas loin.

– J'ai besoin d'une vue d'ensemble, lui dit Lindell, ou plutôt Ottosson pense que j'en ai besoin. Et c'est toi qui es le mieux placé pour me la fournir.

Elle était parfaitement satisfaite de sa formule, à la fois concise et expressive. Pas d'excuses inutiles ni de flatterie excessive, un argument bien tourné devant lequel Munke capitula immédiatement.

– Je monte te voir, répondit-il en raccrochant.

Une minute plus tard, il pénétrait dans le bureau.

Après avoir fait des yeux le tour du bureau et de la masse de papiers qui le jonchait, il s'assit sans dire mot et regarda Lindell de ses yeux exorbités et injectés de sang.

– Une vue d'ensemble, pouffa-t-il. Comment va Otto, au fait ?

– Comme d'habitude, répondit Ann.

– Et toi ?

– Comme d'habitude aussi.

– En d'autres termes : pas trop bien.

Elle éclata de rire, Munke était exactement ce dont elle avait besoin, à défaut de vue d'ensemble.

– J'ai pris connaissance du rapport sur ce qui s'est passé au cours de la nuit de vendredi à samedi. Qu'est-ce que tu en penses, toi ?

Munke ne répondit pas aussitôt et se rejeta en arrière avec l'air de réfléchir intensément à la situation.

– Pour moi, rien que du très banal. Une bagarre entre ivrognes, des jeunes qui font des bêtises et puis quelque chose qui tourne mal, je veux dire : bien plus mal que d'habitude. Puisque tu as lu le rapport, tu sais qu'il y a eu des histoires à Fredmans, Flustret et Birger Jarl*. Rien de grave. En général, ça se termine par des coups de gueule, on intervient pour calmer le jeu, séparer les combattants, en emmener un aux urgences ou à l'asile, parfois en coffrer un ou appeler la sociale, enfin tu sais.

* Il s'agit de trois établissements du centre de la ville, dont le dernier est une boîte de nuit à la mode située juste en dessous du château, près de Flustret, plus ancien et stylé.

Ce que Munke qualifiait de « sociale », c'était les services sociaux.

– Qu'est-ce qui a déraillé, alors ? poursuivit-il. On en a déjà parlé : c'est pas un simple noctambule qu'a pété les plombs, c'est une bande tout entière. Laquelle ? J'ai d'abord pensé que c'était le Tigre du Bengale et ses acolytes.

– Qui ça ?

– Le Tigre. C'est Hjulström qui a inventé ce surnom. Et c'est vrai qu'il a l'air d'un tigre, bon sang. C'est un type de Sävja qu'est drôlement futé. Il a l'air parfaitement normal mais il peut devenir fou à lier si y a un fusible qui crame, là-haut dans sa cervelle.

– Ah bon, dit Lindell, fascinée par la façon dont Munke se prenait au jeu de son propre exposé des faits. Tu crois que c'est lui ?

– Des clous. Il était sur son terrain habituel, en train de pousser ses coups de gueule du côté de l'ancien Konsum de Sävja, c'est clair comme de l'eau de roche. Il en a certainement profité pour piquer quelques portables et importuner les gens comme il sait si bien le faire. Mais il n'était pas dans le centre-ville.

– Non ?

– Je sais pas si t'es au courant, mais c'est la guerre, entre eux, et chacun observe de près les mouvements de l'ennemi. On sait qu'il y avait une bande de jeunes immigrés en ville, et y a eu du raffut devant le Birger Jarl.

– Tu crois que c'est des… immigrés, alors ?

Lindell avait failli dire « des étrangers » mais s'était reprise au dernier moment. Munke posa la main droite sur un des tas de papiers, qu'il feuilleta distraitement en laissant courir son gros index en forme de saucisse sur le coin.

– Ce n'est pas aussi simple que ça, répondit-il d'une façon qui paraissait étrangement pensive de sa part. Y a souvent un peu des deux : des Suédois et des immigrés.

– L'intégration, quoi, ironisa Lindell.

Munke eut un petit sourire et leva la main de la pile de papiers pour gratter son nez en forme de pomme de terre. « Saucisse, pommes de terre, un vrai casse-croûte », se dit Lindell *in petto*.

– Peut-être que ça a commencé là, reprit Munke. Je ne sais pas exactement ce qui s'est passé, mais j'ai comme une idée que c'était une bande assez nombreuse. Je ne peux rien affirmer mais, à ce que j'ai compris, c'est le seul groupe constitué capable de causer autant d'histoires et des dégâts de cette ampleur. Peut-être que quelque chose nous a échappé, cependant.

– Tu en as parlé à Sammy ?

Munke secoua la tête.

– Je suis en train de rédiger un rapport, dit-il. Y a un certain nombre de choses que je saisis pas.

– Quel genre ?

Munke hésita, regarda Lindell et fit la grimace.

– Disons : les déplacements de nos forces cette nuit-là.

– Qu'est-ce que tu veux dire ?

– Y a des trucs qui sont pas clairs.

– Bon, dit Lindell. Ces histoires au Birger Jarl, c'était à propos de quoi ?

– D'après les types de la sécurité, une bande de gars s'est présentée, a fait du barouf pour demander à entrer et s'est fait refouler sous prétexte qu'ils étaient trop jeunes. Je crois pas que c'était ça le principal, pourtant.

– C'était quoi, alors ?

– Qu'il s'agissait d'immigrés.

– Et on ne les laisse pas entrer ?

– Eh bien pas toujours, tu vois. Je vais faire un topo là-dessus.

« Un topo de Munke, pensa Lindell, j'attends ça avec impatience. »

Elle l'observa un instant mais il n'avait apparemment rien à ajouter.

– Ça relève de la Sécurité publique ? lança-t-elle.

– Je ne sais pas, répondit Munke, confirmant ainsi les soupçons de Lindell selon lesquels ce qui était en cause, c'était le comportement de la Sécurité publique au cours de la nuit de vendredi à samedi.

Elle aurait aimé pousser la curiosité un peu plus loin mais ne savait pas comment faire. Si elle ne prenait pas garde, Munke cesserait de parler. Depuis longtemps, il régnait, sinon une animosité, du moins une certaine concurrence entre les différentes brigades et Lindell se rendait compte que Munke, qui faisait partie de la vieille garde, n'était guère enclin à débiner ses collègues en uniforme. C'était d'ailleurs cela qui était inquiétant. Il était clair, à entendre Munke parler – ou plutôt se taire – qu'il n'était pas à son aise.

– Tu n'as pas besoin de dire quoi que ce soit pour l'instant mais, si cela a de l'importance pour l'enquête, je désire être informée d'une façon ou d'une autre, bien sûr.

Munke la dévisagea sans trahir ce qu'il pensait. Après quelques instants de silence, il posa sur ses genoux les deux battoirs lui servant de mains, peut-être pour traiter la chose par-dessus la jambe au sens propre comme au figuré, à moins que ce ne fût pour détendre l'atmosphère, tout simplement. Toujours est-il qu'il se leva brusquement et que son visage afficha l'esquisse d'un sourire. Lindell bondit de son siège.

– C'est ton fiston ? demanda Munke en désignant la photo sur le mur.

– Oui, c'est Erik. Chez moi, à Ödeshög.

– C'est chez toi, Ödeshög ?

– Enfin, pas exactement. Mais c'est là qu'habitent mon père et ma mère.

– Moi, j'ai huit petits-enfants, dit Munke avec un étrange sourire.

Lindell le lui rendit et il se dirigea vers la porte.

– Y a des fils qui pendent un peu partout, dit-il de façon un peu énigmatique, la main sur la poignée de la porte. Pas facile de savoir comment s'y prendre.

– Ça, c'est bien vrai, dit Lindell en rougissant presque devant un pareil cliché.

Munke sourit à nouveau et revint de deux pas dans la pièce pour lui tendre la main en un geste qu'elle n'attendait pas. « Qu'est-ce qu'il essaie de faire ? » pensa-t-elle.

Il saisit sa main et la serra vigoureusement. « Munke ambassadeur de bonne volonté de la Sécurité publique, je n'y crois pas, pensa-t-elle. Ou bien il est réellement préoccupé et se demande comment se tirer d'affaire, ou alors il cherche à brouiller les pistes. »

– Au revoir, dit-il, j'ai été content de causer avec toi.

– Moi aussi.

– Ça soulage.

Lindell hocha la tête en s'efforçant de sourire. Munke quitta le bureau et ferma la porte avec beaucoup de soin, comme s'il sortait d'une chambre de malade.

Lindell se laissa retomber sur son siège, abasourdie par cette information partielle. « Les déplacements de nos forces cette nuit-là », avait dit Munke. Qu'est-ce que cela signifiait, concrètement ? La Sécurité publique aurait-elle manqué à ses devoirs ou commis des actes répréhensibles ?

Elle sortit le rapport sur les événements de la nuit de l'assassinat, le relut mais le reposa, pas plus avancée pour autant. Les effectifs disponibles s'étaient concentrés sur les méfaits du pyromane de Svartbäcken. Non moins de six voitures radio avaient été mobilisées. Rapidement, des barrages avaient été mis en place sur Gamla Uppsalavägen et en face de l'agence d'assurances de Svartbäcksgatan. Une patrouille canine avait même été dépêchée dans le secteur, à l'est de la voie ferrée, au cas où l'incendiaire aurait choisi de prendre la fuite par là. On avait interpellé neuf noctambules qui se trouvaient dans le secteur mais s'étaient avérés de paisibles citoyens, et contrôlé plus de cent trente véhicules, y compris un bus de nuit.

Ann examina ensuite la chronologie des événements. La première alerte à l'incendie avait été donnée à 00 h 02. Treize minutes plus tard était survenue la seconde et les pompiers, ainsi que la police, avaient alors compris que c'était un pyromane qui était à l'œuvre et tout le personnel disponible avait été dépêché dans le secteur.

Une voiture radio se trouvait à Eriksberg pour régler une dispute et avait dû s'attarder. Cette patrouille, celle de Lund et Andersson, avait quitté Granitvägen à 0 h 38 et s'était dirigée vers le centre et Svartbäcken. En fouillant dans le dossier, Lindell constata qu'elle avait été la première à arriver dans Drottninggatan, à 1 h 28, une fois l'alerte au bris de vitrines donnée à 1 h 21.

Lindell recopia soigneusement ces indications sur son bloc, se disant que Munke avait sans doute fait de même. Elle avait déjà demandé qu'on lui fournisse la chronologie exacte des événements de cette nuit-là, mais elle disposait maintenant de la sienne.

Munke avait parlé de « déplacements ». Ils étaient assez limités, en réalité, puisque l'essentiel du personnel était mobilisé à Svartbäcken. Le seul déplacement qu'elle pouvait constater était celui de Lund et Andersson.

Elle fut tentée d'appeler à nouveau Munke, mais se dit que cela risquait d'être contre-productif. Procéder à une enquête de son propre chef, alors ? C'était risqué. Il y aurait toujours quelqu'un pour trouver curieux que Lindell, de la Criminelle, s'intéresse d'aussi près aux faits et gestes de la Sécurité publique, et alimenter la chronique interne.

Elle pouvait seulement attendre les conclusions de Munke et qu'il élucide lui-même les « trucs pas clairs » dont il avait parlé. Mais pourquoi attachait-il tant d'attention à cela ? En quoi cela influait-il sur l'enquête concernant le saccage des vitrines ?

Elle se leva, mal à l'aise et ne sachant que faire. Elle ne comprenait pas le rapport qu'il y avait entre tous ces faits. Elle fut à nouveau tentée d'appeler Munke, mais écarta encore une fois l'idée.

Munke visait-il Lund et Andersson ? Qu'avaient-ils fait en quittant Eriksberg, à 0 h 38, soit quarante minutes avant l'alerte à Drottninggatan ? Étaient-ils allés directement à Svartbäcken ? Sans doute était-ce l'ordre qu'ils avaient reçu, en tout cas.

Il était clair que la réponse à ces questions n'était pas dans les papiers qu'elle avait devant elle. Seuls Lund et Andersson la connaissaient, et peut-être Munke se doutait-il de quelque chose. Normalement, il aurait dû être furieux qu'une voiture tarde autant à se rendre à Svartbäcken après en avoir reçu l'ordre. En parler à Ottosson ? Non, ce serait faire mauvais usage de la confiance de Munke. Et puis Ottosson ne pourrait pas faire grand-chose, cela le rendrait encore plus soucieux.

Lindell retourna à la carte murale. Elle découvrait toujours des rues qu'elle ne connaissait pas encore. Elle était capable de situer Granitvägen et Stierhielmsgatan, chacune d'un côté du centre. Mais quel chemin avaient emprunté Lund et Andersson ? En supposant qu'ils aient suivi Norbyvägen jusqu'à la bibliothèque universitaire, deux solutions se présentaient à eux : descendre Slottsbacken et traverser le centre, ou passer par Martin

Luther Kings plan, prendre S:t Olofsgatan et enfiler Sysslomansgatan vers le nord jusqu'à Råbyleden. C'était l'itinéraire qu'elle aurait choisi, pour sa part.

– Ou encore, marmonna-t-elle en suivant avec l'index sur la carte, tourner à gauche un peu avant et gagner la rocade en suivant Kyrkogårdsgatan. C'était sans aucun doute le moyen le plus rapide.

Or, Lund et Andersson n'avaient adopté aucune de ces solutions.

Chapitre 23
Lundi 12 mai, 14 h 10

Plus il lisait, plus il avait le sentiment d'étouffer. Il se leva et alla ouvrir la fenêtre. « Est-ce que je sauterais », se demanda-t-il en regardant le sol, une dizaine de mètres en dessous de lui. Des plaques de béton grises entourées de rangées de petits pavés, certes plus jolis à voir mais tout aussi durs en cas de contact violent. « Qu'est-ce qui pourrait m'inciter à me jeter par la fenêtre et tomber comme une poupée de chiffon ? Est-ce que je sauterais, même si c'était au risque de m'empaler sur des piquets de fer fichés en terre qui me lacéreraient le corps ? »

Sammy Nilsson frémit à cette pensée et referma vite la fenêtre, comme s'il avait peur d'être tenté, et resta le front contre la fraîcheur de la vitre. Il avait lu pendant une demi-heure. Il avait d'abord pensé ramener le document chez lui mais, après l'avoir feuilleté et s'être trouvé face au portrait d'une jeune femme qui fixait l'appareil d'une façon à la fois triste et très sûre d'elle-même, il s'était mis à lire et n'avait pu s'arrêter. Le téléphone n'avait cessé de sonner et il avait fini par décrocher le combiné et couper le son de son portable.

La femme, ou plutôt la jeune fille, avait seize ou dix-sept ans et portait une robe bleu et blanc. Son bras droit s'ornait d'un bracelet. Sur la photo, elle était bel et bien vivante mais, à l'heure actuelle, elle était morte, comme la plupart de ses amies et camarades de travail de Mirpur. Sammy se répéta ce nom : Mirpur. Il était à la fois doux, joli et agréable, alors qu'il était synonyme d'incendie et de mort, de plaques de béton jonchées de cadavres, de corps de jeunes filles blessées et agonisantes, et de clôtures hérissées de tessons sur lesquelles d'autres jeunes filles se tordaient de douleur comme des poissons pris à l'hameçon.

Prisonnières au quatrième étage, elles avaient sauté pour échapper au brasier. Combien étaient mortes ? Il avait lu le chiffre mais ne s'en souvenait plus. Vingt-cinq, peut-être ?

La colère l'empêcha d'en lire plus. Il sortit de son bureau et descendit dans la salle de repos, mais s'arrêta sur le pas de la porte en voyant le préfet de police effectuer l'une de ses rares visites aux petites gens de son service. Il entendit quelqu'un éclater de rire, dans le fond, et un autre collègue plaisanter avec le gars qui était à l'accueil, tandis que le grand patron faisait le tour de la pièce en hochant la tête, souriant et échangeant quelques mots avec ses subordonnés.

Sammy n'avait guère d'objections envers le plus haut placé de ses supérieurs, pourvu qu'il ne se mêle pas de leur travail. Il y en avait qui prétendaient que le préfet ne s'informait pas souvent de ce qui se passait et était peu au courant du quotidien de la police, mais Sammy Nilsson était désormais au-dessus de cela. Lorsque l'intéressé avait vu prolonger son intérim, l'hiver précédent, malgré les protestations du syndicat ainsi que des politiciens locaux, une certaine apathie s'était emparée de la collectivité policière. Nul n'émettait plus le moindre avis personnel sur la direction et les critiques s'étaient tues, car tout le monde était résigné. Et puis ils avaient du pain sur la planche.

Sammy s'attarda sur le pas de la porte. Olsson, des Stups, vint à passer et lui demanda comment ça allait.

– Pas mal et toi ? fit Sammy.

– Ouais, ouais, répondit le collègue en s'éloignant.

Sammy le suivit du regard avec un sentiment d'irréel et regagna son bureau. Impossible de dire ce qu'il avait sur le cœur. Il ne pouvait se fier ni à ses émotions ni aux mots qu'il emploierait. L'image de la jeune fille du Bangladesh ne cessait de le hanter. C'était comme s'il s'était enfoncé une pointe de lance dans son propre corps.

Il ne comprenait pas vraiment pourquoi il avait été touché à ce point, alors qu'il avait déjà vu tant de misère. Des gens en larmes qu'il fallait arracher au corps d'une personne chère impossible à sauver. Des désespérés qui avaient mis fin à leurs jours de la façon la plus atroce. Il lui était aussi arrivé de tenter de consoler des victimes d'actes de violence qui resteraient marquées dans leur chair jusqu'à la fin de leur vie. Et, malgré cela, la photo d'une jeune femme, de l'autre côté de la terre, était en mesure de le mettre dans cet état.

Il savait d'expérience que l'excès d'implication ne servait qu'à obscurcir la vision qu'on avait des choses et à rendre le travail encore plus difficile, et pourtant il ne pouvait arracher ses pensées de Nasrin, brûlée vive dans le centre communal pour immigrés, et de sa semblable dont il ne connaissait pas le nom, qui avait subi le même sort dans une usine textile près de Dacca.

Il réactiva le son de son portable et constata qu'il avait laissé passer deux appels. L'un provenait de chez lui et l'autre avait été passé depuis un numéro qu'il ne connaissait pas. Il appela sa femme.

Chapitre 24
Lundi 12 mai, 15 h 25

Marcus Ålander entendit des cris et des bruits de pas pressés, non loin de sa cellule. Il tenta de distinguer ce qui se passait, mais les murs étaient trop épais. Il était étendu sur la couchette, comme depuis le début de sa garde à vue, le samedi soir, et observait la lourde porte gris-vert pourvue d'un judas dans sa moitié supérieure.

Il savait que, s'il fermait les yeux, il serait capable de récréer mentalement, de façon très fidèle, ces deux petits mètres carrés de porte municipale. De l'autre côté, la liberté, de ce côté-ci une couchette d'où montait une odeur lui rappelant celle qu'il avait sentie dans une auberge de jeunesse assez mal tenue, près de Naples.

Il aurait aussi pu dessiner cette porte de façon précise, si cela avait servi à quelque chose. Elle était gravée dans son esprit jusque dans ses moindres détails.

À un moment, il s'était assis sur le tabouret fixé au sol et avait aussitôt pris peur. Les murs étaient soudain trop proches. S'il était couché, c'était la porte qui dominait son champ visuel, or, cette porte donnait accès à la liberté. Le mur derrière le tabouret et la petite table, c'était la mort. Il attirait sa tête et Marcus sentait qu'il risquait de se la fracasser contre lui.

Pour la première fois, il appela le gardien, qui arriva presque aussitôt, à sa grande surprise.

La porte s'ouvrit et Marcus emplit ses poumons de l'air qu'elle laissa pénétrer dans la cellule. « Ce serait bien d'être un courant d'air », pensa-t-il.

– Qu'est-ce qu'il y a ? demanda le gardien.

– Je voudrais parler à quelqu'un, dit Marcus.

– À l'un des enquêteurs ?

– Je ne sais pas.

– Comment est-ce que je le saurais, moi, alors ?

– Bon, laissez tomber.

Le gardien referma la porte avec une mine de lassitude. Heureusement, il avait l'habitude de cas bien plus difficiles encore et prenait celui-ci avec philosophie.

Marcus se mit en chien de fusil et tenta de se rappeler Naples, sans parvenir à s'ôter Ulrika de la pensée. Que faisait-elle, en ce moment ? Il se souvenait de l'époque où ils étaient ensemble, par exemple quand ils étaient allés fêter Noël dans la province de Norrbotten, chez sa mère à lui. Les deux femmes ne s'étaient encore jamais rencontrées et cela avait tourné à la catastrophe, au point qu'ils étaient repartis dès le lendemain de Noël alors qu'ils avaient prévu de rester trois jours de plus. Faute de places à bord du train, ils avaient dû se réfugier dans une pension de famille d'Älvsbyn.

Sans doute était-ce là que leur relation avait chaviré, dans cet hôtel des courants d'air dont le propriétaire alcoolique jouait de l'accordéon pendant la moitié de la nuit. Ulrika lui avait reproché d'être méchant avec sa mère.

Marcus se leva brusquement de sa couchette mais fut aussitôt pris de vertige et dut se rasseoir.

– Tu as vu comment tu la traites ? avait dit Ulrika. C'est quand même ta mère, non ?

Au son d'un classique des années 50 montant du rez-de-chaussée et le visage déformé par la colère, Ulrika avait mis en pièces ses sentiments pour sa mère. Il avait commencé par en rire, puis s'était réfugié dans le silence et avant de passer à la contre-attaque.

Une bien mauvaise nuit, tandis qu'une forte chute de neige transformait Älvsbyn en enfer blanc. Avant de s'endormir, il avait senti la colère monter en lui. Que savait-elle de sa mère ? À son réveil, vers les quatre heures du matin, cette colère, aiguisée par de mauvais rêves, s'était changée en fureur.

Il s'était levé et avait observé la rue déserte, au dehors. Pour se protéger du courant d'air passant sous la fenêtre, il s'était drapé dans sa couverture et avait tenté de comprendre. De temps en temps, il se retournait pour regarder Ulrika, qui s'agitait dans son sommeil et grinçait des dents.

Ils avaient consommé une quantité considérable d'énergie, cette nuit-là. Était-ce là que leur relation avait touché à son terme ? Il ne le savait pas et n'avait pas posé la question à Ulrika, vendredi soir. C'était seulement maintenant qu'il repensait à cette nuit à Älvsbyn.

Ce qui s'y était passé constituait en fait la réponse à sa question. Cette maudite baraque, ce monstre en fait de pension de famille, les avait brisés tous les deux. Elle avait étouffé leur amour, avec son parquet glacial, ses murs pas très droits, son lit qui grinçait et son odeur de pauvreté. Il savait que, s'ils avaient passé la nuit dans l'ancien grenier sur pilotis de sa tante, maintenant transformé en douillette chambre d'amis, à Lansjärv, ou s'ils avaient dormi dans les peaux de rennes de la hutte de chasse, ces mauvaises pensées ne leur seraient jamais venues. À Älvsbyn, la vie était devenue laide et le visage d'Ulrika avait alors changé.

En prenant conscience qu'il détestait sa mère, il fut obligé de se lever de sa couchette et se mit à crier. C'étaient des années de rage que son corps évacuait ainsi.

Il appela de nouveau le gardien.

– Je désire faire des aveux, lui dit-il dès que la porte s'ouvrit.

– Ah bon, répondit le gardien avec une indifférence inattendue, en le regardant de la tête aux pieds. Qu'est-ce que vous voulez avouer ?

– Tout.

– Très bien, dit le gardien en refermant la porte.

Il appela aussitôt la permanence qui, à son tour, prévint Ola Haver.

Ola prit le minuscule ascenseur menant aux cellules de garde à vue. Frendin l'accueillit la mine réjouie, il inscrivit son nom sans rien dire et l'autre referma le registre d'un coup sec. « Ce qu'il peut être laid », se dit Haver de façon peu collégiale en regardant cette tête aux cheveux coupés très court et cette nuque parsemée de points rouges.

– Qu'est-ce que tu en penses ? demanda-t-il.

Frendin s'arrêta brusquement, se retourna et le regarda avec un sourire en coin pas très aimable.

– C'est lui, dit-il. Un pauvre gosse qui a été pris d'angoisse, mon Dieu !

– Il a fait des histoires ?

– Tu sais comment ils sont.

– Non, je ne le sais pas, figure-toi, répliqua Haver en voyant Frendin continuer son chemin.

– Espèce de trou du cul, marmonna-t-il pendant que Frendin regardait par le judas.

– Il est cuit à point, dit-il en ouvrant la porte.

Marcus était allongé sur la couchette, les yeux clos, mais Haver vit qu'il ne dormait pas. La porte se referma derrière lui.

– Comment ça va ?

Marcus ouvrit les yeux et regarda le policier d'une façon qui était familière à celui-ci. La solitude de la cellule avait planté ses griffes dans le suspect. Dans un espace aussi réduit, le regard se modifiait d'heure en heure et l'oxygène ne tardait pas à manquer. Le corps se contractait et la douleur sourde à l'abdomen ne laissait personne en paix, entre ces murs.

Marcus se mit sur son séant en bredouillant une réponse inintelligible.

– Comment vous appelez-vous ? ajouta-t-il. Je ne me souviens pas.

– Ola Haver.

Marcus enregistra la réponse d'un signe de tête.

– Tu voulais me parler.

Le jeune homme poussa un soupir.

– Je crois que c'est moi qui ai tué Sebastian, lâcha-t-il.

– Tu crois ?

Marcus hocha la tête.

– Tu préfères qu'on parle de ça dans mon bureau ?

Nouveau hochement de tête.

Chapitre 25
Lundi 12 mai après-midi

Le lundi après-midi, un tract intitulé *Chaos dans la ville* fut diffusé dans les quartiers de Salabackar, Tunabackar et certaines parties de Kvarngärdet. Il était illustré d'une photo de Drottninggatan sans doute prise le samedi, tôt dans la matinée. Signé *Des habitants d'Uppsala en lutte contre l'immigration sauvage*, il ne portait aucun nom ni numéro de téléphone. Il était impeccablement imprimé, le suédois en était parfaitement correct et la réalisation très professionnelle.

Ce qui sautait aux yeux, c'était une annonce nécrologique surmontée d'une croix noire et comportant les données personnelles de Sebastian Holmberg, suivie de la question : *Pourquoi ?*

La réaction ne se fit pas attendre. Le journal local fut assailli de coups de téléphone et trois plaintes pour incitation à la haine raciale furent déposées auprès de la police. Les sympathisants, au contraire, firent ce qu'on leur suggérait en bas du tract et l'apposèrent sur des panneaux d'affichage et dans des boutiques de différents quartiers de la ville.

Les plantations d'une famille bosniaque de Gärdets Bilgata furent saccagées par quelqu'un qui versa du gasoil sur leurs pensées et doronics de printemps. Trois ressortissants somaliens durent s'enfuir de Torbjörns torg en courant, après avoir été attaqués à coups de pierre par des jeunes.

Aussitôt informé, Munke envoya trois voitures radio en patrouille dans les secteurs concernés et leur donna pour instruction d'enlever, partout où ils le pourraient, les tracts en question.

Lorsque, un peu plus tard, un garçon d'origine kurde fut frappé au point de devoir être transporté à l'hôpital couvert de sang et avec une fracture du poignet, l'heure fut venue d'une réunion d'urgence avec le patron de la Sécurité publique, celui de la brigade de répression des actes de violence, Liselott Rask, chargée de communication, et quelques autres.

Aucun des plans d'action arrêtés à l'avance par la police ne s'appliquait vraiment à la situation ainsi créée et il fallut improviser. Les patrouilles furent multipliées et renforcées, des renforts de personnel mobilisés en vue de la soirée et des contacts pris avec les médias locaux et les responsables municipaux des questions d'immigration et d'intégration.

À 18 h 30, une bagarre entre deux bandes de jeunes éclata sur Gamla Torget. Un adolescent de quinze ans fut arrêté pour port d'arme prohibé après qu'on eut découvert un couteau à cran d'arrêt dissimulé dans la tige de sa botte. L'incident prit fin avec l'arrivée de la police, mais l'atmosphère restait tendue et les injures pleuvaient. Le tenancier du Kung Krål pleurait toutes les larmes de son corps sur les restes de ses tables et de ses chaises, dont les combattants s'étaient servis pour s'affronter. Un professeur invité d'origine indienne, qui passait par là pour se rendre sur son lieu de travail, fut retrouvé en état de choc, appuyé contre le mur de Föreningssparbanken, après avoir reçu un crachat sur le visage.

Une fois le calme revenu à cet endroit, de nouveaux troubles furent annoncés près de Nybron et de la gare centrale. Ce fut un beau concert de sirènes de véhicules d'intervention, de cris poussés çà et là par des gens qui s'enfuyaient en tous sens, et des rumeurs d'effusions de sang se mirent à courir.

Le chaos régnait véritablement à Uppsala, désormais.

Chapitre 26
Lundi 12 mai, 15 h 30

C'était un de ces moments où Mitra avait décidé de parler à Ali. Il connaissait les règles. Cette fois, elle avait opté pour l'époque où elle suivait les cours de l'université de Téhéran. Ali était déjà informé de bien des choses mais, ce jour-là, Mitra lui raconta qu'elle avait presque terminé ses études lorsque la police politique était venue l'arrêter. Elle lui décrivit la faculté de médecine et évoqua un professeur qui n'était pas seulement cela, pour elle, mais aussi un ami, et qui avait disparu sans laisser de trace juste avant qu'elle ne soit incarcérée elle-même.

Ces jours ensoleillés, à Téhéran, auraient pu être le point de départ de la vie. Or, tout aussi souvent, c'étaient les ténèbres d'une cellule, la promiscuité, l'odeur de la peur, la puanteur de la crasse humaine et l'incertitude de l'avenir qui orientaient l'existence dans telle ou telle direction.

Ali se mouvait tel un satellite dans l'orbite gravitant autour du corps de sa mère. Il l'observa et lut sur elle la frayeur à la seconde génération, sans les jours ensoleillés de la première. À quoi pouvait-il servir qu'elle parle de la joie, alors que le point final était toujours mis après un mot évoquant la tristesse et le deuil ?

– Qu'est-ce que tu veux faire plus tard, Ali ?

Il s'efforça de sourire, car il savait qu'elle aimait cela.

– Je ne sais pas.

– Il faut que tu poursuives tes études, tu ne l'ignores pas.

Elle savait, et il savait qu'elle savait, qu'Ali ne jouissait pas du calme nécessaire. Cette nécessité s'était donc réduite à une formule que la mère énonçait afin d'entourer Ali de bonnes paroles et de lui donner espoir.

– Pourquoi travailles-tu à mettre de la nourriture sur des plateaux dans un aéroport, si tu es médecin ?

Mitra baissa les yeux, comme gênée par sa question, et tarda à répondre.

– Tu pourrais être docteur et on habiterait dans une belle maison, quelque part, poursuivit Ali.

– Ça ne s'est pas fait, répondit la mère.

– Pourquoi n'as-tu pas passé ton permis de conduire ? On aurait pu aller à la campagne.

Il voyait devant lui la ferme d'Arnold et imaginait la famille pénétrant dans la cour en voiture et accueillie par le paysan et sa femme.

– Tu as bien aimé aller avec grand-père ?

Ali hocha la tête.

– Je voudrais habiter à la campagne, dit-il en regrettant aussitôt ses paroles. Il savait que chaque désir qu'il exprimait alourdissait encore le poids qui pesait sur sa mère.

Pourtant, Mitra lui sourit.

– Tu pourras le faire quand tu seras grand, dit-elle comme s'il était du domaine du possible, voire du vraisemblable, qu'Ali vive un jour dans une petite maison rouge à laquelle on accédait par une route en terre battue, entourée d'arbres, de buissons et d'oiseaux ne cessant de voler en tous sens à travers le ciel. Ali imaginait parfaitement le spectacle. Pour la première fois de sa brève existence, il voyait quelque chose qui n'était pas lié à lui-même et à la vie que menait sa famille.

Mitra était sur le point de dire quelque chose qu'Ali aurait aimé entendre, il le vit au sourire qui préparait le terrain pour les mots à venir, lorsque le téléphone sonna.

– C'est affreux, cette sonnerie, dit Mitra en tendant le bras pour prendre l'appareil accroché au mur.

En entendant les formules de politesse en persan et les salutations que sa mère demandait de transmettre, Ali comprit aussitôt qui c'était. Le bond qu'ils avaient fait vers l'avenir, tous les deux, n'était plus qu'un souvenir. Elle lui tendit le combiné d'un geste qui se voulait indifférent, mais dans lequel il lut les doutes dont elle était prise. Se doutait-elle de quelque chose ? De même qu'il voyait clair en elle, elle lisait en lui comme dans un livre ouvert. Elle était aussi sensible que ces fleurs qu'il avait vues chez Alejandro, son copain, et dont les pétales se rétractaient au moindre contact.

– C'est Mehrdad, dit-elle. Sa mère est malade.

Cela ne pouvait signifier qu'une seule chose : elle était clouée au lit, paralysée, incapable de se lever. Ce qui rendait Mehrdad inoffensif, car il devait veiller sur sa mère.

Ali eut le temps de penser tout cela, et de se sentir soulagé, avant de prendre l'appareil tout en restant assis à la table. Mehrdad ne lui ferait plus jamais peur.

– Tu vas bien, Ali ?

Il répondit aussi poliment à cette entrée en matière assez incroyable.

– Je l'ai vu, poursuivit Mehrdad.

Mitra se leva et se mit à débarrasser la table.

– Qui ça ?

– Celui qui a fait ça. Faut qu'on se voie. Qu'on parle.

– Ta mère est malade ?

En entendant respirer Mehrdad, Ali avait l'impression de parler à un agonisant ou à quelqu'un qui tentait désespérément de trouver un peu d'air pour prolonger sa vie de quelques secondes.

– Je l'ai vu, répéta Mehrdad, je te jure. Il était juste à côté de moi, quoi. Qu'est-ce que je pouvais faire, alors ?

– Qu'est-ce que tu veux dire ?

– Il m'a vu, il m'a reconnu, je te jure.

Mehrdad avait élevé la voix et Ali avait peur que sa mère entende à quel point il était stressé.

– Il faut que tu m'aides ! Je peux pas sortir. Toi, oui.

– Qu'est-ce que tu veux que j'y fasse ?

À ce moment, Mehrdad se mit à parler en persan et Ali eut le sentiment qu'il le faisait exprès, comme lorsque sa mère se comportait de la façon inverse. Cela lui arrivait quand il était question de choses sérieuses, de l'avenir d'Ali dans son pays d'adoption ou de ce qui se passait à l'école.

Mehrdad avait vu un homme dans une voiture, sur le parking du centre commercial de Gottsunda. Il avait eu l'impression qu'il le connaissait, mais ne se rappelait plus pourquoi. Lorsque, quelques minutes plus tard, l'homme était sorti de voiture et s'était avancé vers lui et ses copains, cela lui était revenu brusquement. C'était l'assassin. À dix mètres de lui. Il avait l'air d'être en colère, marchait à pas pressés et avait levé la tête en passant près du groupe de jeunes. Il avait alors aperçu Mehrdad et s'était figé l'espace d'une seconde.

– Il m'a reconnu, je l'ai vu, reprit Mehrdad en suédois. Il m'a regardé comme s'il voyait un fantôme.

Ali se leva de la table et gagna sa chambre, tandis que Mehrdad répétait qu'il était sûr d'avoir été reconnu.

– Il faut que tu m'aides.
– Comment ça ?
Mehrdad n'avait pas de réponse à cette question.
– Comment il était ?
– Habillé comme un ouvrier, dit Mehrdad, réconforté qu'Ali veuille bien poursuivre la conversation. Tu sais, avec ce genre de pantalon gris, très large aux genoux, et la veste qu'ils portent tous.
– Des vêtements de travail ?
– C'est ça ! Il était assis dans la voiture et puis il est sorti.
– Oui, tu l'as déjà dit.
– J'ai pensé qu'il travaillait dans cette centre.
– *Ce* centre, corrigea Ali.
– Ce centre, répéta docilement Mehrdad. Qu'il travaillait là. Il avait ce genre de voiture.
–Y avait quelque chose sur la voiture ?
– Oui, un tapis. Genre qu'on roule par terre, tu sais.
– Un tapis roulé, une moquette ?
– Oui, qu'on déroule sur le plancher, tu vois.
–Tu crois qu'il pose de la moquette ?
– Bien sûr, pourquoi il serait dans ce genre de voiture, alors, et il aurait des gros genoux ?
– Il y avait quelque chose d'écrit, sur la voiture ?
– Je me rappelle pas.
– Attends une seconde, dit Ali en posant le téléphone et allant chercher l'annuaire dans l'entrée. Il ouvrit les pages jaunes à la rubrique « revêtements de sol ».
– Écoute, je vais te lire la liste, tu retrouveras peut-être le nom, comme ça.
Ali énuméra tous ces noms les uns après les autres, mais Mehrdad n'en identifia aucun. Il s'avisa alors qu'il lisait la liste d'Alunda et d'Enköping. Quand il trouva celle d'Uppsala, il se sentit pris de fièvre, la même que celle dont témoignaient la respiration et les commentaires haletants de Mehrdad.
– Laurén, revêtements de sol et de murs, Lenander, peinture et…
– Non, pas de peinture, dit Mehrdad.
– Linné, Mellansvenska…
– Non, non, pas ça !
– SSK… Sporrongs Golv… Stigs Golv…

– Oui, c'est ça ! Stigs, c'est qu'il y avait de marqué.

– T'es sûr ?

– Sur la tête de ma mère, je te jure, Stigs, c'est ça.

Ali ne savait que penser des propos de Mehrdad, selon lesquels ce poseur de moquette de Gottsunda était l'assassin de Drottninggatan. N'aurait-il pas inventé cela ? Au fond de lui, Ali ne le croyait pas, Mehrdad avait trop peu d'imagination pour concevoir quelque chose d'aussi subtil et il y avait quelque chose, dans sa voix, qui persuadait Ali qu'il disait la vérité mais que, en même temps, il ne voulait pas être mêlé à l'affaire.

– Ça craint, poursuivit Mehrdad, il sait qui je suis.

– Tu ne peux pas dire ça. Il t'a vu, d'accord, mais il ne sait pas qui tu es. Et puis c'est de ta faute, aussi, t'avais qu'à pas rentrer dans cette boutique.

– Tu me crois, dit Mehrdad avec un grand soupir.

– Oui, dit Ali après un long silence, t'es pas très futé, mais je crois pas que tu sois un assassin.

Ali ne se sentait nullement soulagé, seulement très fatigué. Il ne voulait plus entendre Mehrdad haleter dans l'écouteur, le supplier de cette voix insistante et mielleuse et lui raconter comment il s'était trouvé nez à nez avec le meurtrier, dans la librairie de Drottninggatan. L'homme en était sorti en coup de vent et avait failli le faire tomber à la renverse.

– Ça m'a rendu curieux, dit-il.

« Dis plutôt : détrousseur de cadavres », pensa Ali, se sentant pris dans un engrenage auquel il ne savait comment échapper. Le spectacle de la victime gisant dans une mare de sang le poursuivait et il ne désirait pas que ce drame se prolonge de la façon que Mehrdad suggérait. Il ne voulait pas en savoir plus, mais oublier, au contraire.

– Je n'ai pas le temps, dit-il pour tenter de mettre fin au bavardage de Mehrdad.

– Il faut que tu m'aides !

– Comment ?

– Tâche de savoir qui c'est. Faut qu'on sache.

– Pourquoi ?

Mehrdad ne répondit pas. Ali sentait bien que c'était la peur qui le poussait. Ils risquaient de se rencontrer à nouveau, tous les deux. Cet homme était descendu d'une voiture devant le centre commercial de Gottsunda et il vivait peut-être dans le secteur. Le risque était donc grand qu'il croise à nouveau le chemin de son cousin, puisque Mehrdad traînait par là presque tous les jours.

– Il a tué quelqu'un, dit Mehrdad à voix basse.

– Et toi t'as piqué des trucs.

– C'est pas pareil.

– T'as piqué des trucs à un mort, précisa Ali.

Mehrdad eut une sorte de sanglot, au bout du fil.

– C'est pas bien, reconnut-il, et Ali eut l'impression que c'était tout ce qu'il avait à dire à sa décharge. Mais faut que tu m'aides, poursuivit-il, il va sûrement chercher à me tuer, moi aussi.

– Je dois raccrocher, dit Ali.

– Rappelle-moi, implora Mehrdad.

Chapitre 27
Lundi 12 mai, 15 h 45

Marcus Ålander longea le couloir. En voyant son dos, Haver se rappela un film américain sur des prisonniers du couloir de la mort qui avaient attendu des années l'exécution de leur peine. Un Noir, condamné pour double assassinat mais clamant son innocence, disait qu'il avait perdu espoir et avait hâte de recevoir l'injection mortelle. Au cours du tournage, l'échéance était arrivée et Haver le voyait encore partir vers la mort entouré d'un pasteur et du personnel de la prison. Sur le seuil de la dernière porte, que la caméra n'avait pas le droit de franchir, le condamné s'était retourné et avait lancé un regard énigmatique aux spectateurs.

Marcus, lui, ne se retournait pas. Il avançait, dans ses sandales trop grandes pour lui, vers le bureau de Haver, où Bea l'attendait déjà. Ola lui ouvrit la porte, Marcus entra et se mit aussitôt à pleurer, comme s'il s'était retenu tout le long du chemin depuis sa cellule mais pouvait maintenant laisser libre cours à ses sentiments.

Haver ferma soigneusement la porte et baissa le store, surtout pour gagner du temps. Marcus était debout au centre de la pièce et Bea, assise au bureau, s'était levée et avancée vers lui.

– Comment ça va ? lui demanda-t-elle. Cela va te faire du bien, de parler un peu, non ?

– C'est tellement bizarre, tout ça, acquiesça-t-il.

– Assieds-toi.

Haver était resté debout près de la fenêtre. Soudain, il comprit ce qui avait tellement irrité Ann Lindell à propos de Marcus. Son visage avait quelque chose d'hermétique qui, même alors qu'il était effondré sur sa chaise en train de renifler et de parler d'une voix nasillarde, lui donnait un air arrogant. Ses traits d'une finesse aristocratique lui conféraient une attitude hautaine. Or Haver savait depuis longtemps que Lindell était très sensible à ce genre de chose. Qu'avait-elle vu en lui ? Qu'avait-elle dit ? « Il est trop triste. » Haver avait rattaché cela à la situation de sa collègue, mais ce n'était sans doute pas toute la vérité. Des gens tristes, ils en voyaient tous les jours et ce n'était pas d'hier que la vie privée d'Ann était pitoyable.

– Je l'ai peut-être tué, je ne sais pas, commença par dire Marcus, après un moment de silence impatient de la part des deux policiers.

– Peut-être ? releva Bea.

– Tout ça est tellement embrouillé.

– Raconte-nous ce qui s'est passé ce soir-là, dit-elle pour l'encourager. Prends ton temps.

Marcus la regarda d'un air énigmatique, comme s'il se fiait à elle et, en même temps, mettait ses intentions en doute.

Debout derrière lui, Haver sentit que le regard de Bea lui enjoignait de s'asseoir. Ce n'était pas un emplacement susceptible de créer une atmosphère de confiance.

– Je sais qu'Ulrika m'aime, au fond d'elle-même. C'est lui qui s'est interposé entre nous. C'est quelqu'un de mauvais, qui s'est introduit dans nos vies sans qu'on lui demande quoi que ce soit.

Haver alla s'asseoir près de Marcus.

– Quand est-ce que cela a commencé ?

– Je ne sais pas. Ulrika ne m'a rien dit. C'est seulement au bord de la rivière que je l'ai compris.

– Que t'a dit Sebastian ?

– Qu'il allait voir une fille qu'il venait de rencontrer.

– Et tu as compris que c'était Ulrika ? dit Bea.

Marcus hocha la tête puis reprit la parole avec un peu plus de fièvre.

– On était bien, ensemble. On avait parlé d'aller au Portugal, cet été. Elle connaît quelqu'un, là-bas. Et puis, d'un seul coup : terminé. Je ne comprends pas ça.

– Quand tu as rencontré Sebastian, près de la rivière, il s'est moqué de toi ? Savait-il qu'Ulrika était ta copine ?

– Je ne crois pas.

– Alors, tu l'as frappé sans qu'il sache pourquoi ?

Nouveau hochement de tête.

– Il n'a pas tenté de se défendre ?

– Non.

– Il a filé et tu t'es lancé à sa poursuite. Pourquoi ?

– Je voulais le tabasser.

– Tu te bats souvent ?

Marcus parut surpris que Haver prenne la parole.

– Non, dit-il avec conviction.

– Mais ça a raté, tu t'es senti floué et tu lui as couru après. Quand l'as-tu rattrapé ?

– Dans la rue. Je ne sais plus. Il a tenté de se dégager. Y avait une sorte de pilier. Il m'a poussé et je suis tombé à la renverse. J'ai encore un bleu dans le dos. Et puis il a filé à toute vitesse.

– Vous êtes-vous dit quelque chose ?

– Non, enfin si, je crois lui avoir dit qu'Ulrika était ma…

– Et ensuite ? Où est passé Sebastian ?

– Dans la boutique, je crois. Il a ramassé un morceau de verre et m'a menacé comme ça, dit Marcus en levant la main.

Haver et Bea imaginaient fort bien la scène : les deux jeunes gens face à face tels des coqs de combat, le souffle court, le cœur battant à tout rompre et l'adrénaline coulant à flots.

– Il a crié qu'il allait me crever, si j'approchais.

– Tu l'as fait ?

– J'ai essayé de contourner une étagère de livres ou de la renverser, je ne sais plus. Il n'arrêtait pas de crier. Après ça, je me souviens plus de rien.

Marcus s'effondra en sanglots et Haver posa la main sur son épaule.

– Tu étais furieux et tu voulais lui rendre la monnaie de sa pièce ?

– Il n'avait pas à venir se mettre entre nous, puisque Ulrika m'aime ! dit Marcus entre deux sanglots.

– Il te menaçait avec un morceau de verre, donc. Et toi, est-ce que tu avais quelque chose avec quoi le frapper ?

– Je me souviens pas, répéta Marcus d'une voix faible.

– De quoi te souviens-tu ?

– Du sang.

– Il y en avait beaucoup ?

Marcus hocha la tête.

– Qu'est-ce qui s'est passé, après ? Il est tombé ?

– Je ne sais pas. Il y avait des gens qui couraient, dans

la rue, et qui criaient que la police arrivait. Je crois que je me suis enfui. Je sais que j'ai longé la rivière, ensuite.

– Tu voulais te jeter à l'eau ?

Marcus acquiesça.

– Je voulais monter chez Ulrika, mais…

– Revenons à la librairie, dit Haver, alors que vous êtes l'un en face de l'autre. Sebastian t'a-t-il dit quelque chose, à part menacer de te blesser avec ce morceau de verre ?

– Il m'a dit que j'étais cinglé, qu'il allait porter plainte contre moi et ce genre de chose.

– Auprès de la police ?

– Je ne sais pas. Il hurlait tout un tas de trucs.

– Et tu as voulu le faire taire ?

Marcus tourna la tête pour regarder Haver. Son visage était noyé de larmes, il avait la bouche ouverte, la mâchoire qui pendait et les yeux dans le vide, ce qui lui donnait l'air passablement stupide et inexpressif.

– D'après vous ? dit-il d'une voix atone.

« Tu as tué le fils unique de Lisbet Holmberg », pensa Haver en croisant le regard de Marcus. Ils se regardèrent, non avec haine mais avec une distance qui fit froid dans le dos à Ola. Lorsque, par la suite, il voulut expliquer à Ann ce qui s'était passé entre Marcus et lui au cours de ces instants, il en fut incapable. Il n'y avait pas de mots ou, du moins, il ne trouvait pas ceux qu'il fallait. Il ressentit cela comme une faille dans ses capacités professionnelles, un point aveugle sur sa rétine.

– L'as-tu frappé avec quelque chose ? demanda Bea pour sortir de ce blocage.

– Je veux mourir, c'est tout, dit Marcus.

Chapitre 28
Mardi 13 mai, 8 h 15

– Faut-il le croire ? demanda Ottosson, soucieux.

Ola Haver et Beatrice Andersson échangèrent un regard, avant que le premier ne se lance dans un compte rendu détaillé des aveux de Marcus Ålander.

– C'est plutôt confus, mais je crois à sa version. Il présente les signes de quelqu'un qui a tué sans le vouloir, et se rend progressivement compte de ce qu'il a fait.

– Il avait refoulé ça, ajouta Bea. Au début, il niait avoir frappé Sebastian si peu que ce soit, et puis cela a fini par sortir. Quand on a produit des témoins attestant qu'il avait couru derrière Sebastian, cela lui est revenu aussi. Je ne pense pas qu'il mentait à strictement parler, mais les choses se sont éclaircies peu à peu dans son esprit. Maintenant, il se souvient de la boutique et je pense qu'on finira par obtenir d'autres détails.

– Le fait que la chaise ait été essuyée, dit Ottosson, est-il compatible avec un homicide commis sous l'emprise d'une impulsion irréfléchie ?

– Il n'est pas fou, répondit Haver. Il comprend bien qu'il a tué mais, instinctivement, il tente de se protéger et cherche un moyen de se tirer d'affaire.

– Comme dans un mariage qui tourne mal, fit Bea.

– Oui, c'est vrai, on a déjà vu ça, admit Ottosson.

Il se cala sur son siège en fermant les yeux. Ola et Bea eurent le sentiment qu'il revoyait en pensée d'anciennes affaires de gens sous le choc, qui paraissaient totalement déboussolés mais n'en avaient pas moins agi de façon rationnelle et avec sang-froid.

– C'est vrai qu'il est bourrelé de remords, dit Haver. Il tient à peine debout.

Ottosson ouvrit les yeux.

– Il a besoin d'un médecin ? s'enquit-il

– On a demandé à un pasteur de venir. Il a dit qu'il voulait parler à quelqu'un d'étranger à l'affaire et je lui ai proposé l'aumônier de l'hôpital, un homme très bien. Marcus a accepté, presque avec joie.

– Ah bon, à ce point-là, commenta le patron. Eh bien, je vais en parler à Ann et à Fritzén, je crois qu'on se dirige... on a pas mal d'éléments, maintenant.

– Qui en doutait ?

– C'est un jeune, répondit Ottosson, dans ce cas-là on se pose toujours des questions.

Une fois Ola et Bea partis, Ottosson se leva et alla regarder le tableau représentant un paysage de l'archipel qu'il avait acheté à petit prix, longtemps auparavant, lors d'une vente aux enchères à Norrtälje, et qui était accroché au-dessus du canapé. « C'est curieux que les habitants de l'archipel n'aient pas eu envie de l'acheter », avait-il confié à sa femme. Pour sa part, elle était d'avis qu'ils en avaient tellement assez de leurs propres rochers qu'ils désiraient voir autre chose que ces éternelles marines. Mais Ottosson ne croyait pas un instant à cette explication. D'après lui, on tenait toujours à son terroir, au point de l'accrocher sur ses murs.

Après un bref passage dans leur salle de séjour, ce tableau était maintenant dans le bureau du patron. Au bout d'un an, il avait saisi pourquoi il l'avait eu à si bon marché. Il planait en effet une sorte de menace, sombre et mal définie, sur cette paisible idylle maritime, avec son pin tordu et ses rares oiseaux de nature difficile à préciser. Sans doute la population locale l'avait-elle remarquée. En quoi consistait cette menace ? Était-ce dans les nuages noirs qu'on voyait au loin ou dans la solitude de cet arbre tourmenté dont le sommet était déformé, peut-être après avoir été frappé par la foudre ?

En regardant ce tableau, Ottosson sentit son sentiment d'impuissance et d'irrésolution augmenter.

– Tu aurais au moins pu ajouter un nid d'aigle, marmonna-t-il à l'adresse de l'artiste, en regagnant son bureau pour appeler Lindell.

Ann se rangea derrière le Birger Jarl et gara sa voiture à l'arrière de Slottskällan. S'agissant d'emplacements privés, elle jugea bon d'apposer la plaque « Police » derrière le pare-brise. Deux hommes se tenant là, l'un avec un plan roulé sous le bras, levèrent les yeux en entendant claquer la portière. « Il va sûrement me faire une observation », pensa-t-elle mais, au même moment, son portable sonna. C'était Ottosson. Pourtant, elle décida de ne pas répondre.

Elle observa les alentours. La butte, derrière elle, avait servi de champ de bataille, jadis. Elle avait lu dans le journal que Danois et Suédois s'y étaient affrontés, des siècles auparavant. Des fouilles avaient en effet permis d'exhumer mettre au jour un nombre considérable d'ossements. On y avait même volé des crânes, ce qui conférait un autre titre de gloire, plus douteux, à ce lieu.

Le personnel de sécurité du Birger Jarl avait consenti, sans grand enthousiasme, à la rencontrer sur place. Ces employés travaillaient tard et se levaient donc de même, mais Lindell leur avait proposé comme seule et unique solution d'avoir la visite de la police à domicile.

Les deux hommes semblaient sortis d'une émission comique à la télévision. Johannes Borg était grand et musclé, il avait le crâne rasé et des tatouages sur les bras. Daniel Blom était petit, blond et curieusement coiffé à la mode des hockeyeurs. Lindell eut du mal à s'empêcher de rire, en les voyant.

C'était Borg le plus bavard des deux. Il avait la voix traînante et peu motivée. En plus, il la regardait de haut, avec un vague sourire de condescendance sur les lèvres.

Il lui expliqua brièvement en quoi consistait leur travail, en profitant pour rappeler qu'ils n'avaient pas dormi pendant la moitié de la nuit.

– Il y a souvent des histoires ? demanda-t-elle en se tournant vers Daniel Blom, qui l'observait de côté sans rien dire.

– C'est un peu chaud, dit-il, surtout le vendredi et le samedi soir, c'est vrai, mais rien de méchant, en général.

Sans être mielleux, il faisait étalage de dispositions à la collaboration qu'elle avait déjà notées chez certains de ses semblables, quand ils parlaient à la police.

– Qui est-ce qui vous cause des ennuis ?

– Deux sortes de types, répondit aussitôt Borg. Des étudiants ivres tout juste sortis des jupes de leur mère et les « nouveaux Suédois », comme certains les appellent.

Le petit maigre fit entendre un bruit de gorge sifflant et sinistre qui voulait sans doute être un rire.

– Qu'est-ce qu'ils font ?

– Ils gueulent parce qu'on les laisse pas entrer, alors que c'est plein, ils pissent dans la rue, jettent des bouteilles, pelotent les filles, importunent les passants, se bagarrent les uns avec les autres…

En n'achevant pas sa phrase, Borg laissait entendre que c'était loin d'être tout.

– Des actes de violences ?

– Rarement. Ils sont surtout forts en gueule. Le pire, c'est quand ils sont en bande parce que, alors, y en a toujours un qui veut impressionner les autres.

– Comme samedi dernier ?

– En effet, répondit Borg avec un sourire.

– Vous n'ignorez pas ce qui s'est passé ensuite, le saccage des vitrines dans Drottninggatan et la victime qu'on a trouvée, dit Lindell en baissant la voix pour inciter les deux hommes à se rapprocher d'elle.

– C'est moche, dit Borg en hochant la tête.

– Certains de nos collègues, des vieux renards que vous connaissez sûrement, sont passés ici vendredi soir. Vous, vous étiez là depuis le début. Qu'est-ce que vous avez vu ?

Ils se regardèrent et c'est Blom qui répondit, cette fois. Le calme avait régné, dans l'ensemble, jusqu'aux environs de minuit et l'arrivée d'une bande à qui on avait refusé l'entrée. Certains avaient peut-être l'âge, mais d'autres pas plus de quinze ou seize ans.

– Surtout des nouveaux Suédois, précisa Borg.

– Qu'est-ce qu'ils ont fait ?

– Demandez à vos collègues.

– J'aimerais avoir votre version, à vous, puisque vous étiez là depuis le début, comme je l'ai déjà dit.

– Pas grand-chose de particulier. Y en avait seulement un qui était plus remonté que les autres, pour ainsi dire.

« Allez, vas-y », pensa Lindell, de plus en plus contrariée, en regardant sa montre.

– C'était le plus vieux. Il jouait les chefs de bande et voulait absolument entrer.

– Quel âge avait-il ?

– Difficile à dire.

– Vous ne lui avez pas demandé de pièce d'identité ?

– Si, mais elle était peut-être fausse.

« Il devrait y avoir des limites à la bêtise », pensa Lindell, voyant le petit Blom se rengorger de plus en plus.

– Vous ne l'avez donc pas laissé entrer, en dépit du fait qu'il avait l'âge, constata Lindell.

– Ils s'habillent de façon un peu bizarre, si vous voyez ce que je veux dire.

Lindell secoua la tête. Constatant que ni l'un ni l'autre ne précisait de lui-même, elle fut dans l'obligation de leur demander ce qu'ils entendaient par « bizarre ».

– Ben, il avait un châle comme ils ont, les kamikazes qu'on voit à la télé, vous comprenez.

– Un châle palestinien ?

– Pas seulement, ajouta Borg toujours sans s'expliquer plus avant.

– Il a protesté ?

– Il s'est mis à gueuler au racisme et ainsi de suite, vous savez comment ils font.

– Oui, je sais, merci. Qu'ont fait mes collègues, alors ?

– Ben, ils leur ont dit de se tirer de là, quoi. Ils gueulent beaucoup mais, dès que les flics rappliquent…

– Le garçon qui portait ce châle pourrait déposer plainte pour discrimination, vous ne l'ignorez pas.

– Vous rigolez ? Vos collègues leur ont dit que les bronzés ont qu'à aller se plaindre au Turkland*.

– C'étaient des Turcs ?

– Qu'est-ce que j'en sais, moi ? explosa Borg. On fait pas de différence, nous.

– La salle n'était pas pleine, il avait l'âge requis et vous ne le laissez pas entrer. Et vous vous étonnez qu'il ne soit pas content, après cela.

– On a des principes.

– Lesquels ? demanda aussitôt Lindell.

– Eh ben, ça serait pas tenable si on mélangeait… commença à dire Borg, mais Blom l'interrompit.

– On connaît nos clients, c'est des gens qui savent se conduire. C'est un endroit comme il faut, ici, alors on est obligé d'avoir des priorités.

– C'est ça, des priorités, opina Borg.

– Vos collègues sont revenus un peu plus tard mais tout était rentré dans l'ordre. Y a pas tellement de gens qui se soucient de nous et de nos conditions de travail, ajouta Borg avec emphase.

* Néologisme des opposants à la mixité raciale.

– C'est pas un boulot facile, renchérit Borg.

– Qu'est-ce que vous dites ? Mes collègues sont revenus ? La même patrouille ?

– Oui, et on aime bien ça, qu'on se soucie de nous.

– À quelle heure ?

– Bah, comment dire, souffla Blom qui n'avait pas remarqué l'intérêt particulier que Lindell portait à ce détail. Sur le coup de une heure, quoi.

– Ouais, à peu près ça, s'empressa d'ajouter Borg. Leo venait de partir, parce qu'il avait rencard à une heure.

Le racisme au quotidien, Lindell ne le connaissait que trop. De petits mots lâchés sans y penser. Il y avait des moments où elle se surprenait elle-même à avoir des idées en ce sens. Elle en avait honte mais se consolait en se disant qu'il y a des préjugés partout et qu'elle n'était pas à l'abri des courants de pensée de son époque.

– Le Turkland, marmonna-t-elle en se retournant.

Les deux hommes étaient toujours sur le trottoir. Borg riait en voyant Blom exécuter une sorte de pantomime qui ne faisait qu'accroître son hilarité. Ne seraient-ils pas en train de se moquer d'elle ? Elle pressa le pas. Elle en vint à penser à Klara, une petite fille qui vivait dans un village non loin d'Ödeshög et dont ils se gaussaient parce qu'elle était « cinglée ». En fait, elle bégayait et prononçait mal certains mots. Mais cela suffisait pour que ses camarades de classe fassent de sa vie un enfer. Ann rougissait encore d'avoir été de celles qui l'avaient persécutée ainsi.

Bien des années plus tard, Ann avait revu Klara lors d'un meeting à Vadstena. Elle y prenait la parole en faveur de la protection des animaux, sans bégayer et avec une hardiesse dont elle n'avait jamais fait preuve à l'école. Klara l'avait aussitôt reconnue, c'était clair au sourire qu'elle lui avait adressé, et Ann avait eu honte rétrospectivement, tout en étant irritée de ce sourire, fort étrangement, et du cran de Klara. Aurait-il mieux valu qu'elle baisse les yeux comme elle le faisait vingt ans auparavant ?

Sans doute Ann s'était-elle attendue à ce genre de comportement et, lorsque cette ancienne victime de leurs brimades s'était muée en personne agissante qui refusait de s'excuser d'être ce qu'elle était, cela l'avait contrariée, d'une certaine façon. « Parler aussi fort des droits des animaux », se souvenait-elle avoir ironisé. Et dire que c'était Klara, parmi toutes les personnes possibles !

Elle avait éprouvé le même sentiment lorsqu'un immigré avait critiqué devant elle tel ou tel aspect de la société suédoise. « Ça te va bien de dire ça », avait-elle pensé, comme si on n'avait pas le droit de critiquer la Suède quand on se prénommait Carlos ou Mohammed.

Elle évitait donc d'exprimer des idées personnelles, par crainte de tels errements. Lors d'une précédente enquête, elle avait croisé le chemin de Ricardo, ce réfugié péruvien, et avait dû faire des efforts pour ne pas tomber dans les clichés. Pour y parvenir, elle s'était récité à voix haute de longs passages du témoignage de cet homme comme si c'était le sien et avait alors constaté que la perspective n'était plus la même. Il lui avait appris beaucoup de choses, pas seulement sur le Pérou et sur l'effet que cela fait d'être un réfugié et un « bronzé ». Sa façon de se comporter dans l'exercice de ses fonctions avait aussi évolué.

L'histoire de cet homme était si peu suédoise et si contradictoire avec son passé à elle et ses valeurs, que sa façon de penser en avait été affectée. Elle avait eu l'impression que son orbite mentale était perturbée.

Ricardo n'était qu'un jeune homme, mais ses paroles avaient revêtu une étrange signification. Ce n'était plus seulement un réfugié ayant connu des choses affreuses, mais quelqu'un qui lui avait permis de voir plus clair en elle-même et dans la société environnante. Pourtant, elle ne l'avait compris que longtemps après.

Et maintenant elle se trouvait dans un coin de sa ville d'Uppsala, avec des cris d'enfants qui s'amusaient autour de Svandammen, des milliers de cadavres sous ses pieds et des oiseaux qui chantaient sur Slottsbacken, et elle savait que l'enquête venait de faire un bond en avant. Car elle avait appris que Lund et Andersson étaient revenus au Birger Jarl une seconde fois, sur le coup de une heure du matin. C'était une nouvelle pour elle, c'en serait sûrement une pour Munke aussi. Elle tenait sans doute la réponse aux questions qu'il se posait sur « les déplacements de nos forces cette nuit-là ».

Elle était persuadée que cette seconde visite ne figurait nulle part. L'alerte à Drottninggatan avait été donnée à 1 h 21. Un peu plus tôt, elle avait tenté, en regardant la carte, de deviner le chemin qu'ils avaient suivi. Maintenant, elle le savait, car elle était convaincue qu'ils avaient traversé le centre de la ville pour gagner Svartbäcken. Qu'avaient-ils vu ? Pourquoi n'avoir pas donné l'alerte ? Car les actes de vandalisme devaient être en cours, à cette heure-là.

– Les salauds, marmonna-t-elle, mais assez haut, manifestement, pour que les architectes l'entendent.

– Je ne parlais pas de vous, crut-elle bon de s'excuser.

– J'espère bien. Est-ce qu'on peut faire quelque chose pour vous ?

– Je ne crois pas.

– Vous êtes de la police ?

– Belle déduction.

– À vrai dire, je vous ai reconnue pour avoir vu votre photo dans la presse.

Ann se sentit confuse, comme chaque fois qu'on lui rappelait ce reportage paru dans l'un des magazines féminins les plus lus du pays. Elle s'était laissée interviewer sans y voir malice. Au boulot, les piques à ce sujet se faisaient de plus en plus rares mais, dans le public, ce portrait de femme célibataire agent de la police criminelle avait laissé bien des traces dans les mémoires.

– Vous êtes venue voir nos chers voisins ?

Lindell se contenta d'opiner du chef.

– Vous étiez là vendredi dernier aussi. C'était nettement moins calme.

– Vous travaillez à cette heure-là ?

– On donnait une petite fête, répondit l'aîné des deux.

– Ah bon. Et qu'est-ce que vous avez vu, ou entendu ? demanda-t-elle en s'approchant des deux hommes.

– Il y a d'abord eu du tapage à Flustret, mais ensuite ils sont venus ici. Le bazar habituel. Des cris, des hurlements et des cannettes un peu partout à la ronde. De quoi se faire un bon petit pécule, pour celui qui les ramasse, dit le plus jeune en riant.

– C'est Roger qui s'en charge, le lundi, plaisanta l'autre.

– Je ne comprends pas : s'ils veulent s'amuser, ils n'ont qu'à entrer écouter de la musique et prendre une bière, dit Roger, pour poursuivre sur le sujet.

– Ils sont trop jeunes, objecta Ann Lindell. Et, même dans le cas contraire, on ne les laisse pas entrer parce qu'ils s'appellent Mohammed et portent un châle palestinien.

Les architectes la regardèrent, l'air étonné, moins par ce qu'elle disait que par la conviction avec laquelle elle avait prononcé ces mots. Ils ne surent quoi dire, peut-être gênés de la franchise inattendue de Lindell.

– Oui, c'est ainsi, ajouta-t-elle, comme viennent de me le confirmer deux des cerbères qui montent la garde sur ce charmant endroit.

Elle prit Nedre Slottsgatan et la suivit vers le nord, sans doute comme l'avait fait la bande, le vendredi, et peut-être la patrouille de police, peu après.

Cette bande, à quoi ressemblait-elle ? Un groupe plus ou moins constitué de jeunes entre quinze et vingt ans, dont certains étaient peut-être ivres mais tous très excités, en quête de quelque chose sans savoir quoi au juste, bruyants, à l'abri dans la masse qui les rendait anonymes, et persuadés que ce soir était le plus important de leur vie.

Ann se souvenait combien les samedis soirs étaient lourds d'expectative pendant son adolescence, dans ce petit trou d'Östergötland qu'ils auraient aimé transformer en ville de carnaval. « Qu'est-ce que nous recherchions, se demanda-t-elle en tournant dans Drottninggatan. L'amour, peut-être, ou à comprendre pourquoi nous vivions et comment nous pourrions le faire. »

Elle freina, pour s'immobiliser quelques mètres plus loin. Derrière elle, un automobiliste klaxonna rageusement. Ann s'engagea alors dans Trädgårdsgatan en s'efforçant de se remémorer dans quel état d'esprit elle se trouvait vingt ans auparavant. Elle n'avait pas été particulièrement indocile et ne s'était guère distinguée des autres. Elle était de celles qui suivaient le mouvement et regardaient. Ce dont elle se souvenait le mieux, c'était des rivalités, de se sentir observée pour la façon dont on s'habillait et se maquillait, ainsi que de l'instabilité des loyautés.

Une fois, elle avait participé à quelque chose d'assez sérieux, un événement qui avait laissé des traces dans la presse locale. Un soir un peu plus morne que les autres, l'un d'entre eux avait brisé un phare de voiture. Ann se souvenait encore du bruit de verre brisé tombant sur le sol. Un autre avait suivi et, bientôt, ç'avait été le déchaînement et le journal avait parlé de centaines de phares cassés.

Tout cela était parfaitement gratuit. Elle n'avait rien fait, pour sa part, mais n'avait pas protesté non plus. Elle était restée passive, à la fois étrangement séduite par le bruit des éclats de verre et excitée à l'idée stupide d'aller de rue en rue avec la seule envie de détruire.

Ce n'était que maintenant qu'elle s'avisait du parallèle entre les événements de vendredi et ses souvenirs d'Ödeshög. Elle sentit le rouge lui monter aux joues.

Cette bande de jeunes avait été provoquée, devant le Birger Jarl, par des agents de sécurité racistes et par deux de ses collègues, et cela avait suffi pour déclencher une réaction en chaîne. En quoi résidait la provocation, jadis, à Ödeshög ? Dans le fait d'être jeunes au sein d'une société qui n'aimait pas les jeunes, selon eux ? Ou bien était-ce Magnus, dont Ann était secrètement amoureuse, qui avait mis l'ensemble en branle ? Un seul phare avait suffi pour enclencher ce mécanisme destructeur.

Que deviendraient les jeunes de Drottninggatan ? Elle se rendait compte que l'avenir était bien plus sombre pour eux. Ödeshög à la fin des années 70 c'était loin d'être Uppsala en 2003.

Elle connaissait comme sa poche sa ville d'origine et n'avait aucun mal à suivre les longs discours de sa mère sur les événements locaux, ni à comprendre pourquoi et comment certaines choses se passaient dans cette petite localité endormie. Le paysage intérieur lui était aussi familier que la géographie du lieu.

En ce qui concernait Uppsala, les choses n'étaient pas aussi simples, souvent la ville ne lui apparaissait que sous son aspect extérieur, comme un réseau de rues sur le fond desquelles Karl Waldemar Andersson, le voyou bien connu aux innombrables larcins et actes de violence, ou Barbro Lovisa Lundberg, prostituée et droguée tout aussi notoire, faisaient l'effet de silhouettes se profilant sur un fond d'adresses bien connues.

En lisant le journal régional d'Ödeshög, elle était capable de se représenter non seulement la topographie mais aussi l'arrière-plan mental qui se cachait derrière les titres, alors que dans celui d'Uppsala, elle ne voyait que l'ombre d'une ville dont elle n'avait pas encore fait connaissance.

L'un de ses collègues était-il mieux informé qu'elle sur le quartier qui se trouvait en ce moment au centre de leurs préoccupations ? Berglund et Ottosson étaient au fait des voyous à l'ancienne et des milieux d'où ils avaient émergé, ou plutôt dans lesquels ils avaient sombré, Lindell l'avait constaté à de nombreuses reprises. Pour eux, cependant, Mohammed et Dacca n'étaient rien d'autre qu'une page d'atlas, image dépourvue de relief d'un terrain inconnu.

Elle pensait que c'était la bande du Birger Jarl qui avait saccagé Drottninggatan, et Munke partageait son opinion. Mais comment les approcher pour les affronter ? Elle se rappelait la conversation que le chauffeur de taxi avait eue avec Sammy à propos du jeune immigré qui se tenait devant le salon de thé de Fågelsången. Avait-il participé aux événements et, si oui, comment le retrouver ?

Elle remit la voiture en marche et prit la rue en sens unique en souhaitant pouvoir remonter le temps et revenir quelques jours en arrière. « C'est ici que ça commence », se dit-elle en éprouvant, pour la première fois depuis le début de l'enquête, un certain optimisme, et se surprenant à sourire.

En se rendant au Savoy, où elle se réfugiait lorsqu'elle avait besoin de réfléchir, elle comprit qu'elle allait devoir accepter l'affrontement avec Munke. Elle n'avait pas peur de lui et éprouvait aussi respect et déférence envers ce collègue expérimenté. Si quelqu'un d'autre avait parlé en termes aussi vagues que lui des « déplacements de nos forces », elle aurait sûrement été plus offensive.

Elle était maintenant un peu mieux armée. Lund et Andersson – celui de Surahammar, car il y en avait plusieurs de ce nom – avaient manifestement tiré leur flemme, ce soir-là, mais plus intéressant encore était le fait qu'ils aient traversé le centre aux environs de une heure du matin, moment critique entre tous.

Munke dirait ce qu'il voudrait, il allait falloir cuisiner les deux hommes pour reconstituer le puzzle. Les agents de sécurité, elle les connaissait tout autant que leur discours.

Le second élément de l'ensemble, c'était la patrouille et, pour pouvoir s'attaquer au troisième, à savoir les jeunes, Munke et elles devraient affronter leurs collègues.

Elle prit place à sa table habituelle, devant un plat sur lequel était posée une viennoiserie. Elle pourrait amener Erik ici, quand il serait grand.

Et Edvard ? Comme d'habitude, il surgit dans son esprit. Pourraient-ils jamais prendre le café ensemble, ici ? Tout en étant consciente de son récent départ pour la Thaïlande, elle sentait sa présence dans chaque fibre de son corps. Elle coupa le massepain vert avec sa cuiller, mais s'interrompit dans son geste. « Peut-on vraiment vivre ainsi ? » se demanda-t-elle en faisant du regard le tour de la salle, qui était vide à l'exception d'un homme d'un certain âge plongé dans son journal.

« Pourquoi m'a-t-il demandé si je voulais venir avec lui ? Rien que pour m'embêter ? Non, ce n'est pas son genre. » Et elle poussa la réflexion jusqu'à les imaginer tous deux sur une plage lointaine. Elle posa la cuiller, en proie à un étrange sentiment de joie. Une petite flamme brûlait, tout au fond, et elle ne voulait pas la laisser s'éteindre. Pour cela, elle fit surgir plusieurs fois de suite cette image : Edvard et elle sur une plage s'étendant à perte de vue. La caresse du soleil sur leur peau, le ressac de la mer et quoi d'autre ? Elle avait du mal à s'imaginer ce que c'était que le climat tropical. Tout ce qu'elle voyait, c'était le bras de mer au large de Gräsö. Elle repoussa l'assiette contenant le gâteau.

Qu'est-ce qui se passait ? Soudain en proie à un bouleversement jusque sur le plan physique, elle avala sa salive en observant l'autre client, toujours aussi absorbé par sa lecture. Elle se leva et quitta le salon de thé avec l'impression que tout était perdu et possible à la fois. Edvard était de l'ordre du possible. Soudain, pour la première fois depuis deux ans, il n'était plus seulement un rêve, le reflet d'une époque révolue, marquée par la douleur et la déloyauté, mais une réalité, un être vraiment vivant auquel on pouvait parler, qu'on pouvait observer ouvertement et à la dérobée, qu'on pouvait toucher et aimer.

Les rayons du soleil lui firent presque mal, à sa sortie. Les bruits de la rue, les collégiens qui passaient à vélo, un couple assez jeune qui venait se ranger devant le salon, un groupe d'artisans qui sortait d'une camionnette en devisant allégrement, tout cela retint un instant son attention.

– Maria, attends-moi ! entendit-elle crier.

Elle regarda derrière elle et vit une adolescente qui se retournait vers une copine avec un sourire.

– Ça commence à quelle heure, la danse ? entendit-elle demander.

Comme elle aurait aimé être une de ces jeunes filles partant danser sur une bicyclette.

Deux dames à déambulateur arrivèrent alors en face d'elle, occupant la largeur du trottoir, et elle descendit pour les laisser passer.

– Per-Ove a dit qu'il nous emmènerait en voiture, si on voulait, dit l'une d'elles.

– C'est gentil de sa part, répondit l'autre.

« Les gens ordinaires, pensa Ann. Je suis au milieu de gens ordinaires. »

Chapitre 29
Mardi 13 mai, 9 h 30

Edvard quitta la réception de l'hôtel, descendit le perron et le sable lui brûla la plante des pieds.

Il faisait trente-quatre degrés à l'ombre et il se dirigea vers le bord de l'eau avec un grand sourire aux lèvres. Il ne se souvenait pas avoir eu aussi chaud de toute sa vie.

Plus il approchait de la mer, moins le sable était brûlant. Il fit un tour d'horizon, toujours aussi souriant. Un couple croisa son chemin, main dans la main, et il observa la femme, magnifiquement bronzée et vêtue d'un bikini rouge vif. L'homme qui marchait près d'elle éclata de rire. Elle lâcha sa main et se mit à courir avant de se retourner pour lui dire quelque chose. Il la rattrapa et passa le bras autour de ses épaules.

Edvard s'immobilisa en pensant à Gräsö. Ce n'était qu'un gros bloc de pierre couvert de fourrés d'argousiers et entouré de rochers plats. On y croisait rarement qui que ce soit. Surtout pas des belles femmes en bikini rouge. S'il rencontrait quelqu'un, c'était soit Lundström, soit le Hongrois, et ni l'un ni l'autre n'était très séduisant.

« Il faut que je fasse attention à ne pas avoir l'air d'un plouc en goguette », pensa-t-il. À Phuket, déjà, un couple de Suédois avec lequel il parlait lui avait mis la puce à l'oreille en lui parlant de prostitution et de célibataires venus là pour se livrer au tourisme sexuel. Sans doute ne l'avaient-ils pas visé personnellement, mais le fait n'en restait pas moins qu'il était un homme seul dans la tranche d'âge cherchant volontiers la compagnie de Thaïlandaises de vingt ou trente ans plus jeunes.

Il s'enfonça dans l'eau tiède jusqu'à mouiller son caleçon de bain, puis recula de quelques pas sous l'assaut des vagues. La proximité de la mer l'enivrait et il revécut certains des moments les plus exaltants qu'il avait connus à Gräsö. À l'horizon, la mer se confondait avec le ciel dans un ensemble de tons bleu-vert. Au loin on voyait passer des bateaux à moteur. Dans quelques jours, il saurait s'ils revenaient au port ou en sortaient, car il allait se déplacer, observer les gens et le mouvement des embarcations, se familiariser avec leurs habitudes. Les pêcheurs thaïlandais devaient bien en avoir, tout comme Lundström.

Mentalement, pourtant, il était toujours au pays. Les impressions dont il était bombardé étaient trop fortes, tout était trop nouveau. Mais il savait qu'au bout de quelques jours il se plairait sur l'île de Lanta.

Une demi-douzaine de chiens traînaient sur la grève et il s'attacha en particulier à une femelle au pelage blanc et noir semblable à un spitz. Elle courait partout, indifférente à ce qui l'entourait, au risque de se heurter à l'un des autres chiens, mais elle ne se laissait pas inciter à des cabrioles et continuait son chemin. À certains moments, elle s'allongeait sur le sol, comme pour se reposer, la tête entre les pattes ou sur le flanc, sans se soucier de la population locale passant près d'elle pour ramasser des moules ni des enfants en train de jouer.

Edvard approcha et s'accroupit près d'elle. Elle ouvrit un œil mais le referma aussitôt. Edvard éclata de rire. Elle était totalement détendue, comme si elle était en vacances perpétuelles.

Il poursuivit sa promenade le long de la grève, heureux de s'être décidé à partir. Il croisa un groupe de touristes gesticulant et se coupant la parole, avec l'impression qu'il s'agissait de Français.

Soudain, le découragement s'empara de lui et, pour une fois, il se laissa aller. En général, il mobilisait son courage, quand les idées noires l'envahissaient de façon sournoise. Elles l'avaient pris un nombre suffisant de fois dans leur filet et il avait décidé de changer de peau, d'être plus libre, car le vieux moulin tournant en lui n'avait produit que de bien tristes résultats.

Il se retourna. La chienne s'était relevée et le suivait à petits pas. Elle croisa les Français sans prêter attention à leurs mains tendues et tentatives de contact. « Viens, pensa Edvard, suis-moi, à la place. » Il s'arrêta et attendit qu'elle l'ait rejoint. Il se mit alors à courir et l'animal se lança à ses trousses, de manière un peu hésitante au début, mais avec de plus en plus de conviction. Elle le dépassa, s'arrêta au bout d'une dizaine de mètres et l'attendit à son tour, le laissant passer avant de s'élancer à nouveau derrière lui.

Ils continuèrent ce petit jeu jusqu'à ce que la plage bute contre une masse de rochers sur laquelle Edvard s'assit, essoufflé et en sueur. La chienne vint se coucher à ses pieds et il eut un sentiment de gratitude envers cette nouvelle amie. « Je suis sauvé », pensa-t-il.

Ils se regardèrent et Edvard lui dit que, dans son pays, les chiens devaient le plus souvent être tenus en laisse. Il lui confia aussi qu'il était venu en Thaïlande seul mais que, en Suède, il y avait une femme qui s'appelait Ann Lindell.

– Elle n'a pas pu venir avec moi, ajouta-t-il, et la chienne le regarda avec de grands yeux compréhensifs.

– Je l'aime, dit-il encore, en s'étonnant lui-même que ces mots lui viennent à la bouche. Il y avait si longtemps qu'il n'avait pas utilisé le mot « aimer » qu'il lui semblait étrange et solennel, comme s'il ne pouvait s'appliquer à lui.

Puis la chienne se mit sur ses pattes et s'éloigna sans autre forme de procès. Edvard resta les pieds dans l'eau, à regarder la mer d'Andaman tel un naufragé attendant du secours, perché sur un écueil.

L'hôtel s'appelait Golden Bay et était constitué d'une quarantaine de bungalows proches de la plage. Edvard s'était vu attribuer le numéro 11 et était très satisfait de son sort, et en particulier de l'amabilité du personnel. Il était placé sous l'autorité d'un certain Mr Job et, malgré ses vingt-quatre ans, Miss Sunny était la plus âgée de tous.

Edvard s'assit pour bavarder avec eux et s'informer de leurs conditions de travail et de leur salaire. Le cuisinier, jeune homme aux yeux d'un noir de jais et à accroche-cœur sur le front, vint se mêler à la conversation et parler du poisson en riant.

Au déjeuner, il y avait en effet du poisson, une sorte de rouget. Navré de voir qu'il était seul, le personnel lui proposa de se joindre à quelqu'un d'autre, mais il déclara que c'était parfait ainsi.

Il mentait, car il observait les autres pensionnaires d'un œil un peu jaloux. Il avait honte de sa solitude, qui se remarquait loin à la ronde dans ce pays où l'on riait et conversait si volontiers. À Gräsö, personne ne haussait les sourcils parce qu'il se déplaçait seul sur l'île ou partait en bateau avec les oiseaux de mer pour unique compagnie.

Au moment du dessert, une femme approcha de lui.

– Puis-je prendre place à votre table ?

Edvard acquiesça d'un signe de tête.

– Comment savez-vous que je suis suédois ?

Pour toute réponse, elle désigna du doigt sa blague de tabac à priser. Il ne l'avait pas encore vue. Elle était suédoise elle aussi, et même de Norrtälje, et effectuait un voyage en Thaïlande et en Malaisie.

Edvard fut heureux de la rencontrer, plus encore qu'il ne voulut bien le laisser paraître. Il l'observa discrètement tandis qu'elle s'attaquait à son morceau de poisson et passa un bon moment en sa compagnie. Il estima qu'elle devait avoir la quarantaine. « Comme Ann », pensa-t-il, mais là s'arrêtait la comparaison car Marie Berg était brune et presque aussi grande que lui. Elle avait une curieuse façon de parler, s'exprimant au moyen de phrases courtes qui crépitaient un peu comme des salves de mitrailleuse puis elle s'interrompait aussi brusquement, en observant Edvard avec attention, dans l'attente d'une réponse ou un commentaire. Il lui fallut un moment pour s'habituer à ce genre de dialogue.

– Vous n'êtes pas comme Viola, dit-il au bout d'un moment, ce qui suscita l'étonnement de sa compagne de table. La personne chez qui je loge, expliqua-t-il, en voyant le sourire interrogateur de Marie.

– Et elle n'est pas comme moi ?

– Vous avez moins de rides qu'elle. Heureusement pour vous, parce qu'elle a quatre-vingt-dix ans. Et, quand elle me parle, elle se tourne vers les éléments de la cuisine. Mais elle fait pareil avec Viktor, son ami si on veut, bien qu'ils n'aient jamais vécu ensemble, mais il a toujours été là.

Edvard porta le regard vers la mer et, pour une fois, elle attendit qu'il continue.

– Ils sont un peu ma famille, tous les deux, et ils me manqueront beaucoup. Comme Albert, mon grand-père, qui a vécu jusqu'à près de cent ans et a eu beaucoup d'importance pour moi.

– Vous n'avez personne de plus jeune, parmi vos proches ?

Marie Berg le désarmait totalement, avec ses manières franches et directes. Après deux autres bières locales, il lui avait dit à peu près tout de lui et de sa vie.

De son côté, il subodorait qu'elle avait envie d'un peu de conversation, après avoir voyagé seule, et était heureuse de trouver un compatriote solitaire. Il n'était pas sans être flatté de l'intérêt qu'elle lui portait, également.

Ils décidèrent d'explorer la côte ensemble.

Elle était vêtue d'un pantalon mi-long assez ample qu'elle avait acheté à Penang et d'un minuscule haut qui révélait ses petits seins, quand elle se baissait pour ramasser des coquillages.

Elle lui dit qu'elle vivait seule depuis deux ans, mais qu'elle avait un fils de dix-neuf ans, en première année d'études à l'École Technique Supérieure de Luleå.

Une fois qu'ils se furent retirés chacun dans son bungalow, le soir, il se prit à penser à elle et sourit de l'enthousiasme dont elle faisait preuve envers ces gens si aimables qu'ils avaient croisés. Par exemple cette famille de pêcheurs, assise sur la grève à l'ombre des tamaris, qui extrayait de ses filets grossièrement réparés des poissons de toutes les couleurs et des crustacés.

Edvard les avait pris en photo avec le vieil appareil de Viktor. Marie avait éclaté de rire en le voyant sortir cette antiquité de son étui brun et Edvard, légèrement vexé, lui avait répliqué que l'objectif était de toute première qualité. Il avait souri lui-même quand Viktor lui avait proposé de l'emporter, mais maintenant il défendait cet engin datant des années 50 avec les mêmes arguments.

Marie avait joué et bavardé avec les enfants. L'un des aînés connaissait un peu d'anglais. Elle l'avait questionné pour savoir s'il allait à l'école, combien ils vendaient leur poisson et une foule d'autres choses. Tout le monde avait fini par se mêler à la conversation et le jeune garçon avait eu du mal à traduire tout cela.

Edvard se versa une goutte de gin de la bouteille qu'il avait achetée à bord de l'avion, et y ajouta un peu de tonic. Il y avait longtemps qu'il ne s'était pas senti aussi bien. Il n'était plus seul. Le bungalow de Marie n'était pas loin du sien et ils n'allaient pas manquer de se revoir.

Chapitre 30
Mardi 13 mai, 10 h 10

Mehrdad baissa les yeux vers ses mains, nettement plus grandes que celles d'Ali. Il les tordait comme s'il était en train de les enduire de savon. Depuis qu'Ali était entré dans la pièce, il n'avait d'ailleurs guère cessé de s'agiter, se levant et s'asseyant tour à tour, allant de son lit au bureau et touchant à tout. Ali, lui, était assis sur le sol, adossé à la porte de la penderie, et de plus en plus mal à l'aise. Pas seulement à cause de l'inquiétude que trahissait Mehrdad, mais aussi parce qu'il manquait à nouveau l'école. Si elle savait qu'il était allé chez Mehrdad, à la place, Mitra ne manquerait pas de le sermonner.

– Où est-ce que je peux mettre ses affaires ?

Ali comprit qu'il faisait allusion à ce qu'il avait pris sur le cadavre.

– Va les porter à la police.

Mehrdad le fixa d'un regard dépourvu d'expression.

– Ou bien à ses parents, poursuivit implacablement Ali, il a forcément de la famille.

Mehrdad attrapa un coussin qu'il serra contre son corps entre ses bras.

– Un père et une mère.

Ali prenait plaisir à tourmenter son cousin. Celui-ci avait dépouillé un mort, il était normal qu'il en paye le prix. Il y avait aussi une part de vengeance personnelle, puisque Mehrdad l'avait menacé. Or, Ali était maintenant en mesure de lui rappeler certaines choses. Lui qui avait l'habitude de donner des ordres aux autres était désormais en situation d'infériorité.

– Tous les Suédois ont un père et une mère, grommela Mehrdad.

– Pas tous. Celui de Jakob est plus là.

– Pas comme les nôtres. Il est quelque part, son père, à lui.

– Tu penses souvent au tien ? demanda Ali, soudain pris de pitié pour son cousin.

– Ma mère m'en parle tous les jours. Elle cause de moi, aussi. Elle raconte à Mustafa ce qui se passe. Elle est pas bien dans sa tête, je crois.

– C'est peut-être ça qui lui donne la force de continuer à vivre, déclara Ali sur le ton de gravité qu'adoptait souvent Mitra. Elle est comme mon grand-père, elle parle avec les morts, ajouta-t-il.

Mehrdad le regarda attentivement.

– T'as pensé qu'y a sans arrêt des gens qui meurent, dit-il. Y en a même qui se tuent, tranquilles, comme ça.

Ali n'avait guère envie de parler de la mort et poussa un grand soupir. Mehrdad n'en continua pas moins.

– Des types comme nous, des ados, qu'en ont assez.

Ali se leva.

– Tu crois que ça fait mal ?

– Je ne sais pas, répondit Ali. Mais qu'est-ce que tu vas faire ? Je veux dire : de ses affaires ?

– Il faut que tu m'aides, hein ? Si ma mère apprenait ça, elle clamserait aussi sec.

Ali imaginait parfaitement l'état d'esprit de Nahid, si la police venait frapper à la porte et arrêter Mehrdad pour avoir dépouillé un mort. Il avait raison, elle ne pourrait pas vivre un jour de plus, si on lui enlevait l'espoir de voir son fils réussir dans l'existence.

Nahid avait perdu l'emploi que Mitra lui avait fait obtenir à l'aéroport d'Arlanda uniquement parce qu'elle s'inquiétait pour son fils. Elle n'arrêtait pas de quitter son poste de travail pour aller lui téléphoner, arrivait en retard et parfois ne venait pas du tout. Son supérieur avait fini par en avoir assez. Mitra l'avait supplié de la garder, mais en vain.

– C'est contagieux, avait-il répliqué non sans raison.

En effet, c'étaient surtout des immigrées qui travaillaient dans ce service de fourniture de repas, et beaucoup parmi elles étaient dans le même cas que les deux Iraniennes. Elles avaient des fils et des filles à faire vivre et étaient facilement influencées par les éternelles lamentations de Nahid à propos de son défunt mari et de son fils.

– Je ne veux pas être mêlé à ça, dit Ali.

– Tu l'es déjà. On est seuls à savoir qui est l'assassin. Il a sûrement la trouille qu'on le dénonce, hein ?

– Un assassin, ça n'a pas la trouille.

– Pourquoi on tue, d'après toi ? Il a la trouille, c'est sûr.

– Mais pas de nous.

– À quoi il pense, alors ?

Mehrdad accorda quelques secondes de réflexion à Ali avant de continuer.

– Il se dit que je le reconnaîtrais, expliqua-t-il.

– Qu'est-ce que tu veux y faire ?

– Si on savait comment il s'appelle, on pourrait appeler la police, suggéra Mehrdad.

– Et comment tu expliqueras ce que tu faisais dans la boutique ?

– Je suis pas forcé de leur dire qui je suis. Je pourrais les appeler...

– Anonymement, compléta Ali.

Ils se regardèrent. Ils entendaient Nahid tousser, dans la pièce voisine. Mehrdad dressa l'oreille et se leva du lit. Il avait tellement l'air de ne savoir quoi faire qu'Ali eut pitié de lui, soudain.

Mehrdad était assis à côté d'Ali, sans rien dire, regardant attentivement par la vitre du bus comme un touriste en voyage. Ils descendirent à Bergsbrunnagatan et se mirent à chercher. Après avoir tourné en rond parmi les diverses entreprises, ils trouvèrent celle du nom de Stigs Golv, ou plutôt une flèche indiquant la direction d'une sorte de cour.

Ce n'est qu'alors qu'Ali commença à croire ce que lui disait son cousin. Il existait bel et bien une firme de ce nom, ils apercevaient même la camionnette dont Mehrdad avait parlé. L'homme que ce dernier avait vu devait donc exister, lui aussi. Restait quand même à savoir si c'était véritablement lui le meurtrier.

Ils jetèrent un coup d'œil dans la cour, en passant devant. Le portail était ouvert et ils virent un baraquement, un container à ordures et un dépôt de ferraille devant un bâtiment sur lequel était écrit « Pompes en tous genres ».

– C'est pas grand, constata Ali.

– Tant mieux, dit Mehrdad.

– Qu'est-ce qu'on fait ?

Mehrdad le regarda sans répondre. Ali savait que c'était à lui de prendre les décisions.

– On pourrait attendre de l'autre côté de la rue, pour voir s'il se pointe.

– Il nous repérerait, objecta Mehrdad.

– Je pourrais entrer, suggéra soudain Ali, et faire celui qui cherche un stage pour l'école.

– Il est dangereux, dit Mehrdad, prenant Ali par le bras.

– Moi, il me connaît pas.

– On se ressemble.

Ali regarda son cousin en se disant qu'ils ne se ressemblaient pas du tout, mais il comprenait ce qu'il voulait dire.

– J'essaie, dit-il en traversant la rue malgré les protestations de ce dernier.

Un camion lui frôla le dos, lui ébouriffant les cheveux, et il sentit l'odeur d'une substance inconnue. « C'est pas plus difficile que ça, de mourir », pensa-t-il en pénétrant dans la cour.

Deux hommes, en train de discuter devant le marchand de pompes, regardèrent Ali d'un œil indifférent. L'un d'eux alluma une cigarette et dit quelque chose qui fit rire l'autre. Leur attitude simple et sans façon rassura Ali, qui les entendit échanger des mots dont il ne comprit pas le sens.

Il aimait bien cette rue et son agitation laborieuse. Hadi lui avait parlé de la rue de Shiraz où son frère aîné avait un atelier de réparation de vélomoteurs. Il lui en avait décrit les odeurs, les bruits que faisaient les hommes au travail et la façon dont ils s'interpellaient par-dessus les établis, noirs de suie et de cambouis.

Ali fit mine de chercher quelque chose. Le baraquement abritant Stigs Golv n'était pas en très bon état, la peinture était écaillée et un morceau du toit en carton claquait au vent tel un drapeau. La camionnette était garée devant, porte arrière grande ouverte.

Le container était plein à ras bord de bric-à-brac, parmi lequel Ali distingua des morceaux de tôle et des tuyaux rouillés. « Il faudrait le vider », pensa-t-il, juste au moment où une benne pénétrait dans la cour en marche arrière. Un homme passa la tête par une porte coulissante, sortit dans la cour et se mit à diriger le chauffeur de la main. Celui-ci eut un sourire, sachant parfaitement ce qu'il avait à faire. Il avait déjà effectué des milliers de marches arrière de ce genre et n'avait pas besoin de ces gesticulations. C'est en tout cas ainsi qu'Ali interpréta son sourire.

Le chauffeur descendit, décrocha le système élévateur et y fixa le container en tirant avec un plaisir manifeste sur sa cigarette et donnant l'impression d'une grande facilité. Il s'arrêta un instant, tira une nouvelle bouffée et sourit à Ali. Puis il sortit un filet de couleur verte de dessous la benne. Ali suivait ses mouvements et ne remarqua pas l'homme qui traversait la cour.

– Qu'est-ce que tu fous là, bon sang ?

Le chauffeur tourna la tête, Ali pivota sur ses talons et se trouva face à face avec deux yeux d'un bleu profond. L'homme était en tenue de travail, avec des protections aux genoux. Celles-ci étaient de forme carrée et l'étoffe usée et décolorée. Ali eut d'abord le réflexe de s'enfuir, mais se domina et bredouilla quelque chose.

– Hein ?

– Je cherche un truc.

– Quel truc ? Tu viens fouiner, oui.

L'homme prit Ali par l'épaule en lançant un regard au chauffeur.

– Un atelier, quoi.

Ali sentit la sueur qui lui coulait le long du dos et son estomac qui menaçait de se tordre.

–Y a pas d'atelier, ici.

– Pour réparer les motos, précisa Ali.

L'homme le poussa en direction du portail.

– Laisse-le, ce gamin, dit soudain le chauffeur.

– On a que des emmerdes, avec eux, dit le poseur de moquette.

– Il me faut un stage, lança Ali.

– Oui, tiens, mon œil. Allez, file.

Il aurait dû partir, mais ne bougeait pas. Il avait senti la main d'un assassin, sur son épaule, et flairé son haleine. Car c'était sûrement lui, non ?

–Y a pas de risque, ici, dit le chauffeur en désignant de la tête le poseur de moquette qui regagnait le baraquement.

Ali ne comprit pas bien ce qu'il voulait dire mais cela le tira de sa torpeur et il se dirigea lentement vers la rue. En entendant la porte du baraquement claquer, il s'arrêta pour regarder derrière lui. Le chauffeur finissait ce qu'il avait entrepris. Ali revint sur ses pas et alla se poster de façon à ce que le container le dissimule.

– Vous le connaissez ?

Le chauffeur secoua la tête.

– Il est pas très malin. Il m'engueule toujours, quand je viens ici.

– Il travaille chez Stigs Golv ?

– Exact. Pourquoi tu me demandes ça ?

– Ils sont nombreux, à bosser là ?

Le chauffeur ne répondit pas et se mit en devoir de passer le filet par-dessus le chargement.

– Tiens-moi donc ça, dit-il à Ali, mais celui-ci comprit que son intervention n'était pas absolument indispensable. Deux, répondit-il ensuite en lançant un coup d'œil rapide à Ali, au passage. Ça t'intéresse de le savoir ?

Ali hésita une seconde, se rendant compte que l'aide du chauffeur pourrait lui être utile.

– Il a été salaud avec une fille que je connais, dit-il.

– Une fille ? Ta sœur ?

Ali hocha la tête.

– Qu'est-ce qu'il lui a fait ?

Le chauffeur contourna la benne en donnant des coups secs sur le filet et l'attacha de l'autre côté en regardant en direction du baraquement. Ali resta sur place, le bout de corde entre les mains. Lorsque le chauffeur revint vers lui, l'expression de son visage avait changé.

– Les affaires de cœur, c'est pas mon truc, dit-il. Faudra régler ça tout seul. Elle a quel âge, ta sœur ?

– Vingt-six ans, lâcha Ali sous l'inspiration du moment.

Le chauffeur le dévisagea avant de jeter un coup d'œil sur le chargement et de remonter dans la cabine. Ali approcha de quelques pas.

– Eh bien, merci de ton aide, dit le chauffeur.

– Pas de quoi, répondit Ali, et au moment précis où la benne démarrait, il ajouta : C'est un assassin !

Le chauffeur freina brusquement.

– Qu'est-ce que t'as dit ?

– Ma sœur, c'est pas vrai, j'en ai pas.

– Pourquoi tu parles d'assassin, alors ?

Le visage du chauffeur exprimait la surprise mais peut-être aussi la peur. Ali ne savait pas comment continuer.

Au même moment, il vit le poseur de moquette se diriger vers lui, le regard mauvais. Le chauffeur le remarqua aussi et ouvrit la porte de la cabine, mais Ali avait déjà pris ses jambes à son cou. Mehrdad était dans la rue, à une vingtaine de mètres de là et lui faisait de grands signes avec les mains. Un groupe de femmes passant par là le regarda d'un œil amusé.

« On s'est plantés », pensa Ali en continuant à courir. Il passa près de Mehrdad, stupéfait, en lui criant qu'ils étaient démasqués et ce dernier fixa un instant le portail des yeux avant de se mettre à courir lui aussi.

– Je l'ai vu, dit Ali, le souffle court.

Ils coururent comme jamais auparavant, descendirent la rue, traversèrent la voie ferrée et se retrouvèrent dans un petit parc. Là, Ali réduisit l'allure et finit par s'arrêter et s'appuyer contre un arbre. Quand il eut retrouvé la parole, il raconta à son cousin ce qui s'était passé.

– Il a peut-être entendu ce que disait le chauffeur, quand il a répété le mot « assassin ». Je ne sais pas, mais il était pas loin, en tout cas.

Mehrdad le regardait d'un air ébahi.

– T'as dit au chauffeur que ce type était un assassin, fit-il, incrédule.

– Il a pas cru que j'avais une sœur, alors je savais plus quoi dire.

– Mais pourquoi tu lui as tout raconté ?

Ali se laissa glisser à terre, toujours adossé à l'arbre.

– Il avait l'air sympa et puis c'est moche de mentir.

– Et s'ils se parlent, il va sûrement…

– Il sait déjà que tu l'as vu.

– Oui, mais pas qu'on le recherche.

De grosses gouttes de pluie se mirent à tomber. Les deux garçons levèrent les yeux et se regardèrent. Chacun était maintenant adossé à un arbre. La pluie redoublait de violence, mais le feuillage les abritait partiellement. Ali était soulagé d'avoir autre chose à quoi penser mais, dès qu'il regardait Mehrdad, il était ramené à la réalité car il ne lisait que de l'inquiétude sur le visage de son cousin. À quelques centaines de mètres d'eux, il y avait un assassin qui ne demandait peut-être qu'à recommencer.

– Faut aller à la police, dit Ali après un long silence.

– Jamais de la vie, répliqua aussitôt Mehrdad, comme s'il s'attendait à entendre ces mots-là. Toi, ça te fait rien, mais pense à ma mère.

– J'étais là-bas, moi aussi.

– C'est pas la même chose.

– T'as la trouille que les flics croient que c'était toi.

Mehrdad hocha la tête.

– Personne croit un bronzé sur parole, et moi, j'ai pas confiance dans la police, dit-il.

Ali n'ignorait pas pourquoi. Mitra n'avait cessé de lui répéter, pendant son enfance, que c'était la police qui avait emmené son père et bien d'autres. C'étaient les bons qui disparaissaient, ceux qui acceptaient et qui se taisaient, on les laissait tranquilles, alors qu'assassins et tortionnaires étaient acclamés comme des héros, circulaient dans de magnifiques voitures et pouvaient se payer tout ce qu'ils voulaient à manger.

– Mais on est en Suède, ici, fit-il remarquer.

– Ça servira qu'à nous faire détester encore plus. Y a eu des vitrines brisées et un meurtre, sûr qu'ils vont nous mettre ça sur le dos.

– Qu'est-ce qu'on va faire ? Si on arrive à savoir qui c'est, ce type, qu'est-ce qu'on fera, après ça ? Le tuer ?

– Je me disais… commença Mehrdad, qui hésitait à poursuivre en voyant la mine d'Ali.

– Qu'on pourrait lui proposer un marché : on dirait rien et lui non plus, c'est ça ?

Son cousin hocha la tête, évitant de croiser son regard.

– Comme ça, il irait pas en prison pour ce qu'il a fait ?

– Ça nous regarde pas, dit Mehrdad à voix basse.

Ali regrettait de s'être laissé embarquer dans cette histoire et ne voulait plus s'en mêler. L'idée de Mehrdad était stupide et, en plus, lui donnait l'impression de s'être fait avoir. Son cousin ne lui avait jamais parlé de conclure un marché avec le poseur de moquette. Ils devaient simplement trouver qui c'était. Ali en avait déduit qu'ils iraient le dénoncer, ensuite. Il avait cédé à l'envie de se lancer à la chasse au meurtrier, mais celle-ci avait pris une tournure bien différente. Et s'il laissait Mehrdad tomber et allait tout seul à la police ?

– On est dans le même bateau, hein ? demanda Mehrdad comme s'il lisait dans les pensées d'Ali.

Celui-ci commençait à avoir froid et se leva.

– On fiche le camp, dit-il et, sans attendre Mehrdad, il commença à s'éloigner, sachant qu'il suffisait de suivre la voie ferrée pour revenir dans le centre.

En se retournant, il vit que Mehrdad s'était levé et regardait derrière lui, du côté d'où ils étaient venus. Ali s'arrêta et faillit lui crier quelque chose. Mais, en voyant son cousin hésiter, il se contenta de marmonner que c'était un idiot et qu'il ne voulait plus le voir.

Au moment où il montait sur le ballast, le soleil fit sa réapparition et il se sentit tout de suite mieux. Il aurait voulu aller loin, suivre la voie sur des dizaines et des dizaines de kilomètres, laisser Uppsala loin derrière lui et arriver quelque part où la Suède et l'Iran se rejoindraient, où on parlerait les deux langues et où aucun des deux pays ne vaudrait mieux que l'autre.

Grand-père Hadi aurait un siège confortable pour son vieux corps, d'où il pourrait contempler les montagnes et les plaines. Mitra serait docteur, elle guérirait les gens et n'aurait pas besoin de trimer à Arlanda. Parfois, il suffirait qu'elle parle aux malades, qu'elle touche leur visage comme elle le faisait jadis, pour qu'ils retrouvent la santé.

« Chacun devrait préparer son propre repas, disait-elle toujours, ou, en tout cas, ceux qui prennent l'avion devraient savoir comment on vit et on travaille, nous autres les femmes de tous les coins de la terre. » Ali avait parfois le sentiment qu'elle se plaisait dans ses fonctions et il n'arrivait pas à comprendre cela. À tel moment, elle disait qu'elle aimait bien ce qu'elle faisait, pour se plaindre d'un supérieur stupide, l'instant suivant.

Ali pressa le pas, enjambant les traverses les unes après les autres, certain que, au bout de la voie ferrée, il saurait tout sur son avenir. Il aurait voulu courir, mais quelque chose le retenait. Il aurait donné l'impression de fuir, alors qu'il allait à la rencontre de quelque chose, au contraire.

La voie se terminait sur un butoir. Surpris, Ali regarda autour de lui. « Uppsala Östra* », finit-il par lire sur un panneau tellement rouillé qu'il menaçait de tomber d'un moment à l'autre. Il avisa un vieux pot de terre fendillé et s'assit sur le bord.

* Gare Est, désormais désaffectée.

– Si tu attends le train, t'es pas au bout de tes peines, lui dit un homme qui traversait les voies et le quai. Le dernier est passé dans les années 60, ajouta-t-il.

Ali esquissa un sourire mais ne répondit rien et l'homme continua son chemin.

Il finit par se lever. Il savait que le commissariat de police n'était pas loin. Et s'il allait tout leur raconter ? Il regarda derrière lui, puis un peu partout dans cette ancienne gare, pour voir si Mehrdad n'arrivait pas. Mais non. Était-il retourné voir le poseur de moquette et lui proposer ce marché ? Il descendit sur la voie et revint de quelques pas en arrière avant de coller l'oreille contre le rail, comme il l'avait vu faire dans un film. Le contact du métal était glacial. Mais toujours pas le moindre signe de Mehrdad.

Chapitre 31
Mardi 13 mai, 13 h 20

Lindell ouvrit la porte en coup de vent et s'immobilisa au milieu de la pièce en s'excusant d'être en retard. Haver, Sammy Nilsson, Beatrice Andersson et Ottosson levèrent les yeux, surpris.

– Je réfléchissais, dit-elle sur un ton d'une telle autorité que le patron de la brigade releva ses lunettes sur son front pour l'observer d'un peu plus près.

– Ah bon, dit-il. Nous accorderas-tu le privilège de connaître le résultat de ces cogitations ?

– Non, répondit-elle en se mettant aussitôt à rire.

Bea et Haver se regardèrent.

– Ça viendra en son temps, ajouta-t-elle. Il faut d'abord que je parle à Munke et il est de sortie, en ce moment.

– Munke, pourquoi ça ?

– Il y a quelque chose qu'il faut tirer au clair, dit-elle. Du nouveau sur le front racial ?

– Qu'est-ce que tu racontes ? demanda Sammy. Tu as pris des produits hallucinogènes ?

Lindell secoua la tête.

– Honnêtement, je ne crois pas un instant aux aveux de Marcus, dit-elle en s'asseyant.

– Ah bon, et sur quoi se base notre petit génie local pour affirmer ça ? demanda Haver.

– Plus exactement : je crois que c'est plus compliqué que ça. Il est arrivé des choses en ville, vendredi soir, dont nous n'avons pas connaissance.

– C'est extrêmement inhabituel, ironisa Sammy.

– Le saccage des vitrines est passé au second plan.

– Après un meurtre et un incendie volontaire, c'est assez normal, non ? fit Haver.

– Mais il faut voir l'ensemble du tableau. Les désordres qui se produisent en ville en ce moment ne sont pas liés exclusivement à l'assassinat. Je crois que les néonazis locaux sont en train de recruter des sympathisants en mettant en avant cet acte de vandalisme. Les gens sont furieux que la moitié de la ville ait été détruite. C'est pourquoi, où que nous allions, il faut partir de cela. Qu'est-ce qui s'est passé et pour quelle raison ?

– Et ensuite ? soupira Haver.

Lindell lui jeta un coup d'œil avant de se lancer à nouveau.

– C'est clair que c'est une bande de jeunes qui a fait ça. On dispose maintenant d'une trentaine de témoignages en ce sens.

– C'est vrai, on peut exclure que ce soit un groupe de retraités en excursion.

Ottosson leva alors la main.

– Je crois savoir, ou plutôt je sais, qu'un groupe de jeunes, composé en majorité d'immigrés, s'est vu refuser l'entrée du Birger Jarl, et a été traité de façon regrettable par les agents de sécurité mais aussi par certains de nos collègues, ce qui les a mis en colère. Ils ont quitté les lieux et déversé leur bile sur les vitrines de Drottninggatan.

– Des collègues ?

– J'y viens, dit Lindell, en se demandant si elle allait tout raconter avant de savoir ce que Munke avait à dire. Au milieu de cette confusion, Sebastian trouve la mort. Comment ? Nous savons que Marcus l'a frappé et poursuivi. Mais ensuite ?

– Il est maintenant mis en examen pour meurtre ou homicide, précisa Ottosson.

– Nous connaissons le mobile et nous avons le sang de Sebastian sur ses vêtements, et surtout nous disposons d'aveux plausibles, ajouta Haver.

– Plausibles jusqu'à quel point ?

Ottosson se cala sur son siège, Sammy Nilsson leva les yeux au plafond et Haver poussa un nouveau soupir.

– Pourquoi en doutes-tu ?

– La chaise, répondit Lindell. Pourquoi aurait-il pris soin d'essuyer la chaise ?

– On a déjà examiné ça sous toutes les coutures. Marcus dit qu'il l'a peut-être essuyée. Il ne se souvient pas et il va sans doute falloir attendre de savoir tout ce qui s'est passé, ce qui n'arrivera peut-être jamais, mais nous avons eu des cas bien plus fragiles que celui-ci. Et il faut se réjouir que le meurtrier soit un Blanc. Vous imaginez d'ici ce qui se passerait si c'était un immigré ?

– Il s'en passe déjà, répliqua Sammy. Trois attaques rien qu'hier soir. Vous avez entendu parler du livreur de pizzas ?

Lindell hocha la tête.

– Tu parlais de collègues, lui rappela Ottosson.

– Lund et Andersson étaient au Birger Jarl, nous le savons déjà, mais ils ont aussi tenu des propos déplacés, répondit-elle posément.

– Peut-être, dit Haver. Et alors ?

Lindell le regarda.

– Je ne sais pas, finit-elle par dire. Il faut que j'en parle à Munke.

Elle sentait qu'elle devait faire front à la méfiance générale, mais elle n'avait à s'en prendre qu'à elle-même. Elle ne devrait pas avoir la langue aussi bien pendue. Elle comprenait qu'ils avaient l'impression d'être pris en traître, qu'elle recueillait des ragots auprès de la Sécurité publique et ne jouait pas franc jeu avec eux.

Elle écarta les bras et s'efforça d'avoir l'air indifférente, ce qui ne fit qu'irriter encore un peu plus Haver, sur le point d'exploser, elle s'en rendait bien compte, mais un regard d'Ottosson mit fin à toute discussion sur ce point.

– L'incendie, lâcha-t-il.

– Trois points intéressants, répondit Sammy Nilsson, trop heureux de changer de sujet. Un jeune noctambule a vu un cycliste avec sac à dos dans Timmermansgatan. Il le décrit comme ayant la quarantaine, un petit bonnet sur la tête et, détail important, une queue-de-cheval qui dépassait de son bonnet.

– Qui peut porter un bonnet à cette époque de l'année ? demanda Bea.

– Il fait frais, la nuit, coupa Ottosson. Au-dessous de zéro à ma maison de campagne, l'autre nuit.

– Cette queue-de-cheval, on la retrouve dans un autre témoignage, celui d'un pompiste qui était sur ses gardes par peur d'autres pyromanes. En quittant son boulot, vers quatre heures et demie du matin, il fait le tour du quartier. Au coin de Gamla Uppsalavägen et Auroragatan, il voit un type à vélo qui file à toute allure vers Svartbäcksgatan. Sans bonnet mais avec une queue-de-cheval. En revanche, il ne se souvient pas d'un sac à dos.

– Il s'était réchauffé entre-temps, suggéra Bea.

– Le troisième ? demanda Lindell.

– Il est intéressant. C'est un livreur de journaux qui croise un type à pied, avec un vélo, dans Ringgatan. Il n'est pas dessus, il marche à côté en le tenant à la main. Le livreur lui demande s'il a crevé, mais le type se contente de baisser les yeux et continue son chemin sans rien dire.

– Il avait une queue-de-cheval ?

– Oui ! Et le mieux, si j'ose dire, c'est qu'il sentait l'essence.

Lindell ne put s'empêcher de sourire en voyant la mine victorieuse de son collègue, comme s'il abattait une main gagnante au poker.

– Ringgatan, répéta Ottosson. Dans quelle partie ?

– Juste avant le Konsum. Ce qui veut dire que le type à la queue-de-cheval venait de Svartbäcken et se dirigeait vers Luthagen.

– Eriksdal, rectifia Ottosson.

– Bon, Eriksdal, mais c'est l'ancien nom. Il crève, ce qui l'oblige à marcher, et se dirige vers l'ouest. Où arrive-t-on, alors ? Eh bien, à Eriksdal ou, plus loin encore, à Tiundaskolan et Stabby. J'ai dans l'idée qu'il habite par-là.

Sammy sortit un dossier de sa serviette.

– Et il sent l'essence, dit Bea. C'est presque trop beau pour être vrai.

– J'ai cherché les noms des cinglés habitant dans ces quartiers qui sont susceptibles de faire ce genre de chose. Et Friberg m'a fourni des éléments. Ce sont des néonazis bien connus. Mais, pour être franc, je n'ai pas l'impression que la Säpo les ait vraiment dans le collimateur.

Lindell se pencha sur la table.

– Tu as lu leur rapport ? demanda Sammy en se tournant vers elle.

– Je n'ai pas eu le temps, répondit-elle très vite, se sentant un peu bête.

Elle aurait dû le prendre, le temps, et lire ce rapport, même si les analyses de Friberg contenaient rarement quoi que ce soit de sensationnel.

– Après en avoir éliminé certains, il m'en reste treize, reprit Sammy.

Il les énuméra les uns après les autres, avec leur numéro national d'identification et la liste de leurs exploits. Lindell reconnut certains d'entre eux. Plus un ou deux autres dont elle avait vaguement entendu parler.

– Qu'est-ce que tu souhaites faire ? demanda Ottosson.

– Du porte-à-porte, répondit Sammy. Me déguiser en vendeur à domicile et proposer des trucs dont personne ne veut. Comme ça, je verrai de quoi ils ont l'air.

–Tu vas leur proposer d'acheter *L'Encyclopédie du crime en Suède* en cinq volumes ?

– Non, mais quelque chose dans ce goût-là. Je vais demander à mon frangin de m'aider. Il est dans le métier.

– Pourquoi cette mise en scène ? demanda Ottosson. Il suffit d'aller chez eux leur poser quelques questions. Ce serait plus simple et plus rapide.

– Je trouve ça plutôt stupide, moi aussi, dit Lindell.

– Bon, dit Sammy. Si on trouve le type à la queue-de-cheval, qu'est-ce qui va se passer ? On pourra peut-être, je dis bien peut-être, le faire identifier par le livreur de journaux et quelqu'un d'autre. Mais il va nier, jurer ses grands dieux qu'il était en train de dormir tranquillement, chez lui, à cette heure-là. Et on ne pourra pas prouver sa participation à l'incendie volontaire. Et, à supposer même qu'on le prenne la main dans le sac, avec cent litres d'essence, un plan du centre pour immigrés et un journal intime dans lequel il aura tout noté, où est-ce que ça nous mènera ? Pour ma part, je pense qu'il s'agit d'une action concertée : distribution de tract et incendie. Si on adopte un profil bas, qu'on trouve le type à la queue-de-cheval et qu'on le surveille discrètement, on pourra peut-être mettre la main sur toute la bande.

Ottosson regarda Sammy, puis Lindell.

– D'accord, finit-il par dire. Va pour ton petit numéro de vendeur. Tu feras peut-être école.

Pendant la suite de cette réunion informelle, Bea résuma la situation quant aux troubles qui s'étaient déroulés en ville. Après la distribution de tracts, qui avait été suivie d'autres à Gränby et à Löten, une série d'événements, tous liés à la question des immigrés, avait eu lieu.

Une vingtaine d'entre eux avaient été victimes d'actes de violence, de menaces et/ou d'atteintes à leurs biens personnels. Cinq vitrines avaient été brisées. Une école avait remplacé l'enseignement de l'après-midi par une session à laquelle la police avait été invitée à participer. C'était l'une des patrouilles canines qui avait été choisie à cette fin, choix qui pouvait paraître étonnant, mais la réaction des élèves avait été positive.

D'après Bea, ils avaient la situation bien en mains pour l'instant, mais elle craignait que le prochain week-end ne soit assez difficile à passer.

Après cela, le silence se fit. Sammy rassembla ses papiers. Lindell tenta d'imaginer une bande qui, ainsi qu'elle et ses collègues et en même temps qu'eux, retournait la situation dans tous les sens. Mais c'étaient eux qui avaient l'initiative. La police devait se contenter d'agir à leur suite, dans le sillage de la violence qu'ils déchaînaient et des dégâts qu'ils occasionnaient.

– Qui est-ce qui se trouve derrière tout ça ? dit-elle.

– À ton avis ? répondit Sammy. La Säpo mène son enquête de son côté, mais il y a une chose certaine : c'est un groupe quelconque qui est à l'origine de ça.

– Ça va faire comme aux États-Unis, commenta Ottosson.

Lindell avait déjà entendu ce refrain et ne croyait pas à cette comparaison. La Suède n'était pas les États-Unis. Il y avait moins d'armes en circulation et, malgré les coupes budgétaires, les autorités sociales et scolaires étaient mieux informées et plus vigilantes. À Atlanta ou Detroit, les choses auraient déjà tourné à la bataille rangée, elle en était persuadée.

Elle regrettait d'avoir parlé de « front racial » et de guerre du même nom, car cela masquait en partie ce dont il était question. On lui avait objecté qu'il ne s'agissait pas de bandes uniquement constituées d'immigrés et que, tout aussi souvent, c'étaient de jeunes Suédois qui étaient les plus actifs au sein de celles-ci.

Elle était convaincue que c'était dû au fait que la situation avait changé, tant à l'école que dans les foyers, et qu'on ne voyait plus la question de la drogue du même œil. Elle en avait parlé avec Olsson, des Stups, qui était scandalisé qu'on ait envisagé de distribuer gratuitement des seringues, ainsi que de la tolérance croissante envers les « drogues douces ».

– On aura bientôt des *coffee-shops* à la hollandaise sur Stora Torget, avait-il ajouté avec une amertume dans la voix que Lindell n'avait pas perçue jusque-là.

– Il ne faut pas abandonner le combat, lui avait-elle répondu, et Olsson avait éclaté de rire.

– Je suis blasé, lui avait alors dit ce vieux chasseur de drogue, j'en ai vu de toutes les couleurs, mais la nouvelle mafia est encore plus hypocrite que les autres.

– Ann ! Houhou ! fit Ottosson.

– Quoi ?

– Je t'ai demandé si tu avais des nouvelles du labo ?

– Aucune. La veste est toujours là-bas. Ryde refuse de les rappeler à l'ordre, il dit que ça ne servirait qu'à les mettre encore plus de mauvais poil, et moi, je n'ose pas lui poser la question, parce que ça ne servirait qu'à le mettre encore plus de mauvais poil, lui.

– L'autopsie.

– Rien de particulier. Il était en parfaite santé, mais on lui a brisé le crâne – je suppose que tu veux parler de Sebastian. Les gens du Bangladesh, je ne sais pas ce qu'il en est.

– Ce n'est pas terminé, compléta Sammy.

Chacun quitta la réunion avec des sentiments mitigés. Lindell avait des scrupules pour n'avoir pas osé parler franchement à propos de Lund et Andersson et du rapport très partiel qu'ils avaient remis.

Haver et Bea étaient mécontents parce que Sebastian était de leur ressort et que Lindell avait semé le doute sur leur travail.

Sammy pensait aux trois corps carbonisés. Il n'avait pas supporté l'idée d'assister à l'autopsie et le regrettait maintenant. Il était désireux de tout savoir sur ces gens et s'en voulait de n'avoir pas été capable de rester jusqu'au bout. Il avait l'impression de les avoir laissé tomber, alors qu'ils avaient déjà connu tant de malheurs.

Ottosson regagna son bureau convaincu que la petite dose d'optimisme qu'ils pouvaient nourrir à propos du cinglé à la queue-de-cheval ne tarderait pas à laisser place au sentiment inverse. Il avait d'ailleurs l'impression de verser de plus en plus dans le pessimisme, ces derniers temps. Avant, c'était lui qui encourageait les autres. Maintenant, il avait surtout envie de se retirer dans sa maison de campagne, à Jumkil, où les merisiers étaient en pleine floraison, d'après sa femme.

Chapitre 32
Mardi 13 mai, 15 h 20

Ann était à nouveau devant le plan d'Uppsala. Ainsi que la fois précédente, elle attendait Munke. Ce vieux renard ne s'était pas montré aussi obligeant, au téléphone, cette fois. La voix rauque, il avait manifesté peu d'empressement pour venir la voir, prétextant la masse de travail qui était la sienne. Lindell n'ignorait pas que la situation en ville faisait monter la tension artérielle des forces de l'ordre jusqu'à la limite du supportable.

« Aurions-nous perdu le contrôle », se demanda-t-elle en balayant des yeux cet ensemble de rues et de pâtés de maisons. Elle avait l'impression d'être un général, au front, qui voyait l'ennemi se regrouper après les premières escarmouches, faire donner ses renforts et approcher de plus en plus de ses lignes et retranchements.

C'était en ces termes militaires que s'exprimait parfois Morenius, le patron du Renseignement. Lindell n'appréciait guère ce langage, mais l'excusait au nom de son passé dans l'armée. Or, voilà qu'elle se surprenait à penser de la même façon et à nourrir l'idée de guerre contre un ennemi intérieur qu'elle était incapable d'identifier. À la différence de certains collègues, elle se refusait à désigner comme tel les bandes de jeunes. Elle tentait de comprendre, mais le plan de la ville ne lui était pas d'une grande aide. Il n'avait guère qu'une fonction de fenêtre ouverte sur la cité.

Elle se retourna et observa sa table de travail, comme pour trouver confirmation de l'ampleur de la confrontation. Elle croulait sous les dossiers et les papiers, urgents pour la plupart. Dans les locaux de garde à vue, des gens étaient entendus ou attendaient de l'être. Et, dans les rues, un plus grand nombre encore aurait dû être pris en main. Par la police, mais aussi par d'autres autorités.

Lors de la traditionnelle nuit de la culture, l'année précédente, elle avait mis Erik dans sa poussette et était descendue se promener en ville. Elle espérait passer un bon moment, grâce à la pléthore d'activités proposées à la population. Or, elle avait été cruellement déçue. Peu après huit heures, elle avait rencontré des collègues de la Sécurité publique qui lui avaient dit qu'ils se rendaient à Slottsbacken.

– Si tu veux de la culture, t'as qu'à monter là-haut, avait suggéré l'un d'eux.

Elle avait suivi Drottninggatan, avec sa poussette, et pénétré dans le parc. Sur les pelouses, des jeunes étaient assis ou allongés, certains ivres, d'autres fort excités. « Des petits morveux », avait-elle pensé en continuant son chemin. Mais, plus elle avançait, plus l'ivrognerie faisait des ravages. Elle avait vu deux adolescentes à moitié nues vomir à qui mieux mieux contre un tronc d'arbre. Une troisième, qui n'avait sans doute pas plus de quatorze ans, pleurait non loin de là. Peu après, elle avait rencontré les mêmes collègues que précédemment.

– On nous appelle à Stadsparken, lui avaient-ils dit. C'est encore pire, là-bas.

À Slottsbacken, ce soir-là, deux filles avaient été violées. L'une d'entre elles avait treize ans.

Ann était rentrée chez elle profondément affligée. Erik, lui, babillait joyeusement dans sa poussette.

Elle fut tirée de ses pensées en entendant frapper à la porte. Munke entra, plus las que d'habitude. Ann pensa qu'elle allait devoir faire très attention à ce qu'elle disait, car il était très susceptible quand il avait une mine pareille.

– Je suis heureuse que tu aies pu venir, entama-t-elle sans détour car Munke n'aimait pas les propos oisifs. J'ai en effet recueilli certains renseignements qui m'inquiètent et je pense que tu es dans le même état d'esprit que moi.

Munke ne dit rien mais soupira lourdement. Il lui fallut un petit moment pour prendre place sur le siège du visiteur après en avoir inspecté le dessous comme s'il craignait qu'il ne puisse supporter son poids.

– Lund et Andersson ne nous ont pas tout raconté, à propos de vendredi dernier. On ne peut dire qu'ils aient choisi la ligne droite, pour aller d'Eriksberg à Svartbäcken. Tu as dû te poser des questions, toi qui essayais de pincer un incendiaire, cette nuit-là.

Toujours aucune réaction.

– Je sais qu'ils sont revenus au Birger Jarl peu avant une heure du matin, poursuivit-elle sans se démonter.

Elle fit semblant de fouiller dans ses papiers pour ne pas devoir regarder Munke en face.

– On ne peut pas dire non plus qu'ils s'y soient très bien comportés mais, le plus important, c'est qu'ils sont sans doute passés par Drottninggatan, pour aller à Svartbäcken, à peu près au moment où les vitrines ont commencé à voler en éclats. Qu'est-ce que tu en penses ?

C'est Munke qui la regarda, cette fois, et il attendit quelques secondes avant de répondre.

– En d'autres termes, tu as mené ta propre enquête, finit-il par dire.

– Je suis simplement allée au Birger Jarl pour entendre les agents de sécurité et, ensuite, il m'a suffi de regarder le plan de la ville, dit-elle posément, bien consciente que le moindre mot de travers ne manquerait pas de déclencher l'ire de Munke. Il me semble que c'est ainsi que les choses ont dû se dérouler.

– Peut-être, dit son collègue.

– Qu'est-ce qui se passait, dans Drottninggatan ? Pourquoi n'ont-ils rien signalé ?

– Le saccage n'avait peut-être pas encore commencé.

Lindell leva les yeux de ses papiers et lança un regard à Munke, comme pour lui signifier ce qu'elle en pensait, mais il baissa les siens vers ses mains sans rien dire. La question de savoir pourquoi Lund et Andersson n'avaient pas prévenu la centrale restait sans réponse.

Dans toute enquête, certains moments font l'effet d'être décisifs. Lindell avait le sentiment que celui-ci en était un. Le silence de mauvais augure de Munke, alors qu'il était ordinairement si prompt à la répartie, lui fit froid dans le dos et elle réprima un frisson. Elle avait mal dans le ventre et le bas du dos. Ce n'était en aucun cas ses douleurs menstruelles, mais quelque chose qu'elle avait déjà ressenti auparavant. La dernière fois, c'était quand elle avait pénétré chez une femme, à la campagne, lors de l'enquête sur l'affaire MedForsk*. La porte était ouverte, la maison abandonnée et, sur l'escalier grinçant qui

* Voir *Le Cercueil de pierre,* même auteur, même éditeur.

menait à l'étage, elle avait senti, et même été convaincue, que la réponse se trouvait en haut de celui-ci.

Munke toussa légèrement. Il ne s'était écoulé que quelques secondes, mais cela faisait l'effet d'une éternité. Allait-il couvrir ses subordonnés ? S'il décidait de mettre l'éteignoir, il serait à peu près impossible de faire la lumière sur ce qui s'était passé. Il disposait de l'autorité nécessaire pour entériner un faux rapport. Lund et Andersson se verraient reprocher de ne pas avoir signalé qu'ils étaient revenus au Birger Jarl, faute purement vénielle. Ils pourraient aussi se voir reprocher la lenteur avec laquelle ils avaient traversé la ville, ce qui n'était guère susceptible de leur porter gravement préjudice, non plus.

Si le trio Lund, Andersson et Munke s'accordait sur une version, elle prévaudrait. Point final. Lindell ne serait pas de taille, même avec l'appui d'Ottosson.

– Oui, c'est un peu bizarre, finit-il par dire pensivement.

Lindell eut l'impression qu'il souriait presque sous cape. Sans doute comprenait-il son inquiétude et l'impatience avec laquelle elle attendait sa réponse.

– Ils nient tout, pour ainsi dire. Je ne demande qu'à les croire, parce que ce sont deux vieux renards avec lesquels j'ai bossé pendant des années, bien avant que tu n'arrives.

Soudain, il se mit debout, les mains sur les hanches, comme s'il s'apprêtait à passer un savon à Lindell.

– Je ne sais pas ce qui se passe, reprit-il, en lui donnant le sentiment de répéter ce qu'elle et d'autres avaient déjà dit ces derniers temps. Ça ne leur ressemble pas, pas tels que je les connais. Ils font partie de la vieille garde qui a appris le boulot sur le tas et s'est toujours montrée très consciencieuse.

« Vas-y, crache, pensa-t-elle, faire partie de la vieille garde n'est pas une garantie. »

– Peut-être qu'ils sont fatigués, on l'est tous un peu, ajouta-t-il après s'être rassis. Mais je crains qu'ils aient commis une faute.

Lindell sentit un poids lui tomber des épaules.

– Comment ça ?

– C'est évident. Je leur ai parlé, comme je te l'ai déjà dit, et ils soutiennent qu'ils sont allés directement d'Eriksberg à Svartbäcken, et qu'ils se sont simplement arrêtés au Birger Jarl pour s'assurer que tout était calme.

– Et Drottninggatan ?

– Ils disent qu'ils ne sont pas passés par-là, et ce n'est pas impossible. Ils déclarent avoir franchi la rivière par Islandsbron et ensuite enfilé Kungsgatan.

– Deux policiers de ce calibre passent toujours par le centre, c'est l'évidence, n'est-ce pas ? demanda Lindell.

– Pas nécessairement, dit Munke, sachant fort bien que ce n'était pas vrai.

– Nous avons un témoin qui a vu une voiture de police dans Drottninggatan, sur le coup d'une heure du matin. On a d'abord pensé qu'il se trompait, mais j'ai parlé moi-même à cette jeune fille, qui m'a rappelée ce matin. Elle a trouvé étrange que les deux hommes s'arrêtent un moment en pleine rue et repartent ensuite sans rien faire, comme si de rien n'était.

– Elle est fiable ? s'enquit Munke en la regardant.

Lindell hocha la tête, non sans éprouver une certaine gratitude envers son collègue. Il ajoutait foi à ce qu'elle disait et se fiait à son jugement. Le grand Munke, redouté de tous, depuis les stagiaires jusqu'aux plus haut gradés, acceptait sa parole, voire un simple hochement de tête.

– Bon, dit-il. Ce ne peut être qu'eux. Dans ce cas, ils mentent. Depuis combien de temps le sais-tu ?

– Depuis ce matin. Je suis la seule, ajouta-t-elle en voyant la mine de Munke. Ce qui m'étonne un peu, c'est que ç'ait été aussi désert, dans le secteur.

– Ça n'a rien de bizarre, répliqua Munke. Imagine un peu : une horde vociférante qui fait un boucan infernal et menace les passants, ça fait le vide en un rien de temps. Si, en plus, ils se mettent à briser des vitrines, il n'y a plus personne à la ronde. Cette fille, d'où venait-elle ?

– Elle était allée chez une copine et s'est trouvée sortir dans la rue juste au moment où la voiture de police arrivait.

– Où s'est-elle arrêtée ?

– En face de l'Ekocafé.

Munke baissa la tête et porta la main à son front. Quand il releva les yeux, Lindell perçut quelque chose de nouveau en lui : une expression d'impuissance, de nudité, comme s'il avait été blessé par un très bon ami.

– À une dizaine de mètres de la librairie où on a retrouvé le corps de Sebastian, donc.

– Je sais, marmonna-t-il.

Il se leva à nouveau. Sa puissante masse corporelle occupait une bonne partie de l'espace du bureau. Deux taches de transpiration avaient fleuri sous ses aisselles.

– Ottosson est au courant ?

– Non, personne d'autre que toi et moi.

– Tu fais un sacré flic, lâcha Munke.

Lindell prit cela pour un compliment, censé compenser le comportement de Lund et Andersson, pour que la somme reste constante, au sein de la corporation. Il fallait bien qu'elle soit à la hauteur, il n'y avait pas d'alternative, pour ce policier vieilli avant l'âge.

– Qu'est-ce qu'on fait ?

– Je vais leur dire deux mots. Tu veux y assister ?

Lindell ne demandait pas mieux, mais elle secoua la tête. Munke lui adressa un sourire en coin.

– Un vrai flic, encore une fois.

– Toi aussi, Holger, je l'ai toujours pensé.

Il sourit à nouveau, mais sans grand enthousiasme, et, comme la fois précédente, il lui tendit son énorme pogne.

Chapitre 33
Mardi 13 mai, 20 h 45

– Qu'est-ce que tu fais ?

– Je cherche un truc, répondit Sammy du fond de la penderie.

– Si c'est les films, je les ai mis dans le garage, lui dit Angelika en riant.

Ces films étaient un éternel sujet de plaisanterie. Il s'agissait de deux cartons à bananes remplis de vieux super-8 des années 60 et 70 que Sammy sortait à intervalles réguliers pour les regarder et décider lesquels transférer sur bande-vidéo. Le problème était qu'il n'avait jamais le temps nécessaire et ils ne cessaient donc d'aller et venir. Ils étaient de nouveau dans le garage, en ce moment.

– Ah, voilà, dit-il en sortant un vêtement d'une caisse.

– Tu vas à une soirée pyjama ?

– Non, je m'en débarrasse.

– Tu t'en débarrasses ?

– Oui, je le jette, répondit Sammy et Angelika vit qu'il avait l'air sérieux. Tu sais comment c'est fabriqué ?

Sammy lui avait parlé de Nasrin et de sa sœur, de l'usine textile du Bangladesh et des affreuses conditions de vie des ouvrières, là-bas.

– Je m'en doute, dit-elle, et pourtant c'est dommage de le jeter. Ces vêtements, ils étaient pour les enfants de Marianne, en principe.

– Je sais, mais pas celui-ci. C'est un si gros mensonge.

Angelika regarda la silhouette de Pocahontas avec un sourire. Elle se souvenait du Noël où ils avaient acheté ce pyjama d'enfant. Cela n'avait plus beaucoup d'importance pour elle.

– Tu sais combien de temps les femmes qui fabriquent ce genre de vêtements pour Disney doivent travailler pour payer une heure de salaire à un de leurs directeurs ?

Angelika secoua la tête.

– Deux cent dix ans. Tu m'as bien entendu : il faut qu'elles bossent deux cent dix ans pour rémunérer une heure de son temps, à lui.

– Ce n'est pas possible. Tu as dû mal lire.

– Si, c'est vrai, je l'ai vu sur la toile, répliqua Sammy en faisant une boule du pyjama.

– C'est à ça que tu as passé la nuit ?

– J'en ai plus appris au cours de la nuit dernière que pendant des années devant la télé. C'est dommage qu'ils ne montrent pas ça, au lieu de leurs idioties.

Il passa dans la cuisine, ouvrit la porte du placard, jeta la boule dans la poubelle d'un geste bien dirigé et resta un instant à regarder le sourire infantile mais assez séduisant de Pocahontas, avant de refermer lentement la porte.

– J'ai aussi envoyé un courrier électronique à Michael Eisner, le P-D.G. de Disney.

– Qu'est-ce que tu lui as dit ?

– J'ai signé une des pétitions qui circulent sur la toile.

– Tu vas aller manifester, aussi ?

Sammy ne répondit pas.

– Dis-moi.

Il lui lança un regard rapide avant de prendre place à la table.

– Tu me sors une bière ?

– Monsieur Nilsson, le grand féministe, n'a qu'à le faire lui-même. Mais je peux lui préparer un ou deux canapés.

Sammy se leva avec un petit sourire sarcastique et alla chercher une liasse de tirages informatiques sur son bureau, avant de sortir les bières.

– Tiens, dit-il à Angelika, occupée à couper du pain, voilà des témoignages qui traitent de choses dont on parle rarement. Tu te rends compte de la façon dont vivent certaines personnes, dans le monde ?

Il sortit une feuille du tas. Par-dessus son épaule, Angelika aperçut la photo d'une jeune femme. Sammy relut le texte dont il avait déjà pris connaissance la veille au soir, en remuant les lèvres au fil de sa lecture. Angelika savait que c'était un signe de concentration, chez lui. Il se comportait toujours ainsi quand il étudiait des documents concernant une enquête qu'il rapportait à la maison.

– « *I have never had a chance to see a movie, to ride a bicycle or to go on a vacation** », lut-il à haute voix. Pas étonnant, elle bosse sept jours sur sept de huit heures du matin à dix heures du soir.

Angelika s'assit à la table, après y avoir posé l'assiette contenant les canapés. Sammy en prit aussitôt un. Des miettes de pain tombèrent sur la photo de Lisa Rahman.

– Tu sais combien elle gagne ?

Angelika secoua la tête.

– 14 centimes de l'heure. Ça doit correspondre à quelque chose comme une couronne, chez nous. Elles sont frappées sur leur lieu de travail, n'ont jamais de congés et ont droit à du poulet une fois tous les deux mois. Celle-ci doit se lever à cinq heures chaque matin et partage une pompe et quatre plaques chauffantes avec une centaine d'autres femmes.

Il lut encore d'autres extraits du texte en tapant sur la feuille avec le bout de l'index et levant de temps en temps les yeux pour s'assurer qu'Angelika l'écoutait.

– Et ce sont ces femmes qui fabriquent nos vêtements, conclut-il.

Angelika vit que son visage était agité de tics. C'était ce qu'elle aimait chez son mari : Sammy Nilsson, le dur, l'inspecteur de police souvent sarcastique et parfois sexiste, pouvait être ému jusqu'aux larmes par le sort d'une parfaite inconnue.

Il enfonça son T-shirt dans son pantalon en répétant ce qu'il venait de dire.

– Ce sont des adolescentes et ce sont elles qui fabriquent nos vêtements.

Il écarta de la main les miettes de pain et lissa la feuille de papier. Angelika eut l'impression qu'il caressait le visage grave de Lisa Rahman.

– C'est une fille comme ça qui est décédée dans cet incendie, dit-il. Et sa sœur est morte dans un autre, qui a ravagé son usine, il y a quelques années. Si je tenais les salauds de nazis qui ont fait ça…

Angelika hocha la tête, faute de savoir quoi ajouter.

– J'aime bien te voir comme ça, finit-elle par dire.

* Je n'ai jamais pu aller au cinéma, faire de la bicyclette ou partir en vacances.

Il leva les yeux de ses papiers et, sur sa figure, la concentration laissa la place à l'étonnement et l'incertitude sur le sens de ses paroles. Le fossé entre ces « usines de la honte » du Bangladesh et leur table de cuisine, avec les canapés et les bières, était un peu trop grand pour être comblé en un instant.

Leurs regards se croisèrent et elle posa sa main sur la sienne. De l'autre, elle ôta une miette restée coincée au coin des lèvres de Sammy.

– Je ne supporte plus ça, tu comprends, dit-il. Le simple fait de savoir que… On ignore une bonne partie de ce qui se passe autour de nous. Si le hasard n'avait pas voulu que cette fille, Falkenhjelm, me donne ce tas de papiers à lire…

– Ce n'est sûrement pas le fait du hasard, dit Angelika.

– J'ai été passablement perturbé, ces temps derniers. Il se passe tellement de choses. Quand je croise quelqu'un dans la rue, je me dis que je ne sais rien à son sujet. Je plonge le regard dans des yeux qui me sont totalement inconnus. Cette personne-là est peut-être porteuse de quelque chose qui me touche, tu comprends. C'est difficile à expliquer. Comme ce pyjama. Cette fille, dit-il en désignant du doigt la photo de la jeune ouvrière du textile, a en fait un rapport avec le vieux pyjama de notre fille.

– Je me souviens quand nous l'avons acheté, dit-elle. Tu le trouvais mignon.

– Pas du tout.

– Tu as parlé de ça avec Falkenhjelm ?

Il secoua la tête.

– Il y a aussi que je suis chargé d'une enquête de police. Si je parlais de ça au boulot, ils s'inquiéteraient.

– Pourquoi ?

– Il ne faut pas trop s'impliquer, tu sais. Pour eux, c'est de l'excès de zèle.

– C'en est pour la plupart des gens. Je me demande combien de personnes tirent des tonnes de documents sur le Bangladesh qu'ils ont trouvés sur la toile. Je sais à peine où ça se situe, d'ailleurs.

– Quelque part dans le monde. Sur le même globe terrestre que nous.

– Si on allait lire un peu au lit ?

– Cette jeune fille, j'aimerais l'inviter au cinéma et lui offrir plein de poulet, dit Sammy.

– Tu as au moins envoyé un courrier électronique au P-D.G. de Disney.

– Bah, il s'en fout.

– Pas Lisa Rahman.

Chapitre 34
Mardi 13 mai, 20 h 55

Ali descendit dans le centre de la ville. Le grand sujet de conversation était toujours les événements du vendredi précédent. Tous les membres de la bande n'étaient pas là, ils n'avaient pas été nombreux à venir ces derniers jours et cela créait une atmosphère d'inquiétude. Chacun avait à l'esprit le risque que tel ou tel d'entre eux ne résiste pas à la pression et n'ait la langue trop bien pendue. Il fallait si peu de choses, quelques mots lancés au hasard, pour que la pierre se mette à dévaler la pente et qu'ils soient tous impliqués. Parmi les jeunes du centre de la ville et de l'école tous, ou à peu près, savaient qui avait participé ou aurait pu le faire. Les rumeurs circulaient, on disait que la police n'allait pas tarder à frapper et qu'elle connaissait les noms des coupables. Cela rendait certains encore plus hâbleurs et faussement indifférents, alors que d'autres n'osaient plus parler ni se montrer en ville.

Ils commencèrent par traîner près des boutiques et, si on les chassait, ils allaient un peu plus loin. Ali suivait le mouvement. Il désirait parler de ce qui était arrivé mais n'avait personne avec qui le faire. D'ailleurs, il ne pouvait guère parler de ce qui s'était passé à la librairie, alors que ce n'était pas l'envie qui lui en manquait.

Il rentra chez lui, mécontent de lui-même et fatigué des fanfaronnades de ses copains. Les affrontements dont on parlait tant n'avaient pas gagné sa banlieue de Gottsunda, mais les différentes bandes étaient en alerte et la tension qui régnait, ainsi que la colère rentrée, pouvaient dégénérer en violence à la moindre provocation.

Certains de ses copains se vantaient haut et fort d'être armés et montraient fièrement du matériel de fabrication maison qu'ils cachaient sous leurs vêtements. Il y en avait même un qui détenait une arme à feu.

Il traversa la rue devant chez Mehrdad et s'immobilisa. Il n'avait pas revu son cousin et ils ne s'étaient pas appelés au téléphone. Ali se doutait que Nahid était malade et qu'il ne quittait pas son chevet.

Une voiture passa près de lui, une autre klaxonna et Ali se réfugia d'un bond sur le trottoir. Monter chez Mehrdad ? Il avait le sentiment que son cousin et lui en avaient fini l'un avec l'autre et il continua son chemin.

Une autre voiture s'arrêta près du parking couvert, à quelques mètres de lui, et le conducteur se recroquevilla sur son siège. Le véhicule contourna lentement le bâtiment, freina et repartit aussitôt, puis freina à nouveau, comme si le chauffeur ne parvenait pas à se décider. Ali était maintenant sur l'entrée du parking. Il laissa passer deux voitures avant de la traverser. Du coin de l'œil, il épia la voiture parvenue au carrefour afin de graver son image dans sa mémoire. « Pourquoi ne part-il pas ? » se demanda-t-il en lançant un dernier regard en direction de l'immeuble de Mehrdad.

Chapitre 35
Mercredi 14 mai, 9 h 30

Birger Andersson était entré à la Sécurité publique au cœur de l'été 1967 et une de ses premières tâches avait été de forcer, avec un serrurier, la porte de l'appartement d'un suicidé, dans Verkmästargatan. La puanteur y était indescriptible et les mouches en quantité industrielle.

Il y repensait souvent, quand il n'avait pas le moral. « Rien ne pourra être pire que cela », s'était-il dit devant le corps en putréfaction. Désormais, il ne parlait plus jamais de ces mouches, de la peau couleur de cire et à moitié décomposée du cadavre, ni de la pathétique lettre d'adieu dans laquelle le défunt attribuait son geste à un amour malheureux. D'autres tâches étaient venues rejeter celle-ci dans l'ombre.

Parfois, s'il rencontrait quelqu'un du nom d'Olsson, il se revoyait devant cette porte, avant qu'elle ne s'ouvre et que la puanteur ne se répande dans la cage d'escalier, en train de se demander, avec son collègue, ce que signifiait le G de « G. Olsson », le nom inscrit en lettres blanches sur le couvercle de la boîte aux lettres. Pour éviter de vomir, ils avaient débité tous les prénoms commençant par G qu'ils connaissaient.

– Dégueule pas, avait dit son collègue Bosse Wickman, d'une voix pleine de dégoût, en voyant la face livide du corps.

Or, l'homme qui était en ce moment devant lui s'appelait Olsson. Il avait frappé sa femme et nul ne pouvait dire combien de fois c'était déjà arrivé, même pas l'intéressée.

Il se concentrait sur cette femme d'une petite cinquantaine d'années à l'air de chien battu. Ses cheveux jadis bruns étaient maintenant grisonnants et si clairsemés qu'on voyait le rose de son crâne entre ses mèches. À la question qu'il lui avait posée sur ce qui s'était passé, elle avait seulement répondu en secouant la tête, incapable de prononcer une parole sensée. Elle avait pleuré, imploré son mari d'arrêter, mais il n'avait accédé à sa demande que lorsqu'il avait été trop épuisé pour poursuivre ses mauvais traitements.

C'étaient les voisins qui avaient appelé. Lund et Andersson n'étaient arrivés sur les lieux qu'une heure après le début des événements.

– Ça ne vaut pas la peine d'en parler, finit-elle par dire. Il perd la tête, quand il a bu.

– Il faut que vous déposiez plainte, dit Andersson.

– Elle m'a mordu, coupa Olsson.

– Ta gueule, intima Lund.

– Il se met en colère, de temps en temps, mais ça passe, dit-elle en s'efforçant de cesser de trembler.

Lund entraîna le mari dans la cuisine et referma la porte derrière eux, mais la femme ne s'emporta pas contre lui pour autant et tint le regard braqué sur la porte.

Andersson savait comment cela se terminerait. Le couple se réconcilierait en présence des policiers, la femme ne déposerait pas de plainte et ils repartiraient de là avec un sentiment de frustration.

– Il aurait mieux valu que ce soit ce salaud-là qui se pende, dit Andersson, une fois de retour dans la voiture.

– Qu'est-ce que tu veux dire ?

– Il s'appelle Olsson, lui aussi, se contenta-t-il de dire en actionnant le levier de changement de vitesse.

Il n'avait guère envie de parler avec son collègue, pas plus qu'être assis près de lui dans cette voiture. Depuis les événements du vendredi précédent, il avait perdu tout appétit pour le travail et avait envisagé de se faire porter pâle, avant d'y renoncer. Il n'avait pas pris un seul jour de congé depuis le début des années 90 et en était fier, en tant que fils d'un fabricant d'outils qui n'avait pas manqué un seul jour de travail pour cause de maladie au cours des trente-deux ans qu'il avait passés à l'usine de Surahammar. Les questions ne manqueraient pas de pleuvoir, en plus de cela.

– Ce que tu peux être de mauvais poil, grogna Lund.

Andersson freina brusquement.

– C'est pas à toi de me dire ça, siffla-t-il.

Son collègue, qui ne s'attendait pas à un freinage aussi brutal et avait été projeté en avant contre le pare-brise, le regarda, vit le coup d'œil qu'il lui lançait et s'efforça de sourire, en reprenant une position normale. Mais le sourire se figea sur ses lèvres.

Tous deux regardaient droit devant eux, sachant fort bien ce que pensait l'autre : les choses ne seraient plus jamais comme avant et ils ne pourraient plus partager cette voiture radio avec le même plaisir. Pendant des années, ils avaient été inséparables et détenaient le record sous ce rapport, à la Sécurité publique. Or, depuis ce malencontreux vendredi soir, les liens nécessaires pour qu'ils puissent fonctionner harmonieusement avaient été rompus.

– On a tous des mauvais moments, finit par dire Lund. La fille sur la plage au bord du lac, par exemple… mais tu préfères peut-être ne pas en parler.

Andersson tourna lentement la tête et, l'espace d'une seconde, leurs regards se croisèrent pour confirmer que c'était terminé. Il n'y avait pas d'autre solution, ils devaient mettre fin à leur collaboration.

Chapitre 36
Mercredi 14 mai, 9 h 40

Ali se dirigea vers la fenêtre mais, à mi-chemin, il se retourna pour examiner le plancher, comme s'il le trouvait usé, entre le lit et la fenêtre.

Dans la cour, il ne vit rien d'anormal. Il lui semblait pourtant qu'il y avait quelque chose de changé, à moins que ce fût uniquement dans sa tête qu'elle parût plus petite ou plus sombre.

La fièvre qui le taraudait était différente de celle qu'il ressentait dans la salle de boxe, sous les yeux attentifs de Konrad, ou à l'école lorsque le regard désabusé et la colère difficilement maîtrisés du professeur le mettaient en nage et le faisaient buter sur les mots.

Non, ce n'était pas une menace qui pesait sur la cour. Il se sentait à peu près en sécurité dans l'appartement mais, à l'extérieur, se trouvait le meurtrier. Ali l'avait vu et imaginait sa colère et ses mains. Habitait-il Gottsunda ? Mehrdad le croyait, Ali ne savait que penser. Le poseur de moquette était descendu de voiture devant le centre commercial, mais cela ne signifiait pas nécessairement qu'il vivait là.

« J'ai peur », se dit-il. Ce n'était pas nouveau, cela datait de quelques jours. Mais à cela s'ajoutait désormais une menace extérieure. Ali se rendait compte qu'il avait hérité cette disposition à l'inquiétude de sa mère, à moins qu'il redoutât seulement de lui faire de la peine. Elle avait eu tellement d'épreuves dans sa vie qu'il ne voulait surtout pas accroître le fardeau qui pesait sur ses épaules.

Elle se laissait parfois aller à l'hilarité mais, derrière ce rire, se dissimulait la peur de l'avenir. Or, l'avenir, pour elle, c'était lui, Ali. Et elle le surveillait tel un épervier.

Deux jeunes filles de son âge traversaient la pelouse. Il connaissait l'une d'elles. « C'est ma cour, pensa-t-il, c'est là que j'ai grandi. Je la connais et elle me connaît. Nous nous souviendrons l'un de l'autre. Les arbres qui bordent le parking m'ont vu vieillir et, moi, je les ai vus pousser chaque année sans y prêter attention, en fait. »

Il ne savait comment exprimer le sentiment qui avait crû en lui ces derniers temps. Il observa attentivement la cour, notant chaque détail comme si c'était la première fois qu'il voyait le garage à vélos, les corbeilles à papier et les plantations. Était-il bien chez lui, ici ?

Pour la première fois de sa vie, il avait le sentiment de décider par lui-même. « J'existe et ce que je dis a de l'importance. Ali parle, Ali veut. »

– Je suis Ali, dit-il à haute voix, avec l'impression que les deux filles l'entendaient. Je suis Ali et j'ai décidé que je serais content, que Mitra serait contente, que grand-père vivrait longtemps et qu'il boirait de nombreuses tasses de café dans la cuisine de ces paysans.

Il frissonna devant l'immensité qui s'étendait devant lui.

– Je devrais aller à l'école, dit-il en se plaçant si près de la fenêtre que ses paroles laissèrent de la buée sur la vitre.

Les ronflements de son grand-père, dans la pièce voisine, l'apaisèrent, ne fût-ce que l'espace d'un instant. Il retourna se coucher, mais se releva aussitôt, se regarda dans la glace et empoigna sa sacoche.

Il quitta l'appartement et se dirigea vers l'arrêt d'autobus. C'était une de ces journées où les gens se souriaient volontiers. La chaleur ne faiblissait pas et les balayeuses municipales s'activaient pour débarrasser la chaussée du sable qui y avait été déversé pendant l'hiver.

Ali marchait d'un bon pas. Son indécision du matin s'était muée en un choix qui le propulsait résolument. Il regrettait de ne pas avoir demandé à Mitra de l'argent pour acheter de l'essence, la veille au soir. Il aurait alors pu prendre son vélomoteur et arriver à l'heure à l'école.

Il fréquentait un établissement du centre de la ville que Mitra estimait mieux lui convenir. Elle avait pensé qu'il se ferait peut-être d'autres camarades, s'il n'était plus à Gottsunda toute la journée. Mais cet espoir n'avait pas été exaucé. Il détonait un peu, dans cette nouvelle école, même s'il ne s'en souciait guère. Il n'était pas brimé, non plus, car on savait qu'il faisait de la boxe et cela suffisait pour intimider les autres élèves et les dissuader de s'en prendre à lui. Mais il y avait d'autres moyens et Ali n'avait jamais pu s'intégrer véritablement. Cela ne le perturbait pas, parce qu'il savait d'avance que sa scolarité ne serait pas extraordinaire. Seule Mitra nourrissait des rêves pour son avenir et espérait en faire quelqu'un de très instruit.

Il regarda autour de lui, dans la rue. Cette fois, il n'y avait pas Mehrdad pour tourner autour de lui comme son ombre. La file d'attente ne cessait de croître, à l'arrêt. L'un de ses camarades passa sur son vélomoteur et Ali lui fit signe de la main. Au croisement, près des immeubles, une voiture était arrêtée et Ali la reconnut : c'était celle de la veille. Son camarade tourna dans la rue latérale, la voiture, elle, ne bougea pas. La voie était libre, elle aurait dû partir et pourtant elle ne bougeait pas, comme la veille au soir. Ali était de plus en plus persuadé que c'était la même.

Il eut l'impression qu'une griffe se posait sur son épaule. « C'est lui », se dit-il en regardant autour de lui comme pour chercher une issue. « Qu'est-ce qu'il me veut ? Est-ce qu'il me prend pour Mehrdad et croit que je suis le témoin qui peut le faire condamner ? » Des milliers de pensées lui traversèrent l'esprit, tandis que le bus approchait. Ali tenta de discerner les traits de l'homme au volant, mais la distance était trop grande. Le bus vint se ranger à l'arrêt, masquant la voiture. « Je pourrais en profiter pour filer, pensa-t-il, sauter par-dessus la petite haie et disparaître. » Mais il fut plus ou moins poussé à bord par les autres passagers.

Il alla s'asseoir tout au fond. La voiture était toujours là et, une fois que le bus eut démarré, elle le suivit. Ali était maintenant sûr que c'était le poseur de moquette qui le poursuivait et il était en nage. À l'arrêt suivant, il bondit sur ses pieds mais se laissa retomber sur le siège, hésitant quant à la façon d'affronter le danger.

Le trajet fut un véritable cauchemar. Il lui vint l'idée de rester à bord jusqu'au terminus et de revenir ensuite dans l'autre sens. La voiture le suivrait sans doute, mais cela lui laisserait le temps de réfléchir.

Il pensa à Mitra, à toutes ces histoires de fuites et de poursuites qu'elle lui avait racontées, et aux façons que ses camarades et elle inventaient de donner le change à la police secrète. Les divers groupes échangeaient des messages grâce à un ingénieux système de signaux et trouvaient sans cesse de nouveaux endroits où échanger informations et instructions. Mitra lui avait expliqué que, pour mieux se fondre dans la foule, ils fréquentaient les marchés, les gares et les manifestations sportives, où ils pouvaient établir des contacts entre eux. Il aurait aimé qu'elle soit avec lui, car elle aurait sûrement trouvé un moyen. Son grand-père brandirait sa canne, frapperait le sol avec et n'hésiterait pas à s'en servir comme d'une arme afin de protéger son petit-fils.

Hélas, il était seul. Il se retourna sur son siège pour examiner les passagers, mais il n'y avait personne de connaissance, à bord. Les autres observaient son visage blême et en nage. Il avait l'impression de rapetisser, sous leurs regards, et que c'était sa faute s'il était pourchassé par un meurtrier. À l'arrêt, tout le monde s'était montré très gentil, échangeant des saluts de la tête et allant parfois jusqu'à parler du temps qu'il faisait. Mais maintenant, ils avaient tous l'air hostile. S'il se mettait à leur dire qu'il était poursuivi et avait besoin de protection, ils le feraient sûrement descendre du bus.

La voix enregistrée énumérait les arrêts dans le haut-parleur, les gens montaient et descendaient. Ali, lui, restait collé à son siège, n'osant même plus se retourner, toujours convaincu que la voiture était juste derrière le bus.

« Il veut me faire taire, c'est évident. Il me prend pour Mehrdad car, pour lui, tous les bronzés se ressemblent. Ou alors, il croit que je suis de mèche avec mon cousin et que je suis au courant de tout. Et c'est vrai d'ailleurs, s'avisa-t-il, je sais tout et, si j'allais le raconter à la police, il serait arrêté. »

Le bus était maintenant arrivé en ville et Ali se sentait de plus en plus angoissé. S'il voulait aller à l'école, il devait descendre à l'arrêt suivant. Plus par habitude que par un acte délibéré, il se leva de son siège, la sacoche à la main. Le poids de ses livres de classe le surprit et il fut tenté, un instant, de les laisser dans le bus. Mais il ne voulait pas devoir affronter la colère de Mitra.

Alors qu'ils approchaient de l'arrêt, il vit un bus dont il connaissait le numéro. C'était la ligne que son grand-père et lui avaient empruntée pour se rendre chez cette famille de paysans. Ali crut même reconnaître le chauffeur.

Ali fut le premier à descendre, sitôt les portes ouvertes. Il s'élança pour traverser la rue mais s'immobilisa sur le refuge central, tandis que les voitures klaxonnaient de mécontentement. Profitant d'une brève interruption dans la circulation, il gagna le trottoir opposé et se précipita dans le bus sans regarder autour de lui, en se concentrant sur le visage du conducteur comme s'il y cherchait la réponse quant à ce qu'il devait faire. « Et si je lui racontais tout », se demanda-t-il, avant d'entendre une femme élever la voix, derrière lui, pour lui demander s'il montait ou non et, en tout cas, de ne pas bloquer l'accès.

Il ouvrit la bouche pour dire quelque chose au chauffeur, mais aucun mot ne franchit ses lèvres et il ne put que bégayer des sons incompréhensibles.

– Tu ferais mieux d'avancer, mon petit, lui dit l'homme.

Ali prit place juste derrière lui. Ce n'était peut-être pas une excellente idée que de changer aussi précipitamment de bus, et pourtant ce visage connu l'avait incité à le faire. Il aurait au moins quelqu'un pour le protéger, de la sorte.

Il allait manquer l'école, une fois de plus. Ils ne tarderaient pas à appeler chez lui et Mitra saurait ce qu'il en était. À supposer qu'ils le remarquent. Il avait l'impression, en effet, que les professeurs se désintéressaient de plus en plus de lui. Ils ne semblaient guère se soucier qu'il vienne à l'école et qu'il ait fait son travail ou non. Peut-être avaient-ils déjà perdu tout espoir à son sujet. Pourtant, le jour où il avait eu une bonne note à un exercice de maths, le professeur l'avait pris à l'écart pour l'encourager. Ali avait lu dans son regard qu'il appréciait ses efforts. « Si on regroupait tous ceux qui sont gentils et serviables, pensa-t-il, on pourrait apprendre quelque chose. » Mitra pourrait dire comment était fait le corps humain, puisqu'elle savait tout sur les vaisseaux sanguins, les cellules et le reste. Melker, le professeur de maths, pourrait enseigner les triangles et les diagrammes. Le grand-père, lui, parlerait des chevaux.

Il désirait penser à tous les gens qui avaient du cœur. Peut-être le chauffeur savait-il des choses, lui aussi. Il pourrait en parler. Peut-être avait-il une formation de médecin ou de professeur ? Mitra en avait bien une, alors qu'elle travaillait à préparer les repas à Arlanda. Elle lui avait dit que les conducteurs d'autobus étaient plus instruits qu'on ne le pensait et qu'ils savaient parfois des choses surprenantes.

Ali passa mentalement en revue les personnes aimables qu'il connaissait. La liste n'en fut pas très longue, mais il lui fallut du temps pour réfléchir à chacune. Le bus continuait son chemin en ferraillant et quelqu'un parlait d'une voix forte, au fond.

Il tenta d'imaginer son grand-père, assis près de lui avec sa canne, sa casquette et son manteau boutonné jusque sous le menton.

Que faisait-il dans ce bus ? Pourrait-il y rester jusqu'à ce que tous les autres passagers soient descendus et qu'il puisse aller parler au conducteur ?

Au bout d'un quart d'heure, ils se retrouvèrent à la campagne. Il se retourna et vit qu'il restait cinq voyageurs à bord, et derrière le bus, une voiture blanche. Pris d'une soudaine envie d'uriner, il ferma les yeux.

Chapitre 37
Mercredi 14 mai, 11 h 15

Holger Munke entendit à nouveau Lund et Andersson dans la petite bibliothèque située au-dessus de la cafétéria. Il ne paraissait pas gêné par le brouhaha qui montait vers eux, à la différence d'Andersson, à qui cela rappelait trop l'existence de ses collègues et le fait d'avoir mis de côté ses devoirs et sa loyauté, tout cela pour Lund, dont le calme et la mine détendue l'irritaient encore plus que les questions de Munke.

– On reprend, dit ce dernier.

– On est partis d'Eriksberg, dit Lund, et…

– Oui, je sais, coupa Munke en élevant la voix pour la première fois.

Andersson eut peur que cela ne s'entende à l'étage au-dessous. Plusieurs de leurs collègues avaient vu le trio monter l'escalier de la mezzanine et un certain nombre se réjouissaient non sans malice. La mine du patron leur avait clairement indiqué que ce n'était pas une partie de plaisir qui allait se dérouler, là-haut.

– Ce que je veux que tu m'expliques, c'est pourquoi vous ne vous êtes pas rendus directement sur le lieu de l'incendie, à Svartbäcken.

– Eh bien, la situation était assez délicate, au Birger Jarl. Y avait eu des histoires et on voulait s'assurer que tout était rentré dans l'ordre. On va quand même pas nous le reprocher. On a fait notre boulot, non ?

– Vous aviez ordre de vous y rendre sans perdre un instant.

– C'est vrai, dit à son tour Andersson, mais ça ne devait pas prendre beaucoup plus de temps.

– À condition de ne pas passer par Drottninggatan.

Les deux hommes échangèrent un rapide regard.

– On ne s'y est pas arrêté, dit Lund.

– Non, et ça, c'est encore plus bizarre.

– On n'était pas vraiment d'accord, concéda Lund avec un calme qui suscita l'admiration de son collègue, à son corps défendant. Quand on a vu le spectacle, l'un d'entre nous voulait s'arrêter et l'autre continuer.

– Qu'est-ce que tu voulais faire, toi ?

– Ça n'a pas d'importance. On a obéi aux ordres et on est allés à Svartbäcken.

– Vous n'avez pas informé la centrale, objecta Munke.

Andersson se dit que cela commençait à sentir le roussi.

– Non parce que, au moment où on allait le faire, vous nous avez engueulés à la radio. Vous vous rappelez, chef ?

– Naturellement. J'étais en pétard et je le suis encore.

– C'est vrai qu'on n'a pas fait ce qu'on aurait dû. Vous n'aurez qu'à le signaler dans votre rapport.

– Tu peux y compter ! Combien d'années te reste-t-il avant la retraite ? demanda-t-il à Andersson, qui avait choisi de faire profil bas.

– Quelques années, marmonna celui-ci.

– Pourquoi vous êtes-vous arrêtés ?

– On s'est pas arrêtés, répondit Lund d'une voix qui, pour la première fois, manquait de conviction.

– On a un témoin, alors ne venez pas me raconter des salades.

– On n'était pas d'accord, on vous l'a déjà dit, reprit Andersson, alors Ingvar est descendu voir ce qui se passait, mais on a décidé de continuer.

– À vous entendre, vous étiez en train de choisir une option de voyage organisé. Vous étiez en service, bon sang ! Vous n'avez rien vu d'intéressant ? Alors que la rue était saccagée ! Auriez-vous oublié que vous êtes dans la police, nom de Dieu ?

Le visage de Munke avait de plus en plus la couleur des volumes reliés entreposés derrière lui.

– On n'a rien vu d'important, dit Lund.

– Rien vu d'important ! explosa Munke. Vous allez me mettre ça par écrit et je vous jure que vous allez en entendre parler. Vous êtes la honte de la corporation. Vous êtes suspendus, en attendant la suite.

– Vous n'avez pas le droit de prendre cette décision, objecta Lund.

– Au revoir, répondit Munke sans déguiser son mépris pour ces collègues qu'il connaissait depuis trente-cinq ans.

Un silence de mort s'abattit sur la cafétéria. Flink lui-même, d'habitude si bavard, ne souffla mot en voyant Lund et Andersson redescendre l'escalier. Johnsson, de la brigade des recherches, eut un sourire sarcastique au passage de Lund, qui marmonna une réponse. Elle ne fit qu'accentuer l'air moqueur de son collègue. Lund perdit alors la maîtrise de ses nerfs.

– Ta gueule, espèce de sale Lapon, lui lança-t-il, tu sais donc pas que ta femme baise avec des bronzés pendant que t'es au boulot ?

Johnsson se figea et à sa mine tous virent qu'il savait.

– T'as qu'à faire un tour à Flustret, si tu me crois pas, ajouta Lund, pour en remettre une couche. Mais c'est vrai que t'es même plus capable de bander, alors…

Johnsson se rua sur Lund. Deux autres collègues furent plus prompts, cependant, et le maîtrisèrent.

Ann Lindell faisait la queue au comptoir en compagnie de Berglund et Haver, et elle assista, stupéfaite, à l'altercation, fait très rare en public. Il arrivait certes que des collègues se répandent en propos peu flatteurs sur d'autres, comme sur tous les lieux de travail, et la rivalité opposant les différents services donnait parfois naissance à des frictions. Mais voir deux collègues se colleter en pleine cafétéria était un spectacle auquel ils n'étaient pas habitués.

Nul n'ignorait la situation, car chacun était au courant de la présence de Munke sur la mezzanine. Ceux qui ne le voyaient pas avaient entendu sa voix et la mine penaude de Lund et Andersson en disait assez long, pour la plus grande joie de certains.

Tous les regards se tournèrent vers la bibliothèque. On se doutait bien que Munke avait filé par l'autre sortie. Ce que nul ne comprenait, c'était pourquoi Lund et Andersson couraient un tel risque. Peut-être espéraient-ils gagner la sympathie des autres, en leur qualité de vétérans venant de prendre un savon de la part d'un supérieur. Dans ce cas, ils se trompaient lourdement. Ils avaient négligé leurs devoirs de telle façon que le discrédit ne manquerait pas de rejaillir sur tous. L'ensemble de la corporation devrait payer pour leur faute, devant l'opinion publique.

Lindell s'avança vers Lund.

– Non seulement tu as tenu des propos inadmissibles, au Birger Jarl, mais tu incites à enfreindre la loi, dit-elle.

– Va te faire voir, toi, lui cria Lund, hors de lui, en se dirigeant à grands pas vers la porte.

– On se reverra, en effet, répliqua Lindell avec le sourire. Elle emboîta en compagnie de Haver le pas à Lund, qui accélérait l'allure.

– Sale conne, lança ce dernier.

– Ah non, ça suffit comme ça ! lui intima Haver.

– Vous avez sans doute causé la mort de Sebastian Holmberg, en refusant d'intervenir dans Drottninggatan, espèces de lâches, dit Lindell.

– Ça te va bien de dire ça, toi qu'as pas idée de ce qui se passe en ville, siffla Lund, la main sur la poignée de la porte.

– Vous avez eu trop peur de ceux qui criaient « sales flics » pour brandir vos bâtons, c'est ça ?

– Toi, la petite pute d'Ottosson, tu laverais les voitures dans le garage, si y avait une justice.

Lindell eut un sourire, en voyant l'exaspération s'inscrire dans ses yeux au moment où il s'éclipsait.

– Pourquoi as-tu fait ça ? lui demanda Haver.

– Pour le provoquer, répondit placidement Lindell.

Pourtant, elle était plus ébranlée qu'elle ne voulait le laisser paraître. C'était la première fois qu'elle se heurtait de cette façon à un collègue et elle n'ignorait pas le poids de l'ancienneté de Lund, au sein du service. Elle n'ignorait pas non plus qu'ils étaient nombreux à être aussi frustrés que lui dans l'exercice de leurs fonctions, et connaissait l'argument selon lequel seuls les collègues en uniforme étaient véritablement au courant de la situation dans les rues de la ville.

– Tu aurais pu t'en dispenser, dit Haver.

– On veut savoir ce qui s'est passé, oui ou non ? Il y avait une patrouille sur les lieux, et elle a vu quelque chose qui l'a incitée à prendre la tangente. Sebastian Holmberg est sans doute mort à cause de ça. Toi, tu te contentes des aveux que tu as recueillis, mais moi, je crois que c'est plus compliqué que ça.

– Qu'est-ce qui s'est passé, d'après toi ?

– Je ne sais pas, répondit Lindell, brusquement décontenancée, en parcourant des yeux la cafétéria avant de lancer un rapide regard à Haver, faire quelques pas vers la porte et se retourner pour le dévisager à nouveau. Je pense que Lund et Andersson ont fait l'objet de menaces et n'ont pas résisté à la pression. Sinon, pourquoi auraient-ils filé à l'anglaise d'une rue saccagée et d'un endroit où un crime avait été commis ? Tu crois que c'est Marcus qui leur a fait peur ? Pas moi.

Elle sortit avant que Haver ait eu le temps de répliquer quoi que ce soit. Quand il se retourna, il constata que tout le monde avait les yeux braqués sur lui, dans la cafétéria. Rien de méchant, mais beaucoup de curiosité. Nul n'avait pu éviter d'entendre l'accès de rage de Lund ni de noter le sourire qui avait succédé, sur le visage de Lindell, à une mine renfrognée.

Il éprouvait un certain sentiment d'injustice, car c'était Bea et lui qui avaient recueilli les aveux de Marcus et Ottosson les avait félicités. Chacun savait aussi que, pendant qu'ils l'interrogeaient, Lindell était allée se réfugier dans son bureau ou était partie en ville.

Et maintenant elle allait courir chez le patron pour lui exposer sa théorie et, comme toujours, il l'écouterait d'une oreille complaisante.

Chapitre 38
Mercredi 14 mai, 10 h 35

– Vous pouvez vous arrêter ici ?

Ali venait de s'apercevoir qu'il avait failli manquer le chemin menant à la ferme. Le chauffeur le regarda, l'air moins aimable que la fois précédente, mais freina.

– Va falloir qu'on installe un arrêt spécial pour toi et ton grand-père, lui dit-il.

– Excusez-moi, fit Ali, il faut que je descende.

– C'est pas grave, répondit le chauffeur avec le sourire, cette fois.

– Est-ce que je peux vous demander d'attendre une seconde, avant de repartir, pour me laisser le temps de prendre un peu d'avance sur la voiture blanche.

– Celle qui est restée tout le temps derrière nous, tu veux dire ?

Ali confirma d'un signe de tête.

– Tu en as peur ?

Nouveau hochement de tête. Le chauffeur hésita une seconde et regarda dans le rétroviseur avant de se tourner vers Ali.

– Qu'est-ce qu'il te veut ?

– Je ne sais pas, répondit rapidement Ali. S'il vous plaît.

– T'as pas fait de bêtise, au moins ?

– Il est… commença à dire Ali en secouant la tête, tenté un instant de tout raconter.

– On va rester longtemps ici ? demanda alors d'une voix forte le seul passager restant dans le bus.

La porte s'ouvrit. Ali se précipita à l'extérieur sans même se retourner et s'élança au pas de course dans la petite montée vers la ferme, qu'on apercevait derrière les arbres. Au bout d'une cinquantaine de mètres, il entendit le bus repartir. Il ne lui restait plus qu'une centaine de mètres et il courut de toutes ses forces en pensant à Mitra. Il enjamba une petite clôture blanche, trébucha sur une motte de terre et resta un instant allongé sur le sol, paralysé de peur, avant de se relever et de regarder derrière lui pour la première fois.

La voiture blanche de l'assassin était si proche qu'Ali distinguait le visage du conducteur. C'était bien le poseur de moquette. Il se mit à courir et contourna un bosquet en sentant une odeur douceâtre dans l'air.

Le bâtiment de la ferme était tout près et le gravier de la cour crissait sous ses pas. Un chat prit peur et alla se réfugier dans un buisson. Ali parvint à la porte au moment où la voiture pénétrait dans la cour, devant l'étable. Il cogna à la porte en appuyant sur la poignée. C'était fermé à clé. « C'est pas vrai. Ils sont à la maison, il le faut », pensa-t-il en fixant la porte des yeux. Puis il courut à la fenêtre et regarda à l'intérieur de cette pièce où son grand-père et lui avaient passé un moment si agréable. Sur la table était posé un pichet contenant un liquide rouge, peut-être du sirop, ainsi qu'une tasse à café et une assiette de pain grillé.

Il tourna le coin du bâtiment, dans l'espoir de trouver Arnold ou Beata, mais tout ce qu'il vit ce fut quelques corneilles qui s'envolaient d'un pommier, effrayées. C'est alors qu'il s'avisa qu'il avait oublié son portable. Il l'avait mis à recharger, sur la table de l'entrée, et n'avait pas pensé à le prendre.

Il continua à courir sans trop savoir où aller, mais en visant la forêt qui formait un saillant dans le champ près de la maison. Les corneilles croassaient comme pour se moquer de lui et l'image de sa mère et de son grand-père lui traversa le cerveau, tandis qu'il maudissait Mehrdad de l'avoir entraîné dans cette affaire.

Une fois dans le champ cultivé, il se retourna de nouveau et vit que le poseur de moquette était resté pris dans la clôture par le bas de son pantalon, en tentant de l'escalader.

Le bois était surtout composé de conifères mais, dans le fossé qui l'entourait, poussaient de gros aunes derrière lesquels Ali disparut. Des branches lui fouettèrent le visage et pourtant il poursuivit sa course, insensible à la douleur, et sauta par-dessus un tronc d'arbre vermoulu et des blocs de pierre couverts de mousse, en faisant attention de ne pas se prendre les pieds dans les irrégularités du sol.

À bout de souffle, il fut contraint de s'arrêter un instant, se recroquevilla derrière un rocher et appuya la tête contre la mousse le recouvrant. L'odeur qui en montait lui donna presque le vertige. Un jour, à l'école, il avait participé à une course d'orientation sur un terrain boisé ressemblant assez à celui-ci. Cette fois-là, il avait eu peur de ne pouvoir rejoindre le reste du groupe. Maintenant, c'était encore pire, car il n'avait personne pour donner l'alerte au cas où il se perdrait et il était seul avec, à ses trousses, un homme qui avait déjà tué et qui n'hésiterait pas à recommencer.

Il pensa à Konrad, son entraîneur. Qu'aurait-il fait ? Avant tout, garder son sang-froid, selon lui. Konrad ne se laissait pas démonter. Ali s'efforça donc de contrôler son souffle, en respirant profondément, et il essuya la sueur de son front en surveillant l'horizon, derrière son rocher. Aucun signe du poseur de moquette, mais Ali était sûr qu'il était là, peut-être tapi à l'affût derrière un rocher, lui aussi. Il n'était d'ailleurs pas impossible qu'il l'ait repéré et qu'il attende seulement le meilleur moment pour se saisir de lui.

Ali continua son chemin, plié en deux. L'abondante mousse verte rendait ses pas inaudibles. À un moment, il se retrouva devant quelque chose qui ressemblait à une grotte, écarta quelques branches et se redressa. Il lui vint l'idée de grimper dans le sapin qui poussait là, afin de s'y dissimuler. Pour s'assurer de sa résistance, il appuya sur une branche grosse comme son avant-bras.

En quelques secondes, il se retrouva perché dans cet arbre, avec de la résine plein les mains. Il eut le vertige en regardant au-dessous de lui, et soudain, perçut un bruit de pas feutrés. L'assassin n'était pas loin, il entendait sa respiration. Il ferma la bouche, pour se forcer à respirer par le nez et éviter de se faire repérer.

Il entendit alors son poursuivant, qui s'était arrêté et marmonnait quelque chose, et ferma les yeux. L'odeur le faisait penser à Noël. Ce n'était que ces dernières années qu'ils avaient un sapin de Noël à la maison. Au début, le grand-père s'était opposé à cette tradition qui lui était étrangère, mais il en était désormais le partisan le plus convaincu et faisait le tour des différents marchés avant d'en trouver un qui soit assez grand et beau pour lui.

La respiration du meurtrier cessa et il se mit à tousser, à la place.

– Je sais que tu es là, espèce de sale petit bougnoule, cria-t-il soudain entre les arbres.

Ali sursauta, tremblant de tous les membres de son corps et eut un instant peur de perdre l'équilibre.

– Je vais t'apprendre à fourrer ton nez partout, poursuivit l'assassin.

Ali l'entendait bouger, il ne devait être qu'à quelques mètres de lui. Une branche craqua.

– Je vais t'attraper, dit encore l'autre et Ali comprit, au son de sa voix qu'il s'était légèrement écarté, avant de se rapprocher à nouveau en prononçant les mêmes mots.

Cette fois, la voix était plus calme et plus décidée. Ali eut le sentiment qu'il flairait sa piste comme une bête de proie. Le garçon imaginait son visage : des yeux qui luisaient et des dents révélées par un rictus qui témoignait d'une haine poussée presque jusqu'à la folie.

Il ne put s'empêcher de laisser échapper une sorte de sanglot et l'homme éclata d'un rire victorieux. Ali l'entendit écarter diverses branches et pousser un cri de triomphe, cette fois, en le voyant cramponné au tronc de l'arbre, à quelques mètres au-dessus de sa tête.

– Sale petit singe, dit-il en se mettant aussitôt en devoir de grimper au tronc, lui aussi.

Ali voulut monter un peu plus haut encore mais n'en eut pas la force, paralysé qu'il était par le danger qui se rapprochait et en voyant ces grosses mains se saisir des branches, l'une après l'autre.

– Laissez-moi tranquille, cria-t-il en sentant son corps se vider de ses forces.

En prenant sa respiration pour pousser un cri, il sentit un regain de force et donna un grand coup de pied en arrière. Peut-être étaient-ce les conseils de Konrad qui produisaient leur effet. Toujours est-il qu'il se défendit avec l'énergie du désespoir, en faisant pleuvoir des coups de pied sur son assaillant et lui crachant dessus comme un chat sauvage. Soudain, il sentit qu'il écrasait des doigts, sous la semelle de ses chaussures. L'homme poussa un cri de douleur et de colère à la fois, puis se calma l'espace d'un instant pour observer sa main, d'où le sang s'écoulait.

– Je vais te découper en morceaux, siffla-t-il en se penchant pour prendre un couteau à moquette dans l'une des nombreuses poches de son pantalon de travail.

Ali se déplaçait, millimètre par millimètre, le long d'une branche qui pliait sous son poids, en se tenant à celle du-dessus. Il fut bientôt contraint de lâcher prise, mais parvint à en saisir une autre, un peu plus bas, qui se brisa aussitôt. Il perdit l'équilibre, le rétablit en se rattrapant à une troisième branche et resta suspendu au-dessus du sol, les mains écorchées par les aiguilles de sapin.

L'homme continuait à grimper, le couteau pointé vers les jambes d'Ali. Celui-ci tenta de lui asséner un nouveau coup de pied et manqua son but. Il renouvela sa tentative, mais la précarité de sa situation le handicapait. La seule solution, pour lui, était de continuer à progresser le long de la branche. Comme son poursuivant était plus lourd, elle ne pourrait supporter son poids. Il le vit en effet s'arrêter et hésiter.

Il était maintenant parvenu à un endroit d'où il pouvait voir entre les branches. Peut-être le couple de paysans était-il rentré chez lui, pensa-t-il, en appelant au secours.

La branche ployait sous son poids et il devait avancer avec beaucoup de prudence, tandis que l'homme avait repris sa progression vers le haut, tapi contre le tronc de l'arbre, hors de portée des coups de pied d'Ali.

Soudain, la branche craqua et il tomba sur le sol en poussant un grand cri. Il atterrit sur un tapis de mousse. Juste à côté de sa tête, une grosse pierre attestait qu'un ange gardien l'avait pris sous sa protection. Il vit la cime de l'arbre bouger, au-dessus, et comprit que son poursuivant redescendait. Il mit quelques secondes à reprendre entièrement ses esprits et il était déjà trop tard. L'homme était penché sur lui, un sourire de satisfaction sur les lèvres, et la lame de son couteau brillait. Ali n'osait pas bouger. Le ciel était bleu, cela sentait la mousse et il entendait le bruit d'un tracteur, au loin. À part cela, tout était calme.

Ils se regardèrent.

– On ne m'échappe pas, à moi, dit l'homme.

– Mon grand-père vous tuera, répondit Ali.

– Tiens donc.

« Il faut que je lui parle », pensa Ali, impressionné par le sourire de son agresseur, malgré tout. Il tâta la mousse du doigt, sentit le contact d'une pierre et creusa autour d'elle avec le bout de ses doigts.

– Qu'est-ce que tu me veux ? demanda l'homme.

– Je ne sais pas… C'est mon copain… bredouilla Ali.

– Tous les mêmes. Vous rejetez toujours la faute sur les autres.

Ali sentait maintenant le volume et le poids de la pierre.

– Si vous me faites du mal, il vous dénoncera.

– Tu crois ça ? lui dit l'homme en ricanant et plaçant le couteau tout près de son visage. Tu vois les taches, sur cette lame ? ajouta-t-il.

Ali regarda attentivement mais ne vit rien d'autre que le reflet de la lumière.

– Il ne dira plus grand-chose, ton copain, tu sais.

Ali comprit alors que Mehrdad était revenu sur ses pas négocier un accord de silence mutuel avec cet homme. Autrement dit : il l'avait trahi.

Il banda tous les tendons et les muscles de son corps, du haut en bas, pour décrire un arc de cercle, la pierre dans la main, et asséner celle-ci de toutes ses forces sur la tête de cet homme qui en voulait à sa vie.

La pierre, grosse comme une tête de chat, l'atteignit à la joue droite. Il eut un mouvement de recul, perdit l'équilibre, bascula en arrière et resta assis avec une expression de douleur et d'étonnement sur le visage.

Ali se releva d'un bond et se mit à courir. Un cri de douleur et de fureur le fit se retourner un instant. L'homme était maintenant à quatre pattes, tel un sprinter dans les starting-blocks, la figure en sang. Ali poursuivit sa course. À un moment, il parvint à un endroit maréca-geux où il sentit qu'il projetait des éclaboussures. Il posa le pied sur les touffes d'herbe, pour continuer. Des pigeons effrayés s'envolèrent à son approche.

À l'idée de sa liberté retrouvée, il fut pris d'un sentiment d'euphorie qui lui redonna des forces insoupçonnées. Il eut l'impression de voler par-dessus les pierres et les souches, écartant les branches et rameaux qui le gênaient avec l'efficacité et la rapidité d'un boxeur professionnel.

Il courut droit devant lui avec une seule idée, dans sa tête et même dans tout son corps : revoir Mitra et Hadi. Il ne le savait pas mais, au cours de cette fuite effrénée dans les profondeurs de ce bois, un nouvel Ali naissait.

Une énergie s'était emparée de son jeune corps et en avait chassé la peur et l'angoisse. À chaque pas, il avait le sentiment d'être un peu plus fort. Désormais, rien ne pouvait lui faire du mal. Il était capable de courir jusqu'en enfer et d'en revenir, cuirassé d'une volonté invincible de réussir la vie qui s'étendait devant lui.

Au bout de deux cents mètres, il s'arrêta et se pencha en avant, les mains sur une branche basse, pour reprendre son souffle. Il compta jusqu'à vingt puis se redressa. Plus le moindre signe du poseur de moquette. Peut-être était-il gravement blessé ?

Ali continua à aller de l'avant. Le chemin sur lequel il se trouvait maintenant aboutissait bien quelque part. Et il y avait forcément des gens, quelque part, aussi.

Chapitre 39
Mercredi 14 mai, 15 h 55

L'inquiétude était palpable. Lisen elle-même, la préposée à la documentation, avait l'air stressée. Elle avait en outre forcé sur le maquillage. Ann hésita un instant à lui dire que son rouge à lèvres avait débordé et faisait ressembler sa bouche à une plaie béante, mais elle s'abstint.

– Voilà le dossier sur les incendies volontaires, dit Lisen en le lui tendant par-dessus la table, sans la regarder.

– C'est tout ?

– Ça ne te suffit pas ?

Lisen leva les yeux.

– Non, je pensais…

– Il ne faut pas trop penser, répliqua Lisen en retournant à son écran d'ordinateur.

« Mon Dieu, ce qu'ils sont de mauvais poil, tous », se dit Lindell, qui s'éloigna sans un mot de remerciement en voyant arriver Sammy, porteur d'une mallette.

Il avait concocté un plan de porte-à-porte dans lequel il assumait le rôle de vendeur d'une nouvelle sorte d'éponge de cuisine de longue durée.

Lindell éclata de rire en entendant cela.

– Des éponges de cuisine. Tu n'as rien trouvé de plus tentant ?

– Ce doit être quelque chose de vraiment nul, pour que ça n'intéresse personne. Je ne peux pas me permettre de passer une heure sur le seuil de chaque maison.

– Où est-ce que tu as trouvé ça ?

– Sur le marché.

– Et si tu épuisais tout le lot ?

– Aucun risque : j'ai fixé le prix à quarante-six couronnes, deux pour quatre-vingts, ricana-t-il.

Il était le seul à sourire. La nouvelle de l'incident de la cafétéria s'était répandue dans tout l'hôtel de police. Certains collègues s'en réjouissaient peut-être sous cape, mais la plupart faisaient grise mine.

Au moment où elle entra dans son bureau, le téléphone se mit à sonner. Elle n'était pas superstitieuse, et pourtant elle ne put s'empêcher de voir là une étrange coïncidence. Car ce n'était pas la première fois.

Elle posa le dossier et décrocha.

– Bonjour, je m'appelle Edgar Wilhelmsson, je suis de la police de Falkenberg, dit la voix au bout du fil.

Elle sourit en reconnaissant l'accent.

– Vous pouvez difficilement le cacher, dit-elle.

– On s'est déjà rencontrés ?

– Non, je faisais allusion à ce bel accent.

– C'est la première fois qu'on me dit ça, gloussa-t-il. Si j'appelle, c'est parce qu'on a eu un cas de suicide, ici, une femme qui s'est jetée à l'eau. Un collègue m'a dit que je devrais prendre contact avec vous. Ça n'a rien de marrant, en soi, que quelqu'un se jette à la baille, mais il y a un détail assez drôle qui pourrait vous intéresser. Si c'est bien vous le commissaire de la criminelle à Uppsala, ce n'est pas fréquent que ce soit une femme.

– Un détail assez drôle ? Qu'est-ce que vous voulez dire ?

– Drôle, c'est une façon de parler, intéressant en tout cas.

Lindell contourna son bureau pour aller s'asseoir.

– J'ai appris aux informations que vous avez eu un meurtre. Elle devient chaude, la vieille ville universitaire, bon sang.

– Alors, ce détail, le rabroua Lindell.

Elle n'avait pas de temps à perdre à échanger des politesses et des plaisanteries avec ce type.

– Il s'appelait Sebastian, c'est ça. Dans ce cas, c'est sa mère qui s'est jetée à l'eau, hier.

Lindell resta un instant sans rien dire, heureuse que son collègue fasse de même.

– Chez vous, sur la côte ouest ? finit-elle par demander.

– On l'a repêchée à Glommen, en tout cas, répondit son collègue d'une voix enfin un peu plus sobre. Une heure après l'avoir sortie de l'eau, on a été avisé par quelqu'un qui promenait son chien qu'une voiture stationnait depuis vingt-quatre heures à Skomakarhamnen. Il trouvait ça bizarre.

– Skomakarhamnen ? répéta Lindell. Ce n'est pas courant qu'il y ait des voitures qui stationnent, là-bas ?

– Non, pas de cette façon-là. Pas pendant vingt-quatre heures au même endroit. Parce que ce n'est pas vraiment un port, je ne sais pas pourquoi ça s'appelle comme ça.

– Elle a laissé une lettre ?

– Non, rien. Tout était intact, dans sa voiture. On a retrouvé les clés dans la poche de son pantalon, ainsi que celles de sa maison, sans doute, et son portefeuille.

– Son appartement, corrigea Lindell.

– Ah bon, dit le collègue.

– Pas de traces de violences ?

– Apparemment non. On en saura plus demain.

C'était Bea qui avait interrogé Lisbet Holmberg. Lindell ne l'avait vue qu'une seule fois et avait été frappée par la lenteur de ses mouvements. Elle se déplaçait dans sa cuisine à la vitesse d'un escargot et ne parlait pas plus vite qu'elle ne bougeait. Ann ne s'étonnait pas qu'une femme venant de perdre son enfant unique ait mis fin à ses jours.

– Pourquoi là-bas ? De l'eau, on en a ici aussi.

– Elle est née près de Falkenberg, un de nos collègues l'a reconnue. Elle avait forci, mais avait de beaux restes.

« De beaux restes », se répéta Lindell.

– Je précise que je pèse cent quatorze kilos, ajouta-t-il.

– L'autopsie, c'est demain ?

– Oui. On fait venir un type de Halmstad. Il est allemand et on comprend rien à ce qu'il dit. Il s'appelle Schlinger, Schwinger ou quelque chose comme ça.

« Ce qu'on peut raconter comme bêtises », pensa Ann.

– Mais il est bien, reprit le collègue après avoir réussi à prononcer son nom.

– Allez-vous procéder à un examen approfondi de la voiture, aussi ? Même si c'est un cas évident de suicide, donnez-vous un peu de mal.

– D'accord. Je vous passe un coup de fil demain.

– Je précise à mon tour que je ne suis pas commissaire.

– Mais vous le deviendrez peut-être, dit Wilhelmsson.

Ils mirent fin à la communication en échangeant leurs numéros de portable. Lindell essaya d'imaginer Lisbet en train de s'enfoncer dans l'eau du Kattegat au rythme qui était le sien. Elle était revenue à Falkenberg pour mettre fin à ses jours. Pourquoi ? Pour terminer son existence là où elle avait débuté ? Parce que le nom de Skomakarhamnen avait pour elle une signification particulière ?

Elle prit pensivement note dans son carnet des questions qu'elle se posait, avant d'appeler Haver, heureuse que cela ne concerne pas Marcus Ålander.

Le concierge était un vieil homme, qui devait avoir quatre-vingts ans, selon Lindell. Sa moustache tortillée avec soin montait et descendait, tandis qu'il lui parlait avec force détails des locataires qui avaient occupé l'appartement de Lisbet Holmberg au cours des trente dernières années, avec une mémoire impressionnante des noms et des dates.

« C'est ainsi que sera Berglund dans une vingtaine d'années », pensa-t-elle en tentant d'inciter son guide à poursuivre la montée de l'escalier. Il s'arrêtait à chaque palier, se tournant vers Lindell pour compléter l'historique du bâtiment, sans accorder un seul regard à Haver.

– Lisbet est quelqu'un de bien, dit-il. C'est trop triste, ce qui est arrivé à son fils. Et voilà qu'elle a disparu, me dites-vous. Vous êtes dans la police, n'est-ce pas ? Vous êtes pourtant très jeune pour ça, mademoiselle.

– Non, plutôt trop vieille, corrigea Lindell. Mais si vous nous montriez son appartement ?

– Ah oui, c'est vrai, j'oubliais.

Il sortit un énorme trousseau de clés et ouvrit la porte avec une rapidité qui étonna les deux policiers. Il fit mine de les accompagner à l'intérieur, mais Haver l'arrêta d'un geste de la main.

– On se charge du reste. Si on a besoin d'un renseignement complémentaire, on passera vous le demander. Vous êtes une encyclopédie vivante, on dirait.

– J'ai oublié beaucoup de choses, fit modestement le concierge. Mais c'est le privilège des vieux d'enterrer ce qui les embarrasse dans l'oubli.

Lindell et Haver pénétrèrent dans l'appartement. Elle se dirigea vers la chambre à coucher et lui vers la cuisine avec un automatisme qui était le fruit d'années de collaboration.

Curieusement, les murs de la chambre étaient peints en bleu foncé. Cela ne cadrait pas avec l'image que Lindell s'était faite de cette femme. Le sol, lui, était de couleur claire et très vive, ce qui créait un curieux contraste. Dans un des coins se trouvait un lit à deux places fait avec soin et deux coussins brodés étaient posés sur le couvre-lit impeccablement tendu. Contre le mur se trouvait une commode des années 50 et une vieille machine à coudre à pédale qui faisait office de table. Une lettre était posée dessus.

Lindell comprit aussitôt que c'était le message d'adieu de Lisbet Holmberg. Elle ouvrit le rabat de l'enveloppe avec un stylo et sortit la feuille pliée en deux.

– Viens voir ça, Ola, lui cria-t-elle.

Il arriva aussitôt.

– Qu'est-ce qu'elle dit ? demanda-t-il sur un ton blasé.

– Rien d'extraordinaire. Que la vie sans Sebastian ne vaut pas la peine d'être vécue. Et elle explique pourquoi elle a décidé de rentrer « chez elle », comme elle dit. C'est parce que Sebastian a été conçu sur la plage de Skomakarhamnen. Et elle termine ainsi : « Je déteste cette ville qui m'a pris mon fils. Uppsala, c'est pour moi un pays étranger et cela l'a toujours été. Je retourne à l'endroit où mon cher Sebastian a reçu la vie. Nous allons bientôt être réunis. »

Haver détourna les yeux.

– C'est trop triste, dit Lindell en relisant en silence ce message franc et décidé laissé par une femme qui avait eu la force de traverser la moitié du pays au volant pour se jeter à l'eau. J'aimerais bien voir cette plage, ajouta-t-elle.

– Elle parle d'Uppsala comme d'un pays étranger, dit-il. Moi, ça ne me serait jamais venu à l'esprit. Qu'est-ce que tu en penses, toi qui es venue d'ailleurs ?

– J'arrive à comprendre ce qu'elle veut dire.

– Moi aussi, j'ai trouvé quelque chose, dit Haver en retournant dans la cuisine.

Lindell remit soigneusement la lettre dans l'enveloppe, inquiète à l'avance de ce que dirait Ryde, et le suivit.

– Regarde, dit-il en désignant la poubelle, sous l'évier.

Lindell se pencha pour voir. Haver avait pris grand soin de ne toucher à rien, lui. Sur le dessus était posée une photographie encadrée dont le verre était brisé. Lindell regarda son collègue avant de la prendre. Elle montrait Lisbet en compagnie d'un homme. Tous deux souriaient.

– Elle avait peut-être quelqu'un dans sa vie, dit Haver en désignant le mot apposé sur la porte du réfrigérateur. « Appeler Jöns », était-il marqué.

– Pourquoi a-t-elle jeté cette photo ? demanda Ann.

– Pour faire le ménage, sans doute.

– Il y a pas mal de choses à jeter, quand on a l'intention de mettre fin à ses jours. Elle a choisi cette photo.

– Elle n'a même pas gardé le cadre.

– C'est sans doute lui qui lui en a fait cadeau.

– Il a sûrement laissé d'autres traces, alors.

– Il faut mettre la main sur ce type, déclara Lindell en observant la photo de près. C'est bizarre, reprit-elle, il m'est vaguement familier. C'est peut-être sans importance, mais je veux lui parler. Je vais en toucher deux mots à Bea. Lisbet et elle ont peut-être évoqué cette relation.

– Pourquoi est-ce si important ? Elle s'est suicidée et il n'est pas difficile de comprendre pourquoi, à moins que tu ne penses qu'il s'agisse d'une mise en scène ?

– Non, absolument pas. Je veux parler à cet homme, c'est tout. Il pourrait nous fournir des informations sur Sebastian.

– Bea n'a entendu que Lisbet, je te l'ai déjà dit.

– Était-elle en contact avec le père de Sebastian ?

– Une fois par an, peut-être. Elle soupçonnait son fils de l'appeler de temps en temps, ou l'inverse. En tout cas, le père ne jouait aucun rôle dans les relations entre Lisbet et Sebastian.

– C'est bizarre, dit Lindell.

– C'est toi qui dis ça, lâcha Haver. Enfin, je veux dire…

– Je comprends parfaitement ce que tu veux dire.

Haver la regarda. Il savait ce qu'elle cherchait à faire. Jeter des grains de sable dans le mécanisme, pour semer le doute sur le processus tentant d'établir la culpabilité de Marcus Ålander dans le meurtre de Sebastian.

– Eh bien, trouve-le, ce type, dit-il en ouvrant la porte du réfrigérateur. Y a du poulet, si tu as les crocs, ajouta-t-il. Cuit à point, il me semble, et même un peu plus.

Lindell ne daigna pas tourner le regard et partit dans la chambre. Elle était contrariée de la futilité de Haver, mais décida de ne pas y attacher d'importance. Elle avait de plus en plus le sentiment qu'ils menaient deux enquêtes parallèles. Elle se rendait compte que ce n'était pas une bonne chose et c'était assez étrange, car la brigade avait toujours marché au pas et tiré dans le même sens. Maintenant, on épiait chaque mot et les sarcasmes ne cessaient de pleuvoir. Il ne s'agissait jamais d'attaques frontales, franches et brutales, mais de petites piques qui faisaient mal, lorsque la confiance était rompue.

– Pars, si tu veux, lui cria-t-elle, je peux finir seule.

– Ah bon, dit Haver, qui était venu sans bruit se poster sur le seuil de la porte. Tu préfères être seule ?

– Non, je me disais que tu avais peut-être autre chose à faire.

– Bon, dit-il, je rentre. Tu veux que je t'envoie Ryde ?

– Ce n'est peut-être pas nécessaire, répondit-elle quoique convaincue du contraire.

Soudain, les bonnes vieilles routines n'avaient plus guère d'importance, à ses yeux. Il était évident que Ryde ou un de ses collègues devait venir dans l'appartement, mais Lindell avait l'impression que ce dont elle s'occupait ne faisait pas vraiment partie de l'enquête ou, plus exactement, ne concernait pas l'enquête de Haver.

– Ils sont déjà venus.

– C'était à propos de Sebastian, objecta Haver.

« C'est toujours le cas », faillit-elle dire, en se retenant à temps.

– Ce serait peut-être une idée, après tout, répondit-elle au contraire, pour tenter de combler la faille entre eux.

Haver quitta l'appartement sur un salut de la tête. Elle resta un moment à repenser à ce qu'ils s'étaient dit. Elle devait jouer franc jeu. Mieux valait une discussion à cœur ouvert que ce genre de lutte à fleuret moucheté. Elle n'était pas convaincue de la culpabilité de Marcus, sans pouvoir invoquer des arguments à l'appui de sa thèse, cependant, trop de choses plaidaient en sens contraire pour qu'il soit possible de s'opposer à son incarcération. Elle se basait uniquement sur son intime conviction mais ne connaîtrait pas le repos tant qu'elle nourrirait ce genre de doutes.

Elle regarda sa montre. « C'est l'heure du repas d'Erik », pensa-t-elle avec un sourire. Elle le voyait, assis à gauche d'Anita, la cuiller à la main, avec ce regard qui faisait fondre tous les adultes. Son père avait-il ces yeux-là ? À vrai dire, elle se souvenait seulement des poils qu'il avait sur le ventre et de son haleine fétide. D'où venait cet éclat qu'Erik avait dans les yeux, alors ?

Elle ouvrit les portes de la penderie et sortit les tiroirs de la commode. Les goûts vestimentaires de Lisbet n'étaient pas les siens. D'un autre côté, certains auraient objecté qu'Ann n'en avait aucun. Non qu'elle s'habillât mal, mais on ne pouvait distinguer aucun parti pris délibéré derrière ses choix en matière de vêtements. Elle mettait ce qui lui tombait sous la main. Si elle essayait de combiner les styles et les couleurs, cela ne servait qu'à la plonger dans la perplexité.

Dans les trois tiroirs du haut de la commode, elle ne trouva rien d'intéressant. Celui du dessous, en revanche, contenait ce qui avait trait à la marche du foyer en matière de factures, assurances, reçus et papiers divers, ainsi que des pochettes contenant des photos et une liasse de lettres.

Elle étala cela sur le sol pour l'examiner de plus près, en commençant par les photos. L'homme dont le portrait avait atterri dans la poubelle se retrouvait sur la plupart d'entre elles. Certaines le montraient en compagnie de Lisbet en diverses occasions plus ou moins festives, telles que repas au restaurant et soirées, d'autres lors de la cueillette des champignons ou à bord d'une barque. Sebastian y figurait aussi et, sur l'une d'elles, ils étaient même tout près l'un de l'autre, devant un mur peint en rouge. Sebastian souriait, sans avoir l'air particulièrement heureux. Lindell eut le sentiment que ce sourire était un peu forcé.

Il était manifeste que cet homme avait partagé la vie de Lisbet et de Sebastian pendant un certain temps. Puis était survenu le meurtre, il avait atterri dans la poubelle, et ensuite il y avait eu la lettre d'adieu et le suicide.

Lindell appela Beatrice mais celle-ci ne répondit pas.

Elle était assise sur le sol, avec les papiers personnels de Lisbet devant elle. « Si j'avais l'intention de me suicider, je commencerais par brûler tout ça », pensa-t-elle. Cela aurait certes été assez vite fait. Un paquet de lettres de Rolf, quelques cartes postales qu'elle avait gardées pour une raison ou une autre, et une seule et unique lettre, bien anodine, d'Edvard.

Elle continua à fouiller parmi ces papiers dans l'espoir de trouver le nom de l'homme qui avait été rayé de la sorte de la vie de Lisbet et finit par trouver ce qu'elle cherchait. Sur le contrat de location d'un chalet de vacances, à Hunnebostrand, figuraient la signature du propriétaire, celle de Lisbet Holmberg et celle d'une tierce personne, sans doute apposée de la main gauche. Elle parvint à distinguer le prénom Jöns, mais le nom de famille était illisible. Il était bref et se terminait par une sorte de fioriture.

Elle entendit alors des pas dans l'escalier. Elle dressa l'oreille, espérant que c'était Ryde, car il était expert en matière d'écritures. On pouvait lui donner les plus infâmes gribouillis en guise de signature et il vous les déchiffrait sans difficulté. D'après lui, il s'était exercé pendant sa jeunesse, époque à laquelle il occupait un petit boulot à la poste pour arrondir ses fins de mois.

Mais les pas continuèrent à monter et Lindell à fixer ce nom du regard. Dans son for intérieur, elle était de plus en plus persuadée qu'il avait de l'importance et que l'homme qui avait tenu la plume, ce jour-là, pouvait faire avancer l'enquête. Elle ignorait seulement pourquoi et comment. Peut-être prenait-elle ses désirs pour des réalités. Elle se rendait compte que ce sentiment ne reposait sur rien de solide et Haver ne manquerait pas de faire des gorges chaudes de pareilles supputations. Ottosson ne les écarterait pas aussi rapidement, lui, mais elles ne feraient qu'accroître ses préoccupations.

De nouveau, elle entendit des pas dans l'escalier. Le concierge serait-il intrigué ? Lindell posa le contrat, se leva et gagna l'entrée pour écouter à la porte. Les pas avaient cessé. Elle attendit une demi-minute avant de passer dans la cuisine et de regarder discrètement par la fenêtre.

Dans la rue, un homme marchait à pas décidés. D'âge moyen, il avait le sommet du crâne dégarni. Soudain, il leva la main et se mit à courir à allure modérée. Ann ouvrit la fenêtre pour le suivre avec plus de facilité. Elle dut finalement se pencher au-dehors pour cela, car il ne s'arrêtait pas.

Un peu plus loin, une femme se retourna, sur le trottoir. Son visage se fendit d'un large sourire et elle se dirigea vers l'homme. Ils tombèrent dans les bras l'un de l'autre et restèrent longuement enlacés.

Lindell referma la fenêtre et regagna l'entrée. Elle était bizarrement émue d'avoir assisté à des retrouvailles aussi tendres entre un homme et une femme. Elle prit à nouveau son téléphone et appela Ryde, tout en sachant fort bien qu'il détestait qu'on l'appelle sur son portable.

Il promit de venir sans tarder. Lindell s'assit à la table de la cuisine, regarda la pendule et comprit qu'elle ne serait pas à l'heure pour aller chercher Erik à la crèche. Elle eut donc recours à sa solution de fortune : Tina et Rutger, qui avaient eux aussi un enfant dans la même section. Klas et Erik étaient bons copains et Ann s'était chargée de Klas à diverses reprises avec, derrière la tête, l'idée de faire éventuellement appel à Tina et Rutger pour lui rendre la pareille, un jour.

Erik ne serait pas malheureux, mais le sentiment de lui faire une fois de plus défaut immobilisa son doigt quelques instants sur le clavier de l'appareil.

Chapitre 40
Mercredi 14 mai, 15 h 30

L'homme qui vint ouvrir regarda Sammy avec curiosité, mais son visage se ferma en voyant l'éponge rougeâtre.

– Je ne veux rien, dit-il.

– C'est un produit sensationnel, vous pouvez en avoir deux pour quatre-vingts couronnes, l'assura Sammy.

L'homme regarda l'éponge, puis Sammy.

–Vous vous fichez de moi, j'en ai acheté une comme ça pour dix couronnes, l'autre jour.

– Ce n'était pas la même.

– Oh si. Vous me prenez pour un imbécile ?

Sammy ricana. L'homme le dévisagea sans comprendre et passa la main sur sa calvitie.

– C'est pour la « Caméra invisible » ? demanda-t-il en cherchant à voir par-dessus la tête de Sammy.

– Pas du tout.

Sven-Gösta Welin lui claqua la porte au nez.

Sammy sortit une feuille de papier de sa pochette et cocha le nom. Toujours rien. Personne, sur la liste, ne correspondait au signalement. Personne ne portait de queue-de-cheval et n'avait les cheveux longs.

Pourtant, il était toujours de bonne humeur, peut-être parce qu'il faisait quelque chose. Les discussions à l'hôtel de police le fatiguaient alors que, comme faux vendeur, il avait l'impression de se rendre utile. Cela faisait déjà huit suspects de moins. Plus que cinq. Et, si aucun d'eux n'avait les cheveux longs, il y aurait treize personnes de moins à suspecter. À condition d'écarter la possibilité que l'homme à la queue-de-cheval se soit coupé les cheveux, dans ce cas, il pourrait vendre des éponges pendant des décennies.

Lorsque Sammy parlait de son travail à des parents ou de bons amis, ils étaient nombreux à s'étonner de son caractère routinier. Il ne faisait rien, non plus, pour le rendre plus passionnant ou plein de charme en apparence qu'il n'était en réalité. Ce n'était souvent qu'un travail de bureau obstiné, monotone et lassant, consistant à dépouiller des rapports et à fixer un écran d'ordinateur.

Pour l'instant, il prenait l'air, au moins. Et puis il était plus excitant de monter un escalier, de chercher un nom sur le tableau des locataires et de se retrouver ensuite nez à nez avec la personne en question, que de rester le cul sur sa chaise dans son bureau.

Jouer les vendeurs à domicile avec une éponge à la main ajoutait un peu de piment à l'affaire et Sammy n'y voyait pas d'objection. Cela ferait une bonne histoire à raconter à ses amis, en en rajoutant un peu, au besoin.

Le neuvième de la liste habitait au premier étage d'un immeuble assez ancien qui ne comprenait que quatre appartements, et il avait le crâne rasé. Le dixième, qui occupait un studio dans l'un des bâtiments indépendants de Tiundagatan, était obèse et Sammy avait des raisons de douter qu'il puisse se hisser sur une bicyclette.

Il restait optimiste, cependant, et se dirigea vers Stabby Allé, où vivaient les numéros onze et douze. Chou blanc là aussi. L'un des deux avait été renversé par une voiture de livraison de pain, portait une minerve et avait un bras dans le plâtre, et l'autre, qui avait été condamné pour violences conjugales à la fin des années 90, accueillit Sammy Nilsson à bras ouverts. Pas pour lui acheter une éponge, hélas, mais pour lui parler du salut de son âme.

Le dernier de la liste n'était pas chez lui. Son voisin immédiat ne s'en étonnait pas, puisqu'il était parti vivre sur la côte ouest trois mois auparavant. L'appartement était maintenant occupé par une de ses nièces.

Sammy descendit mélancoliquement Börjegatan. Par chance, le soleil brillait, ce qui atténuait sa déception. Dans sa mallette, en plus de ses éponges invendues, il avait une brochure de propagande pour le Réveil religieux. Ce qui l'étonnait le plus, c'était d'avoir trouvé tout le monde à domicile, sauf le treizième.

Il allait quand même vérifier ce qui concernait celui-là. Le fait qu'il ait déménagé ne voulait pas dire qu'il n'était pas à Uppsala la nuit de l'incendie. Sa nièce s'appelait Pauline Fredriksson et faisait des études d'agronomie. Il ne devait donc pas être très difficile de la trouver. Si c'était elle qui occupait l'appartement cette nuit-là, il n'aurait plus qu'à rayer également le numéro treize.

Il passa devant le Savoy, repaire favori de Lindell, il ne l'ignorait pas. Il n'y était jamais entré, pour sa part. Peut-être en saurait-il un peu plus long sur sa collègue s'il allait y prendre une tasse de café ? Il l'avait bien méritée, en tout cas, et ce serait drôle si Ann y était déjà.

Il fut accueilli par une salve d'applaudissements. Ceux-ci ne lui étaient cependant pas destinés, mais s'adressaient à un couple d'un certain âge qui avait commandé des gâteaux. Le personnel et les autres clients les félicitaient car ils fêtaient leurs soixante ans de mariage ce jour-là.

Sammy fut ému de les voir et pensa à Angelika. Était-il possible que, dans un demi-siècle, ils soient là tous les deux à commander cinq gâteaux ?

La femme avait un sourire discret. « Elle doit avoir plus de quatre-vingts ans », pensa Sammy. Elle avait pourtant un sourire de petite fille, gênée de l'attention générale. L'homme avait l'air plus à son aise et expliquait qu'ils avaient été mariés dans l'église d'Åkerby par le pasteur Åkerblom.

– Åkerman, rectifia sa femme.

– Le clocher de l'église n'est pas droit, poursuivit-il sans se soucier de cette interruption, mais ce n'est pas de notre faute.

– C'était pendant la guerre, poursuivit la femme. Erik était mobilisé, ce n'était pas de mon goût.

– Si, on était pleins de… poux, plaisanta l'homme.

Sammy Nilsson tendit le bras pour prendre un numéro d'ordre, mais une main fut plus prompte que la sienne pour s'emparer du 14. Sammy regarda l'homme qui l'avait devancé et celui-ci lui sourit. Sammy le paya largement de retour.

Les deux personnes âgées continuaient à parler, mais les applaudissements avaient laissé place à une certaine impatience.

– Vous aurez bientôt été mariés pendant soixante et un ans, dit un petit plaisantin dans la queue.

Sammy, lui, observait les gâteaux dans la vitrine, tandis que, sur le trottoir, deux ou trois enfants tentaient de regarder à l'intérieur à travers la vitre. L'un d'entre eux montra du doigt les gâteaux fourrés et Sammy se décida pour un chausson aux pommes. En relevant les yeux, il aperçut un homme qui montait dans une voiture. Un homme à queue-de-cheval.

Il fendit la queue, ouvrit la porte et sortit en coup de vent. La voiture partit en direction de l'ouest et disparut de son champ visuel. Il traversa la terrasse en courant, enjamba d'un bond la petite clôture, se faufila à travers les buissons hérissés d'épine-vinette et se retrouva sur le trottoir.

La voiture était à une trentaine de mètres. Il sortit son portable et appela la centrale.

Deux voitures patrouillaient dans les quartiers ouest, l'une dans Skolgatan, l'autre à Stenhagen. Il se représenta mentalement le plan de la ville et s'efforça de deviner vers où pouvait se diriger le véhicule qui venait de lui échapper.

– Dites à celle de Stenhagen de revenir vers la ville, avec les gyrophares, et de retrouver une Opel bleue de modèle assez ancien dont je n'ai pas pu relever le numéro. Celle de Skolgatan, dites-lui de se diriger vers le Centre des Humanités puis vers Råbyleden. Est-ce qu'on a une patrouille dans les quartiers est ? Si oui, dites-lui de prendre Råbyleden en sens inverse.

Plus il réfléchissait aux autres possibilités, plus il se rendait compte qu'il était facile pour une Opel de passer entre les mailles d'un filet aussi improvisé.

Il raccrocha et prit sa respiration. Le couple âgé sortit et Sammy scruta les boutiques avoisinantes. De laquelle l'homme à la queue-de-cheval était-il sorti ?

Il commença par la banque et se dirigea aussitôt vers la caisse. Il se pencha vers l'ouverture du guichet et montra sa plaque. Le client qu'il bouscula, ce faisant, le dévisagea. La caissière eut l'air effrayée, un instant, avant de se rasséréner en entendant la question de Sammy.

– Avez-vous eu la visite d'un homme à queue-de-cheval, il y a moins de cinq minutes ?

La caissière secoua la tête, l'air de ne rien comprendre. Le client, lui, dévisageait toujours Sammy. Persuadée qu'il s'agissait d'une attaque à main armée, l'autre caissière s'était levée.

« Fais ce qu'on te dit, reste tranquille », lui enjoignit intérieurement Sammy, soudain contrarié de voir le temps qu'il perdait.

– Il ne s'agit pas de vous, dit-il d'une voix plus forte qu'il n'était nécessaire. Je suis de la police et je cherche un homme à queue-de-cheval que j'ai vu devant la banque il y a un instant.

– Je l'ai vu, moi aussi, dit une jeune femme, derrière lui.

Sammy se retourna.

– Il est allé acheter du tabac à priser et était mécontent qu'ils n'aient pas la marque qu'il voulait.

– Où ça ?

– À la boutique là-bas, au coin de la rue.

– Vous l'avez déjà vu ?

– Non, jamais.

– Merci, lança Sammy en quittant la banque aussi vite qu'il y était entré.

La boutique en question n'était qu'à une trentaine de mètres et l'homme qui la tenait se souvenait de ce client.

– Lui souvent venir, dit-il en mauvais suédois. Lui pas content, aujourd'hui.

– Savez-vous comment il s'appelle ?

– Beaucoup gens venir ici. Je connais beaucoup mais eux pas dire nom. Dire : donnez-moi cigarettes ou combien coûte ? Beaucoup être…

– Il vient souvent ici ?

– Oui, souvent. Acheter tabac et nourriture.

– Il loue des cassettes ?

– Peut-être.

– Dans ce cas, vous avez son nom.

Le commerçant hocha la tête et Sammy poussa un grand soupir.

– Je reviens, dit-il en sortant précipitamment.

Il appela de nouveau la centrale. Cette fois, il eut Baldersson au bout du fil. C'était parfait, car il était calme et sensé. Jusque-là, aucune trace d'une Opel bleue.

– Tu es sûr ? demanda Baldersson. Parce qu'on est sur la piste d'une Mazda bleue avec deux hommes à bord.

– Une Opel, répéta Sammy.

Il coupa la communication et appela aussitôt Lindell. Un plan avait pris forme dans sa tête et il voulait mettre Ann au parfum.

– Je suggère qu'on fournisse au type qui tient cette boutique un portable avec un seul numéro enregistré, celui d'une voiture de patrouille garée tout près. Il suffirait qu'il appuie sur le bouton d'appel s'il voit le type à la queue-de-cheval. Facile comme Basile.

– Il y a beaucoup de queues de cheval, objecta Lindell.

– Tu en connais beaucoup, toi ?

Lindell eut un petit rire.

– Le problème serait surtout de disposer d'une voiture. Elle est ouverte vingt-quatre heures sur vingt-quatre, cette boutique ?

Elle savait très bien de quelle boutique il s'agissait. Elle était facile à surveiller, de plus, avec son entrée située au coin d'une rue, bien en vue. Placer une voiture à un endroit stratégique ne serait pas compliqué non plus. Elle ne se remarquerait pas, étant donné le nombre de véhicules stationnant en permanence dans la rue.

– Jusqu'à dix heures du soir. Ils ne peuvent pas nous refuser ça, bon sang, on n'a pas d'autre piste.

« Une queue-de-cheval », pensa Lindell, sceptique. Elle promit pourtant d'en parler à Ottosson, avant de raccrocher. Sammy Nilsson resta figé sur le trottoir, perplexe. Il aurait tellement voulu pincer ce pyromane. Il était rare qu'il s'engage autant, personnellement, dans une affaire. Or, il avait toujours ces trois corps calcinés devant les yeux et un peu l'impression de les avoir laissé tomber, du seul fait de ne pas avoir été au courant de leur existence. Il savait que c'était une idée ridicule, car comment savoir ce qui se passait dans tous les pays du monde et s'engager en conséquence ?

C'était de bonne foi qu'il avait acheté ce pyjama décoré de Pocahontas et il se sentait berné. C'était ainsi. Il avait été mené en bateau par Disney, qui avait fait appliquer sur ce vêtement une silhouette au doux sourire, alors qu'elle aurait dû pleurer toutes les larmes de son corps pour ses sœurs du même âge, dans ce pays lointain et mal connu qu'est le Bangladesh. Et Sammy Nilsson détestait être berné.

Son téléphone sonna. C'était Baldersson. Toujours aucune nouvelle des voitures radio.

Des épines étaient restées fichées dans sa peau, quand il avait franchi cette haie, et elles lui faisaient mal, maintenant, dans les mains et dans les cuisses. Il fixa du regard ces petits points noirs dans la peau de ses paumes. Heureusement, Angelika adorait retirer les échardes. La soirée était sauvée.

Chapitre 41
Mercredi 14 mai, 16 h 45

Ann se demandait comment mettre la main sur l'ami de Lisbet, ce Jöns au nom de famille inconnu. Même si cette dernière l'avait jeté à la poubelle au sens propre comme au figuré, il importait de l'informer qu'elle avait mis fin à ses jours. En outre, Lindell croyait, ou du moins espérait, qu'il serait en mesure de lui fournir des informations permettant de compléter le portrait de Sebastian.

Il avait l'air d'être très attentionné. Lindell avait trouvé une lettre de sa main, envoyée l'automne précédent de Gävle, où il se trouvait manifestement pour son travail car, tout en bas, il avait ajouté que c'était la dernière fois qu'il partait pour de longues missions en dehors d'Uppsala. Dans cette lettre, il disait combien il l'aimait. Ils avaient dû envisager l'achat d'une maison. Il parlait en effet de « la baraque » et disait qu'il n'y aurait pas de problème pour obtenir un prêt. Il avait aussi eu une pensée à l'intention de Sebastian.

Ann prit place à la table de la cuisine. Elle se pencha pour baisser le store, car le soleil la gênait. D'après les prévisions à long terme du journal, un météorologue allemand avait prévu un été chaud.

Pour elle, c'était la période la plus difficile de l'année. Elle voyait les autres échafauder des projets de vacances et de voyage ici ou là, tandis qu'elle était comme paralysée. Elle savait que c'était à cause d'Edvard et de ce paradis estival de Gräsö où elle aurait tant aimé le rejoindre. L'idée de l'île bloquait toute initiative de sa part et elle se doutait qu'elle devrait se rabattre sur une semaine à Ödeshög. Erik pourrait au moins jouer tout son saoul. Ses grands-parents maternels étaient prêts à se mettre en quatre pour lui et Ann ne se souvenait pas avoir bénéficié d'autant d'attention au cours de son enfance. Après Ödeshög, elle verrait. Peut-être Edvard l'appellerait-il à nouveau ? Elle n'en finissait pas de se mépriser, à se voir attendre passivement que les choses se produisent.

Elle regarda son téléphone. Et si elle l'appelait en Thaïlande ? Que dirait-il ? Quelle heure était-il, là-bas ?

Elle sourit, soudain persuadée que l'appel qu'il lui avait passé depuis Nybron était sérieux. S'il était toujours fâché, il ne l'aurait pas contactée.

« Il m'a vue et ça lui a fourni un prétexte pour un coup de fil, c'est tout », pensa-t-elle en riant. Faire de même à partir de Gräsö, c'était trop pour lui. Cela lui aurait trop rappelé le temps jadis. Sur ce pont, il se sentait plus libre. Elle aurait aimé que le temps passe plus vite. Quinze jours, ce n'était pas une éternité. Il y avait si longtemps qu'ils étaient séparés.

– C'était stupide, dit-elle à haute voix.

Elle fut interrompue dans ses pensées d'ordre privé par l'arrivée bruyante de Ryde.

– Bon, dit-il, ça fait au moins un cadavre dont je n'aurai pas à m'occuper.

– Ton idée de départ, c'est du sérieux ? demanda-t-elle en se souvenant de la réaction qu'il avait eue devant celui de Sebastian Holmberg.

Ryde ne répondit pas et alla regarder par la fenêtre.

– La vue est belle.

– Réponds.

– Je suis fatigué, lâcha Ryde d'un air qui ne confirmait que trop ses propos.

Il était exact qu'il avait vieilli ces derniers temps, peut-être pas tant sur le plan physique mais ses mouvements étaient moins vifs et ses propos plus lents. Il ne réagissait pas aussi rapidement et ses collègues avaient parfois l'impression que son travail ne l'intéressait plus.

– C'est bientôt les vacances, dit Lindell, tu vas pouvoir faire une pause.

– On verra ça, répondit-il en regardant autour de lui avec un sourire.

Lindell se dit qu'il était peut-être malade.

– Cette lettre, où est-elle ? demanda-t-il.

– Dans la chambre.

Ryde mit ses lunettes et approcha le contrat de ses yeux. Lindell vit ses lèvres remuer, puis il la regarda par-dessus ses lunettes avec un air amusé.

– Jadis, j'avais un copain de travail qu'on surnommait le Coq. Il est devenu facteur et a fini contremaître, je crois. Il aurait déchiffré ce nom en deux secondes sept dixièmes.

Moi, il m'a fallu trois secondes un dixième et encore je n'en ai que la moitié.

– Il était fort, donc. Qu'est-ce que tu as trouvé ?

– ND, dit Ryde, je suis sûr que ça finit par « nd ».

Lindell commençait à comprendre pourquoi le visage de cet homme lui avait rappelé quelque chose.

Ryde ôta ses lunettes et la regarda.

– Qu'est-ce qu'il y a ? demanda-t-il.

– Je peux me tromper, mais je crois que Munke va avoir du boulot.

– Ah bon, fit Ryde.

Holger Munke ne figurait pas parmi ceux de ses collègues qu'il appréciait le plus.

– Ola va être furieux, ajouta-t-elle en quittant la pièce.

Pour une fois, ce fut à Ryde d'avoir l'air interloqué. Il alla la rejoindre dans la cuisine, où elle était en train de fouiller dans la poubelle.

– J'emporte cette photo, dit-elle.

– Qu'est-ce que tu vas en faire ?

– Je ne sais pas, mais j'ai le sentiment qu'il y a quelque chose de pas clair là-dessous et que quelqu'un cherche à cacher quelque chose.

Elle s'arrêta sur le pas de la porte et adressa un grand sourire à Ryde.

– J'ai entendu Fredriksson définir les nouvelles comme étant ce qu'on cherche à cacher. Dans ce cas, je vais sans doute en avoir une, peut-être même plusieurs, à annoncer, dit-elle en hochant la tête. Et ça ne va pas faire plaisir à tout le monde.

– À qui donc ?

– Tu verras bien.

Ryde ne répondit pas et se garda de poser d'autres questions, il se contenta de hocher la tête à son tour et de lui souhaiter bonne chance en son for intérieur.

Plus tard, Ryde évoquerait d'une voix admirative, ce qui était rare de sa part, l'instant où, dans la cuisine de Lisbet Holmberg, il avait vu cet éclat briller dans les yeux de Lindell. Il appelait cela un « regard à la Johansson », du nom d'un légendaire inspecteur local. Ryde et lui avaient collaboré pendant plusieurs années et c'était l'un des rares collègues à être sorti intact de l'épreuve de l'examen critique du rigoureux technicien.

Chapitre 42
Mercredi 14 mai, 17 h 05

Quelle était la probabilité que la « queue-de-cheval » revienne à la boutique de proximité au coin de Ringgatan et de Börjegatan, au cours des prochains jours ? Sammy Nilsson s'était posé maintes fois la question, avant de se mettre à organiser l'opération, en compagnie de Ljungberg et Ask, de la brigade de recherches.

– Faudrait peut-être qu'on commence demain ? dit Ljungberg, un Scanien flegmatique en qui Sammy avait toute confiance.

– Et s'il voulait louer une vidéo dès ce soir ? objecta Ask. Qu'est-ce qu'il y a à la télé ?

– On lance l'opération dès que possible, déclara Sammy. Même s'il ne va pas à la boutique, il se peut qu'il passe à ce carrefour. Il n'a sans doute pas de voiture. Il est monté dans l'Opel bleue côté passager et on l'a vu à vélo.

– À supposer que ce soit lui, rappela Ask.

– Il y a un arrêt d'autobus à proximité ? fit le Scanien.

– De l'autre côté de Börjegatan, répondit Sammy. Il faudrait l'avoir à l'œil, également.

– Il descend peut-être un peu plus loin dans la rue.

– Et si on en parlait aux transports publics ? suggéra Ljungberg. Les chauffeurs travaillent toujours sur la même ligne et ont peut-être vu un type à queue-de-cheval ?

– On pourrait appeler les sociétés immobilières et leur demander si elles ont un type comme ça parmi leurs clients. Elles ont l'œil pour ce genre de types, en général.

Sammy était aux anges devant l'abondance de leurs suggestions. Ljungberg et Ask étaient d'un grand secours.

Dans un appartement, à quelques centaines de mètres de l'hôtel de police, trois autres hommes étaient en train de projeter une action, eux aussi. Ils étaient d'ailleurs tout aussi optimistes que les policiers, ayant été mis en appétit par les manifestations de violence à caractère raciste des derniers jours.

Le plus âgé d'entre eux, Ulf Jakobsson, Wolf pour ses sympathisants idéologiques, expliquait aux deux autres le mécanisme de la terreur en se gardant bien d'employer le mot, préférant parler de « désintégration à la suite d'actions extrêmes », formule dont il était très fier.

– Nous sommes victimes de la tyrannie, leur dit-il, et les tyrans comprennent un seul langage, celui de la violence. Ce n'est pas nous qui choisissons les moyens de notre lutte, ils nous sont imposés par l'ennemi. Les réactions qui ont suivi notre distribution de tracts montrent que nous sommes en phase avec l'opinion publique. Les Suédois honnêtes attachent foi à notre message et sont prêts à l'action, eux aussi, désormais.

– C'est surtout des g-gosses, bégaya Rickard Molin, qui font des histoires dans les p-pizzerias.

Il avait la trentaine et son bégaiement l'inquiétait, car on risquait d'y voir un signe de mollesse ou de manque d'esprit de décision. Or un militant ne se laisse pas envahir par le doute, il agit. Il compensait donc son handicap par un surcroît de violence dans ses propos et un goût prononcé pour les armes blanches.

Wolf le regarda.

– T'as d'autres suggestions ? lui demanda-t-il.

Molin secoua la tête.

Le troisième de la bande, ou plutôt du « groupe d'action » comme ils se définissaient, avait l'âge de Molin. Ils avaient grandi dans la même partie de Salabackar et avaient été camarades de classe. Bosse Larsson était petit, brun et portait les stigmates d'une consommation sans cesse croissante d'alcool.

– Faut agir vite, dit-il. On n'a pas le temps de rester les bras croisés.

– Mon idée est bonne, dit Wolf. Vous ne pouvez pas imaginer quelles seront les réactions. Drottninggatan, d'abord, mais ça, c'était cadeau. Et maintenant Gamla Uppsala, et ça, ça va faire du pétard, je vous jure.

– C'est une église, objecta Bosse Larsson.

– Justement, dit Wolf. Plus c'est gros, plus ça fait du bruit.

Larsson ne répondit pas, mais il était évident qu'il n'était pas convaincu.

– On v-va laisser un message, pour q-qu'ils sachent q-qui nous sommes.

– Parfait ! s'exclama Wolf.

– Ils vont sentir leur douleur, les talibans, après ça !

Il voyait d'ici le tableau : l'église de Gamla Uppsala, symbole du triomphe du christianisme en Suède, car elle avait été édifiée sur le site de l'ancien temple païen, en train de partir en fumée.

– Si on se poste à proximité, on pourra frapper juste après la fin du concert.

–Y a un f-fast-f-ood, là-bas, bégaya Molin.

– Oui, mais c'est un bronzé qui le tient, objecta Wolf.

– Jonas habite pas loin, à Nyby. Y a qu'à se planquer chez lui, suggéra Bosse Larsson.

– On peut pas lui faire confiance, répliqua Wolf.

– T'as dit toi-même que...

– Ce truc, c'est spécial, faut être sûr de soi à cent pour cent. Jonas est pas encore mûr. Non, on partira vers neuf heures et demie. Ils commencent à sept heures. Y a dix chorales qui vont pousser leur gueulante. Disons qu'elles en auront pour un quart d'heure chacune. Ce sera parfait si on part d'ici peu après neuf heures.

– Quelle tenue ?

– La plus neutre possible, dit Wolf. Faut pas se faire remarquer.

– Ça me p-plaît pas beaucoup de prendre ma v-voiture, dit Molin. On p-peut pas en l-louer une ?

– Trop cher, déclara Wolf.

« Ça lui va bien, pensa Molin. Lui qui me demande toujours de l'emmener. »

– On pourrait mettre le feu à la mosquée, ensuite.

Molin et Wolf regardèrent Bosse Larsson.

– Je veux dire : et faire passer ça pour des représailles.

Le visage de Wolf s'éclaira, pour une fois.

– Pas d'objection, dit-il.

Il était mécontent que l'idée soit venue de Bosse, mais avait vite compris l'avantage sur le plan de la propagande. Il se fiait de plus en plus à la peur et à la vengeance, pour faire progresser ses idées.

Ils se séparèrent après avoir convenu que Molin se chargerait de remplir les bidons d'essence dans diverses stations-service de la ville. Bosse Larsson procèderait aux repérages. Wolf, enfin, se chargeait de rédiger une série de courriers à envoyer à la presse, à répartir entre une demi-douzaine de personnes, et de contacter Jonas, pour qu'il se tienne prêt à imprimer de nouveaux tracts.

Le printemps était arrivé à Uppsala. Il ne faisait pas encore très chaud mais Ulf Jakobsson, dit Wolf, se réjouissait de voir les rayons du soleil passer à travers les branches des bouleaux de S:t Olofsgatan. Il se dirigeait à pas pressés vers le centre de la ville en fredonnant un vieil air à la mode, se sentant investi d'une lourde responsabilité. Après des années de vaines arguties, on passait enfin à l'action. Pendant sa jeunesse, il avait cru en un changement rapide. Il se souvenait de son premier exploit, à l'âge de dix-sept ans, lors de l'arrivée à l'aéroport d'Arlanda de Jerome Holland, nouvel ambassadeur des États-Unis en Suède. Ces salauds de cocos étaient là, avec leurs banderoles haineuses. Il se souvenait surtout d'un Noir taillé comme un colosse. Pour sa part, il tenait une autre banderole, qui souhaitait la bienvenue à l'Américain, au contraire. C'était l'époque de la guerre du Vietnam et les Rouges exerçaient tranquillement leurs ravages depuis des années.

Le plus curieux était que l'Américain était un Noir, lui aussi. Mais il venait au moins d'un pays qui combattait ces petits Jaunes, tout rouges à l'intérieur.

L'Alliance Démocratique se perdait en bavardages stériles. Elle recrutait surtout dans les rangs des jeunes du parti de la Droite, tous d'intarissables bavards. Il avait par la suite revu pas mal d'entre eux à la télé ou dans les journaux. L'un d'eux avait même été élu député.

Mais Wolf s'était vite lassé et avait quitté l'organisation. Il était resté passif une dizaine d'années, puis, au milieu des années 90, avait adhéré au mouvement « La Suède aux Suédois ». Les choses s'étaient améliorées, il y avait eu des manifestations de masse et des passages à tabac de bronzés.

En 1992, il avait séjourné dans le camp d'entraînement des militants, en Angleterre. Cela avait représenté pour lui un tournant, même s'il avait eu du mal à supporter les hurlements des hooligans qui venaient se mêler à eux, mais qui constituaient aussi leur base de recrutement. Il avait senti revenir l'enthousiasme de ses jeunes années et repris des forces. Ses convictions s'étaient renforcées. Il était maintenant convaincu de ce qu'il y avait de positif dans le racisme, et que ce n'était pas une idéologie dont il fallait avoir honte ou à masquer sous des propos nébuleux sur les difficultés de la société multiculturelle.

Les Belges et les Anglais étaient d'une autre trempe que ces lavettes de Suédois qui n'avaient rien dans le ventre, sans doute trop conditionnés par la propagande communiste au jardin d'enfants et à l'école.

Il avait naturellement adhéré à la Nouvelle Démocratie, dès sa fondation, mais n'avait que mépris pour les parlottes parlementaires, même si certains propos faisaient plaisir à entendre. Il avait apprécié l'idée du lion qui dévorait les petits nègres. Ian et Bert* préparaient le terrain mais, pour que les choses changent vraiment, il aurait fallu faire autre chose que gueuler du haut d'une tribune.

Ce sentiment nouveau de force – car il avait ressenti le charisme d'un chef – l'avait incité à regarder les gens d'un œil différent. Alors que, avant, il éprouvait une gêne mêlée de révolte à croiser tous ces blacks et ces bougnoules, surtout s'ils riaient ou parlaient fort, il était désormais convaincu de sa supériorité. Il valait mieux qu'eux, c'était aussi simple que ça. Ils avaient l'air d'êtres humains aux tronches un peu brûlées par le soleil, mais ils n'en étaient pas. Ils n'avaient qu'à pousser leurs cris de bêtes dans leur pays et laisser les rues d'Uppsala aux gens du Nord.

Il était même prêt à leur payer le billet de retour. Pour en être débarrassé. Il en avait été question au sein de la Nouvelle Démocratie, mais le parti n'avait pas osé pousser très loin cette idée. Il en était quitte pour rêver à l'aspect qu'aurait sa ville, sans eux.

« Vous êtes morts », pensa-t-il en croisant une famille de bronzés devant le restaurant Kings Street. Il les fixa du regard pour imaginer la cité libérée de leur présence.

* Ian Wachtmeister et Bert Karlsson, surnommés le Conte et le Valet, fondateurs du parti populiste Nouvelle Démocratie, représenté au parlement de 1991 à 1994, qui succomba à des rivalités internes.

Puis il se mit à les compter. Entre Kungsgatan et la boutique de disques de Fenix, il ne croisa pas moins de trente-six personnes dont il avait des raisons de penser qu'elles n'étaient pas suédoises. « On respirerait quand même mieux, si on les renvoyait chez eux », pensa-t-il.

Il acheta le nouveau disque de Carola. La musique nègre, telle qu'il l'entendait tous les jours dans la rue piétonnière, lui donnait des boutons. Il détestait ce groupe qui tapait sur des tambours, surtout quand il voyait des passants s'arrêter pour leur donner la pièce.

Chapitre 43
Mercredi 14 mai, 17 h 45

Après l'incident de la bibliothèque, Munke s'était enfermé dans son bureau. Il ne fut nullement consolé par le coup de fil qu'il reçut du préfet de police, qui déplora ce qui était arrivé et le blâma pour avoir réprimandé publiquement deux valeureux collègues.

– Tu n'es d'ailleurs pas habilité à les suspendre, dit le grand patron, et tu le sais très bien, Holger. Tu vas devoir leur présenter des excuses.

« Jamais de la vie, pensa Munke, je préfère démissionner. »

– La situation était délicate, cette nuit-là. Ils l'ont peut-être mal appréciée. Il va falloir se pencher sur la question, bien entendu, poursuivit le préfet, mais pour l'instant, étant donné les rudes épreuves que nous devons affronter, il faut privilégier la collégialité.

Munke raccrocha, pensif. Ce qui l'inquiétait le plus, c'était son incapacité à faire face à la situation. Il savait qu'il ne servait à rien d'engueuler ses hommes, surtout à portée d'oreilles de collègues, mais quelque chose s'était brisé en lui, dans la bibliothèque, et l'avait perturbé au point de lui faire perdre la jugeotte. Il sentait bien, aussi, qu'il ne s'agissait pas seulement de Lund et Andersson, mais d'un ensemble plus vaste.

Il regarda ses mains, écarta ses doigts puissants et referma le poing. « J'ai perdu prise », pensa-t-il. Il fit le compte, mentalement, de ses années de service, depuis son engagement volontaire comme soldat de métier, puis comme membre de la police d'Uppsala. Même s'il prenait une retraite anticipée, il aurait de quoi vivre. Ce qu'il aurait du mal à supporter, en revanche, ce serait l'inactivité. Tout le monde savait, à commencer par lui, à quel point il avait besoin de son travail pour exister. Congés de maladie et vacances lui étaient également insupportables.

On frappa discrètement à la porte. Brusquement tiré de ses pensées, il fixa la porte du regard. Si c'était le préfet de police qui venait poursuivre la discussion, comme il en avait laissé planer la menace, le risque était grand que Munke lui jette sa démission à la face. Il se leva à demi de son siège et hésita une seconde avant de lancer un vigoureux « entrez » et de se rasseoir.

Ann Lindell entra, referma la porte derrière elle, salua de la tête et prit place sur le siège du visiteur.

– Madame la Crim', dit Munke d'une voix bonasse.

Lindell baissa les yeux.

– Si on se mettait à notre compte ? C'est ce que font les gens qui sont mécontents de leur emploi, non ?

– Qu'est-ce que tu veux dire ?

– Des bêtises, seulement, oublie ça.

Il vit aussitôt que Lindell était venue pour parler de choses beaucoup plus sérieuses.

– Tu as assisté à l'incident, dans la bibliothèque, toi aussi ? demanda-t-il.

Lindell acquiesça de la tête.

– Je crois que j'ai une piste, ajouta-t-elle en posant une photo sur le bureau de Munke. Tu connais ce type ?

Munke abaissa les lunettes qu'il avait remontées sur son front et regarda de près la photo de l'ami de Lisbet.

– Non, dit-il, même si son visage me rappelle quelque chose. Qui est-ce ?

– Il se prénomme Jöns.

– Et son nom ?

– Je ne sais pas, mais je crois qu'il se termine par « nd », ou plutôt : Ryde est de cet avis.

– Tu as montré ça à Gunilla ?

Gunilla était une employée du laboratoire de la Scientifique qui travaillait depuis plusieurs années dans la maison. Elle était experte en graphologie et apportait son concours en matière d'analyse de lettres et de fragments de textes non seulement à la police d'Uppsala mais à celle du pays tout entier.

– Non, je n'ai que l'avis de Ryde pour l'instant.

– Et en quoi nous intéresse-t-il ?

– C'est l'ancien compagnon à distance de Lisbet, si j'ose dire.

Lindell expliqua où Haver avait trouvé la photo et ajouta qu'elle aimerait poser quelques questions à cet homme, parce qu'elle pensait qu'il pourrait éclairer le meurtre de Sebastian d'un jour nouveau.

– En quoi penses-tu que je peux te venir en aide ?

– Tu dis qu'il te rappelle quelque chose et je me suis fait la même réflexion. Pourquoi ? Eh bien, il me semble que c'est un parent, peut-être le frère, de quelqu'un qu'on connaît tous les deux.

Munke remit ses lunettes, qu'il avait ôtées entre-temps. Le silence qui régnait dans la pièce inquiéta Ann au point de l'inciter à regarder derrière elle. Le bureau de Munke était l'un des plus impersonnels qu'on puisse imaginer. En effet, il ne renfermait pas le moindre objet personnel ou décoratif rappelant qu'il existait une vie en dehors de l'hôtel de police, même pas une fleur.

– Tu m'as dit que son nom se termine par « nd » ?

– Oui, et il est très bref.

On se serait cru en train de jouer aux devinettes, pensa Lindell, qui fut sur le point de demander à Munke s'il donnait sa langue au chat. Mais il fut plus prompt qu'elle.

– Lund, dit-il en levant les yeux.

– Je crois que c'est le frère de l'inspecteur Lund, en effet, répondit-elle.

– Et d'après toi, il était plus ou moins en ménage avec la mère de Sebastian ?

– Jusqu'à très récemment, en tout cas, car elle a jeté sa photo à la poubelle, ce qui n'est pas bon signe. Serait-ce une coïncidence que son frère soit passé près du lieu du crime, alors qu'il était le beau-père, non officiel mais quand même, de Sebastian ?

Munke ne répondit pas. Lindell savait qu'il saisissait parfaitement où elle voulait en venir.

– Je vais convoquer Lund et Andersson, finit-il par dire.

– Ce n'est peut-être pas une bonne idée. Je peux m'en charger, si tu veux.

– Non, trancha Munke.

Lindell aurait pu insister. Cet inconnu était impliqué dans une affaire criminelle dont elle avait la charge.

– Alors, je demande à être présente, dit-elle.

Munke se contenta d'un sourire pour toute réponse.

Il décrocha le téléphone de sa grosse main. Il n'y avait plus aucune trace de découragement dans son geste.

– Haver est au courant ?

Lindell secoua la tête. Munke reposa le combiné mais le souleva à nouveau en voyant la mine de Lindell.

Lund et Andersson venaient de quitter l'hôtel de police.

Chapitre 44
Mercredi 14 mai, 18 h 10

Ulf Jakobsson ne se fiait à personne d'autre que lui-même et pourtant, il priait Dieu. Il ne voyait aucune contradiction à cela, pas plus qu'avec son désir de voir ses prières exaucées. L'action visant l'église de Gamla Uppsala devait être un succès.

Il ferma les yeux et marmonna dans sa barbe, en attendant l'autobus dans Luthagsleden. Comme il aimait ces tilleuls. Les petits groseilliers qui bordaient la voie étaient également très jolis, peut-être surtout parce qu'ils verdissaient tôt dans l'année, annonçant l'arrivée de la belle saison.

S'il n'y avait pas eu la tension nerveuse, Wolf aurait eu de quoi être satisfait. Il aimait beaucoup le printemps et celui-ci semblait enfin approcher.

Pendant neuf ans, il avait occupé un emploi saisonnier auprès du service d'entretien du cimetière. C'était un rythme qui lui plaisait bien. Commencer à travailler au mois d'avril, pour mettre les lieux en état après l'hiver, lui inspirait un sentiment de satisfaction. Il n'ignorait pas que certains méprisaient ce genre de travail : passer sa vie dans un cimetière à planter et arracher des fleurs pour un salaire de misère devait être plutôt mortel, c'était le cas de le dire. Mais ils ne savaient pas de quoi ils parlaient. Les morts étaient reconnaissants qu'on s'occupe d'eux et les familles contentes de voir que les tombes étaient jolies et bien entretenues.

C'était un travail de plein air, paisible et libre. Le plus agréable, c'était de planter les fleurs. Il était désormais responsable d'une partie du vieux cimetière et ses fleurs favorites étaient les renoncules et les œillets d'Inde.

Il sourit en pensant aux éloges que lui avaient valus ses plates-bandes et la façon dont il entretenait les tombes dont son service avait la charge. Si seulement son mal de dos pouvait le laisser tranquille, il reprendrait son travail juste à temps pour mettre en terre les plantes d'été.

L'autobus s'engagea dans Ringgatan et il se souvint avoir crevé, quelques nuits plus tôt, juste après le passage à niveau. Il avait ressenti comme une vengeance le fait que ce morceau de verre se soit trouvé juste devant le kiosque du bronzé.

Une femme qui avait oublié de demander l'arrêt en appuyant sur le bouton poussa un cri.

– Arrêtez-vous, la dame veut descendre, lança Wolf.

Le chauffeur stoppa le véhicule

– Merci de votre amabilité, dit-elle en descendant avec difficulté.

–Y a pas de quoi, dit-il.

Au rond-point de Börjegatan, la circulation était dense et le bus dut attendre un instant. Debout près de la porte, Wolf jeta un coup d'œil à travers le pare-brise et remarqua aussitôt le policier en civil qui sortait de la boutique de proximité, observait les alentours, descendait les marches et montait dans une Saab noire. Il nota aussi que la voiture restait sur place. Pourquoi ne démarrait-elle pas ? Une fois la voie libre, le bus prit le tournant.

– J'attendrai le prochain arrêt, dit Wolf au chauffeur.

Il avait agi par pur réflexe. Ce n'était peut-être que le fait du hasard, cette voiture de police, mais il ne tenait pas à être vu. Ils pouvaient fort bien être sur sa piste. Or, il n'y a rien de plus stupide que de sous-estimer la police, ses amis anglais le lui avaient enseigné. Les gens étaient trop peu méfiants. Ils voyaient dans les agents une silhouette bienveillante placée aux carrefours pour assurer la sécurité mais Wolf était mieux informé.

Il savait qu'il n'était pas passé inaperçu, après l'incendie de Svartbäcken. Le livreur de journaux qu'il avait croisé l'avait regardé d'un air curieux. L'excitation qu'il avait ressentie sur le lieu de l'incendie, ajoutée au stress de la crevaison, lui avait fait perdre un peu de son calme et cela se voyait peut-être sur lui.

C'était aussi le hasard s'il avait reconnu ce policier. Au cours de l'hiver dernier, il avait assisté à un meeting. Les participants protestaient contre l'invasion de l'Irak par les États-Unis et Wolf était allé écouter cela, par curiosité et surtout pour mémoriser les visages.

À la fin, un homme s'était approché de deux agents en uniforme et Wolf avait aussitôt compris qu'ils étaient collègues. Cela se voyait d'ailleurs rien qu'à leur façon de parler. Il s'était posté non loin d'eux et avait pu surprendre une partie de leur conversation. Le civil avait l'accent scanien et disait que tout s'était bien passé, en définitive.

Il regarda derrière lui. La voiture n'avait toujours pas bougé. Il descendit du bus à l'arrêt suivant, s'engagea rapidement dans Stabby Allé, traversa plusieurs cours, enjamba quelques haies et clôtures basses, et se retrouva derrière le Savoy. La Saab était toujours au même endroit. Wolf distinguait la silhouette d'un autre homme, à côté du Scanien, et était maintenant persuadé qu'ils étaient à sa recherche.

D'une certaine façon, cela le rassura. S'ils étaient là, c'était signe qu'ils ne connaissaient pas son identité et ne savaient pas où il habitait. Sans doute ne disposaient-ils que du signalement fourni par le livreur de journaux et s'étaient-ils postés près de la boutique de proximité dans l'espoir qu'il passerait par-là. Mais il lui vint alors à l'idée qu'ils avaient peut-être placé d'autres voitures non loin de là et il alla se mettre à l'abri dans la cour, à nouveau.

Il s'interrogea aussi sur l'action prévue dans la soirée. Allait-elle pouvoir se dérouler comme prévu ? A priori, rien ne s'y opposait. Il prit simplement la précaution de changer le lieu de rendez-vous en appelant Rickard sur son portable. Ce serait idiot de se faire cueillir devant chez lui.

Il s'abstint cependant d'avertir celui-ci qu'on était à sa recherche, cela ne servirait qu'à l'inquiéter.

– Apporte une paire de ciseaux, aussi, lui dit-il pour finir.

– Des ciseaux ? Pour quoi faire ?

– Des ciseaux, je t'ai dit. J'ai envie de changer d'allure.

Chapitre 45
Mercredi 14 mai, 18 h 15

Ali voyait la silhouette des hirondelles se découper sur le ciel. Elles se propulsaient à grands coups d'ailes saccadés et décrivaient de larges cercles sur cette mer aérienne. À un moment, il dut fermer les yeux, de peur que les arbres ne se jettent sur lui. Il était pourtant bien protégé, dans cet espace déterminé par cinq puissants sapins, sous lesquels il s'était glissé, à bout de forces, et allongé sur la mousse.

Il frissonna, sur cette couche glaciale. Était-il parvenu à semer le poseur de moquette ? Peut-être celui-ci s'était-il enfin lassé, après le coup qu'il avait reçu ? Ali l'espérait mais était loin d'en être certain. Il se demanda quelle heure il était. Mitra était-elle rentrée du travail ? Si oui, elle devait se poser des questions.

La peur laissait de plus en plus la place à un sentiment d'irréalité, comme si ce n'était pas lui qui était allongé là, dans la mousse, en train de respirer l'odeur douceâtre de la végétation environnante.

De petits insectes noirs qu'il ne connaissait pas se déplaçaient sur la mousse avec une assurance qui n'avait rien à voir avec leur taille. Ils n'avaient pas peur, eux, ils étaient seulement sur leurs gardes. Ali tenta de se représenter l'image qu'un scarabée pouvait se faire de son environnement. « Ce que ça doit être beau, se dit-il, de se promener dans cette jungle. »

Les plus actives étaient les fourmis. Elles filaient en tous sens, avec des mouvements brusques, en donnant l'impression d'être sans cesse affairées. Il pensa de nouveau à Mitra. Un jour, il l'avait accompagnée au travail et il se souvenait encore comme il avait été étonné du changement qu'il avait constaté sur elle, à son arrivée. C'était en partie dû à la blouse qu'elle avait revêtue, mais surtout à la vitesse avec laquelle elle préparait les plateaux de nourriture.

« Combien de temps vais-je rester prisonnier de la forêt et allongé là ? » se demanda-t-il en s'imaginant qu'il était devenu un homme des bois, qu'il était forcé d'y rester et devait se tirer d'affaire de son mieux. Son estomac se fit sentir. Il arracha un morceau de mousse et la sentit.

Soudain, il entendit quelque chose craquer. Il porta aussitôt sa main à sa bouche et s'efforça de respirer sans faire de bruit. Une branche se brisa et il perçut une sorte de halètement. Il se tapit encore un peu plus sur le sol en maudissant l'idée qui lui était venue de se cacher sous les sapins. Le meurtrier ne manquerait pas de chercher dans les endroits les plus touffus. Il entendit d'autres branches se briser et chercha alors une pierre, un morceau de bois ou n'importe quoi qui puisse lui servir d'arme.

Il prêta l'oreille en fixant des yeux les fourmis qui continuaient à s'activer sans se soucier du danger. Le bruit ne cessait de s'amplifier. Il perçut une sorte de claquement et imagina le poseur de moquette en train d'approcher, conscient d'une façon ou d'une autre qu'Ali se dissimulait parmi ces sapins.

Il se leva prudemment, sentant qu'il serait pris au piège s'il restait là où il était. Sans l'avoir vraiment décidé, il se faufila entre les branches et s'éloigna.

Un élan effrayé sortit brusquement du sous-bois et Ali tomba à genoux en tremblant. L'animal s'éloigna à grandes enjambées, mais s'arrêta à une dizaine de mètres de là et tourna la tête.

Ali observa cette énorme bête, la plus grosse qu'il ait jamais vue dans la réalité. Il savait que l'élan était le roi de la forêt et comprenait maintenant pourquoi. L'animal leva l'une de ses pattes avant pour donner un coup de sabot. Ali se mit sur ses pieds, prêt à faire face à l'attaque. Mais le gros corps se détourna soudain d'un seul mouvement très souple et disparut à petits pas dans les fourrés.

Ali continua son chemin. Il était excité mais avait aussi pris des forces au spectacle de l'élan. C'était un peu comme s'ils s'étaient jaugés mutuellement, avant de se séparer, conscients du poids de l'autre. C'était ainsi qu'il interprétait le regard de l'élan.

« Personne ne peut plus me faire de mal maintenant, il me semble », pensa-t-il en continuant à marcher. La forêt était de moins en moins dense, il marchait sur des rochers plats couverts d'une mousse blanche et rêche, et au milieu de pins branlants qui se cramponnaient de leur mieux à la mince couche d'humus. Il trébucha sur une racine, tomba et resta sur le sol.

Le vent agitait la cime des arbres et faisait tourbillonner les aiguilles mortes tels des flocons de neige sèche. Ne se sentant plus la force de se lever, Ali avisa alors une cavité rocheuse dans laquelle il se traîna et s'effondra. Avant de s'endormir, il eut encore le temps d'entendre, comme dans un brouillard, le cri d'un pic-vert.

Chapitre 46
Mercredi 14 mai, 18 h 05

L'adresse postale ne disait rien à Lindell, sinon que c'était à la campagne, mais Munke savait où habitait Andersson. Ils suivirent Vaksalagatan en silence. Munke suait à grosses gouttes et Lindell baissa la vitre pour aérer un peu la voiture. Elle ne put éviter de se remémorer que c'était le chemin à prendre pour se rendre à Gräsö, et donc la route menant chez Edvard. Combien de fois ne l'avait-elle pas empruntée, pleine de joie et d'espoir ?

Comment allait-il ? Elle avait vu dans le journal qu'il faisait environ trente degrés, à Bangkok. Elle ne savait pas exactement où il était, sinon que c'était sur une île. Elle avait demandé à Bea si elle était déjà allée en Thaïlande et celle-ci s'était lancée dans une description très lyrique et évocatrice de ce pays paradisiaque. Sammy avait écouté leur conversation et l'avait interrompue pour demander s'il y avait des usines textiles, sur cette île-là. Bea avait perdu contenance et n'avait su quoi répondre.

– Tu sais, ces usines qui traitent leurs ouvrières comme des esclaves.

Sammy avait changé, depuis le début de l'enquête sur l'incendie volontaire. Il était devenu susceptible, restait figé devant son ordinateur, passait un nombre incalculable de coups de fil et houspillait tout le monde. Il tirait des masses de documents sur son imprimante et envoyait des mails un peu partout pour poser une foule de questions.

La veille, il s'était entretenu pendant une heure avec un certain Sveningsson, de Göteborg, expert en matière de comportement des incendiaires et, le matin, il était venu trouver Lindell pour lui demander d'adopter une nouvelle stratégie pour retrouver l'homme à la queue-de-cheval.

– Tu as des idées ? avait demandé Lindell.

Sammy avait posé une feuille A4 sur son bureau. Onze points. Le problème était que chacun exigeait des moyens en personnel dont ils ne disposaient pas.

– On va bientôt bifurquer, lui dit Munke, la tirant de ses pensées.

Ils s'engagèrent sur une petite route en terre battue. Munke baissa la vitre, passa le bras par la portière et arracha quelques feuilles au passage.

– Ce serait bien d'avoir une maison sur la côte, dit-il.

Lindell le regarda. Était-il au courant pour Edvard ? Sans doute, comme la plupart de ses collègues.

– J'en ai eu une, dit-elle.

– Le solitaire de l'île, reprit Munke en hochant la tête.

La maison d'Andersson était une ancienne ferme transformée, au milieu d'un beau petit terrain entouré de lilas. De vieux arbres fruitiers, rongés par les ans et les maladies, montaient la garde tels de vieux soldats mélancoliques, et des bordures de fleurs et une vieille serre complétaient le tableau de cette petite idylle au milieu de la forêt. Un chant d'oiseau que Lindell n'avait pas entendu depuis l'époque de Gräsö couronnait le tout. Elle s'écarta du sentier pour sentir l'herbe sous ses pieds.

Andersson se tenait sur le seuil d'un appentis tombant en ruine, vêtu d'une salopette, avec des outils à la main. Il n'eut pas vraiment l'air surpris, arbora un large sourire, posa ce qu'il tenait et vint à leur rencontre.

– Je me doutais que vous viendriez, dit-il en regardant Munke, sans prêter attention à Lindell. Asseyez-vous, je vous en prie.

Un silence gênant s'établit, avant que Munke ne prenne la parole.

– On a découvert des trucs pas très clairs, dit-il d'une voix triste dans laquelle il ne restait rien de sa combativité matinale.

– Ah bon, c'est remonté à la surface, dit Andersson en hochant la tête. Vous voulez prendre quelque chose ?

Lindell et Munke secouèrent tous deux la tête.

– Tu connais Lund, reprit Munke. Mieux que quiconque. Alors, qu'est-ce qui s'est passé ?

Lindell nota qu'Andersson pesait soigneusement ses mots avant de répondre. Il se balança dans le hamac où il avait pris place en fixant de ses yeux d'un bleu profond l'appentis d'où il était sorti, puis Munke. Le soleil éclairait la moitié de son visage et Lindell voyait un tout autre homme que le vétéran en uniforme de la Sécurité publique.

– Qu'est-ce qui s'est passé ? Je ne sais pas au juste et, pendant un certain temps, je n'ai pas voulu le savoir.

– Mais tu as changé d'avis ? demanda Lindell.

Andersson parut s'apercevoir soudain de sa présence et la regarda. « Ne viens pas me raconter les salades habituelles, à savoir que tu patrouillais déjà à bord d'une voiture radio alors que je portais encore des couches », pensa-t-elle, irritée de sa lenteur à en venir au fait et de son sourire mielleux.

– Pas vraiment, mais je comprends que c'est tellement pourri, tout ça, que ça ne peut finir que par apparaître au grand jour.

– Lund et toi vous êtes comportés en authentiques racistes, au Birger Jarl, ce soir-là.

– C'est votre version des choses, argua-t-il.

– J'ai parlé aux agents de sécurité.

– Nous, on le fait chaque fois qu'on est de service.

– Parlons de Drottninggatan alors, dit Lindell, soucieuse d'éviter des arguties inutiles. Pourquoi en êtes-vous partis sans rien dire ? C'est ça, l'essentiel.

– Je ne sais pas, répéta Andersson, c'est Lund qui a voulu.

– Et tu n'as pas protesté ?

– Il te tient, n'est-ce pas ? Comment ?

La question de Munke s'abattit telle un coup de fouet. Lindell comprit soudain. Andersson sourit à son supérieur, comme pour lui montrer qu'il appréciait ses facultés de déduction. Cette impression se renforça encore quand il détourna le regard en direction de Lindell. Son sourire changea de nature et prit un air de raillerie.

– Björklinge, 1997, se contenta-t-il de dire.

Munke hocha la tête.

– Vous vous souvenez ?

Nouveau hochement de tête.

– Pas moi, fit observer Lindell.

Andersson la fixa des yeux et elle eut du mal à le supporter. On aurait dit qu'il avait capitulé. Sa mine tantôt triste, au désespoir et au bord des larmes, tantôt souriante et presque gaillarde, trahissait un esprit partagé et bien incertain. Lindell, pour sa part, commençait à se demander sur quoi déboucherait cette conversation. Cela l'inquiétait et elle préféra détourner les yeux pour regarder Munke. Ce dernier restait immobile, mais la sueur s'accumulait à la lisière de ses cheveux.

– C'était un samedi soir de juillet. On a reçu un appel, ce qui n'avait rien d'inhabituel. Un groupe de jeunes était en train de faire du bazar sur une plage, à Björklinge. Les voisins nous ont appelés pour se plaindre. Lund et moi avons été désignés pour y aller, et il nous a fallu un certain temps pour arriver, parce qu'on avait autre chose à faire. Ça chahutait, en effet, mais on a estimé qu'il n'y avait pas de réel danger. Lund a demandé aux jeunes de se calmer, de baisser le volume de la sono et ce genre de choses. Pendant ce temps, j'ai fait un petit tour dans le secteur. C'était une belle soirée et le lac était magnifique.

Andersson s'arrêta dans son récit et Lindell se douta qu'il était se remémorait la scène, au bord du Långsjön, moins de six ans auparavant.

– Elle a alors surgi de nulle part, en pleurs. J'ai d'abord cru qu'elle sortait de l'eau, mais ses vêtements étaient secs. Elle avait de longs cheveux blonds et je me souviens que j'ai pensé à Eva, ma femme. On s'est rencontrés alors qu'elle avait seize ans et elle était a peu près pareille, aussi blonde, presque lumineuse. Derrière elle sont arrivés deux gars, deux vrais ploucs pas très futés, qui avaient l'air de venir d'épandre du fumier au volant de leur tracteur. En me voyant, ils ont pris la tangente et disparu. La fille m'a dit qu'ils l'avaient importunée. Elle n'a parlé de rien d'autre que d'importuner.

Andersson se tut. Munke et Lindell attendirent la suite, le premier sachant déjà ce qui allait suivre, la seconde de plus en plus intriguée.

L'image de cette jeune fille au bord de l'eau lui rappela Gräsö. Elle n'ignorait pas quels sentiments se cachaient derrière cela. Tout y était, tous les éléments d'un tableau chargé d'érotisme : la douce soirée d'été, l'eau, les corps, des cris d'oiseaux dans le lointain, des moustiques qui bourdonnaient, l'attente… Elle se doutait pourtant que l'histoire que s'apprêtait à raconter Andersson n'allait rien avoir d'idyllique et elle n'eut donc aucune peine à refouler l'image d'Edvard et de ce qu'ils avaient vécu à Gräsö.

– Bref, on a parlé aux gars, les choses se sont calmées et on est repartis. Mais, pas très loin de là, la fille est sortie des fourrés et s'est placée en travers de notre route. Je suis descendu pour lui parler.

– Qu'est-ce qu'elle voulait ?

– Qu'on la ramène chez elle.

– Et tu as refusé ?

Andersson hocha faiblement la tête.

– On avait autre chose à faire, reprit-il et Lindell comprit que c'était faux.

Andersson se tut à nouveau. Munke le regarda d'un air surpris.

– Elle a été violée, finit-il par dire d'une voix atone. Par trois fois. Et rouée de coups.

Le visage d'Andersson devenait de plus en plus pâle, de minute en minute.

– Ils lui ont enfoncé une branche d'arbre dans l'anus, poursuivit-il impitoyablement, avant de pousser un grand soupir et de tourner le regard vers la maison.

– Je me suis entretenu avec les parents, dit Munke en toussant. C'étaient des cultivateurs et la petite était enfant unique. Je ne peux pas dire qu'ils nous aient traités de tous les noms. Au contraire. Ils étaient comme des morts vivants, à côté du lit de leur fille, à l'hôpital.

Lindell se souvint alors de l'événement.

– Elle est morte, n'est-ce pas ?

– Oui, elle s'est jetée à l'eau.

– A-t-elle dit qu'elle se sentait menacée ? Tu as refusé de l'aider alors que tu voyais dans quel état de panique elle était ? poursuivit impitoyablement Lindell.

– Au bout de quelques semaines, j'en ai parlé à Lund, dit ce policier qui allait bientôt cesser de l'être. Je lui ai raconté ce que cette fille m'avait dit. Il fallait que je soulage ma conscience.

Il avait élevé la voix et ses paroles sortaient de son corps tourmenté avec une force plus grande encore.

– Et alors Lund a divulgué ce qui s'est passé ?

Andersson lança un rapide coup d'œil à Munke.

– Non, il est pas comme ça, Ingvar. C'est seulement vendredi dernier qu'il me l'a rappelé.

– Mais il était impliqué, lui aussi.

– Pas comme moi. C'est moi qui ai parlé à cette fille, ce jour-là.

– C'était donc un silence contre un autre.

Andersson acquiesça. Munke se leva et son subordonné le regarda, la peur inscrite dans les yeux.

– Si tu crois que je vais te tuer, tu te trompes, siffla Munke. Je vais te faire subir un autre sort et tu regretteras de ne pas mourir, au contraire. Tu es responsable de la mort d'une jeune fille et tu as fait le malheur d'un couple d'honnêtes agriculteurs jusqu'à la fin de leurs jours. Sais-tu que le père s'est tiré une balle dans la tête, quelques années plus tard ?

Munke s'éloigna à grands pas. Lindell resta assise et observa ce qu'il restait de son collègue. Il avait commis une erreur d'appréciation, sous-estimé le danger menaçant une jeune fille ou, pire encore, avait compris qu'elle risquait d'être maltraitée, voire violée, mais avait refusé de la prendre à leur bord par pure fainéantise.

– Et dans Drottninggatan, qu'est-ce qui s'est passé ?

Andersson continua à se balancer dans le hamac sans répondre.

– N'aggrave pas ton cas, lui dit Lindell, étonnée qu'il reste aussi calme.

– J'ai vu Lund sortir de la voiture, au milieu du chaos, et découvrir quelque chose, mais je ne sais pas quoi.

– Il a pénétré dans la librairie ?

Andersson hocha la tête.

– Et alors, qu'est-ce qu'il a fait ? Il a dit quelque chose ?

– Non.

Andersson leva les yeux vers Lindell.

– Il a seulement dit qu'il fallait qu'on file.

– Et tu ne t'es pas demandé pourquoi ? C'était pourtant évident que…

– Je lui faisais confiance, coupa Andersson. Et puis je n'avais pas le choix. Ce sera mon Björklinge à moi, qu'il m'a dit. Alors il n'y avait plus qu'à partir.

– Tu n'avais aucune idée de ce qui s'était passé dans la librairie ? Il n'y a fait aucune allusion ?

– Non.

Lindell se leva et se dirigea vers la voiture, persuadée qu'il disait la vérité.

Si le voyage aller avait été marqué par des réflexions d'ordre privé et de rares échanges de propos, le retour à Uppsala se déroula dans le silence le plus total.

Naturellement, Lindell avait déjà vu et entendu parler de collègues ayant commis des fautes dans l'exercice de leurs fonctions, certains avaient même dû quitter la police. Ce que lui avait confié Andersson dépassait pourtant tout ce qu'elle avait connu. Plus ils approchaient de la ville, plus elle était ulcérée. Mais elle savait aussi que ce sentiment est dangereux, car il peut se muer en indifférence.

– Deux salauds de moins, dit soudain Munke.

– Tu veux parler de Lund et Andersson ? demanda-t-elle stupidement.

– Qui d'autre ?

– Lindell et Munke, par exemple.

– Ce n'est pas drôle.

– Il va y avoir une enquête. Jusque-là, on ne peut pas se prononcer.

– Foutaises, lâcha Munke.

Bien sûr que c'étaient des foutaises, elle le savait parfaitement. Si Lund et Andersson devaient rester dans la police, ce serait à Munke et elle de prendre la porte.

Soudain, sans savoir pourquoi, elle vit mentalement des moulins à vent, d'énormes moulins brassant l'air à toute allure, et des grêlons gros comme des boules de neige qui tombaient. Elle finit par comprendre que c'était un rêve qu'elle avait fait qui remontait à la surface et elle chercha un rapport, dans les recoins de sa mémoire, mais ces images disparurent aussi vite qu'elles avaient surgi.

Elle s'éclaircit la gorge. Munke tourna la tête vers elle.

– Direction Gottsunda. Au tour de Lund, maintenant.

Elle tourna à gauche et accéléra dans Fyrislundsgatan.

– C'est limité à cinquante, lui fit observer Munke.

– Je m'en fiche, répliqua-t-elle en accélérant encore.

Ingvar Lund habitait au rez-de-chaussée. Quelqu'un, sans doute sa femme, avait décoré l'entrée en y plaçant des pots de fleurs en terre blanche contenant des pensées de diverses teintes.

– Les couleurs jurent un peu, fit observer Lindell.

Munke ne jugea pas bon de commenter cela et Lindell eut d'ailleurs l'impression qu'il n'avait ni vu ni entendu, tant son attention était concentrée sur la porte. « Maj-Britt et Ingvar Lund », était-il marqué en lettres calligraphiées sur une plaque de bois vernie.

Munke alla sonner sans hésiter une seconde. Lindell resta quelques mètres derrière lui, par mesure de sécurité. Et s'il gardait son arme de service chez lui, s'était-elle dit. Ce serait bien sûr contraire au règlement, mais Lund n'était pas homme à trop se soucier…

À ce moment, Munke marmonna quelque chose en appuyant de nouveau son gros doigt sur la sonnette.

– J'ai horreur de ces boîtes à musique, dit-il.

Les persiennes étaient tirées. Lindell commençait à perdre espoir et à envisager de revenir, lorsque la porte s'ouvrit prudemment. Un souvenir datant de l'époque de sa formation se présenta de nouveau à son esprit. Il s'agissait d'une contre-attaque des forces de l'ordre lors d'une manifestation menaçant de dégénérer en bagarres.

Pourtant, Maj-Britt Lund avait l'air de tout sauf d'une manifestante. Car c'était un visage bien pâle et las qui s'encadrait dans l'ouverture de la porte.

– C'est vous, Holger ? Il est arrivé quelque chose ?

– Non, répondit Munke. Ingvar est là ?

La femme secoua la tête.

– Je travaille, ce soir, alors j'essayais de faire une petite sieste.

– Est-il rentré à la maison depuis ce matin ?

– Qu'est-ce qui s'est passé ?

– Rien !

Lindell se retourna, se demandant si Munke n'était pas en train de devenir fou. Passe encore de se laisser aller à la colère entre collègues mais, en public, c'était déplacé.

– Je m'attends toujours au pire, lâcha la femme en crachant soudain devant la porte, à cinquante centimètres de Munke et quelques-uns seulement d'un pot de pensées.

– Où peut-il être ?

– Je ne sais pas, moi. S'il n'est pas à la maison, c'est qu'il est au boulot. C'est comme ça, en général, non ? Vous êtres bien placé pour le savoir.

– Avez-vous une maison à la campagne ?

– Ah ça non ! Vous le voyez en train de se prélasser ?

– J'attends que vous me fournissiez des indications, fit Munke, perdant définitivement patience.

– Peut-être chez Stickan. Ingvar lui donne parfois un coup de main. C'est pas le boulot qui lui manque, lui.

Lindell perçut la note de satisfaction dans sa voix, en disant cela. Son mari et elle n'auraient-ils pas envisagé qu'il quitte la police ?

– Qui est Stickan ?

– Un copain.

– Qu'est-ce qu'il fait ?

– Faut lui demander ça à lui. Je suis pas au courant de tout, vous savez.

– C'est son frère ?

– Non, c'est vrai qu'ils sont aussi fous l'un que l'autre, mais ils sont pas frangins.

Munke la regarda de cet œil qui donnait des sueurs froides à tous les stagiaires.

– Est-ce qu'on peut entrer ?

– Pour vérifier si Ingvar se cache pas derrière mon dos ? Jamais de la vie !

– Espèce de pocharde ! lui lança Munke à la face, avant de tourner les talons.

Maj-Britt Lund éclata de rire et claqua la porte derrière eux. Munke s'immobilisa, baissa les yeux un instant comme s'il envisageait de pénétrer de force dans l'appartement, mais préféra regagner la voiture. Lindell le suivit, quelque peu interloquée par cet échange de propos.

– C'est une de ces sales romanos, dit Munke. Son père était pareil. Les Lindgren, tu les connais, hein ?

Ce n'était pas le cas et pourtant Lindell choisit de ne rien dire et ouvrit la portière.

– Où va-t-on, maintenant ? demanda-t-elle tandis qu'ils quittaient Gottsunda.

– On place l'appartement sous surveillance, dit Munke. Il était peut-être caché à l'intérieur, après tout. Non, rectifia-t-il aussitôt, ce serait étonnant. Ce n'est pas le genre à se planquer chez lui, dans un coin.

– Stickan, suggéra Lindell.

– Son frangin, plutôt, dit Munke. J'appelle Andersson, il doit savoir. Ils font équipe depuis si longtemps, tous les deux.

Chapitre 47
Mercredi 14 mai, 19 h 25

Marie avait décidé de rester quelques jours de plus. Elle avait d'abord pensé aller rejoindre des amis qui fêtaient leurs dix ans de mariage à Koh Samui.

– Laisse-les tranquilles, avait suggéré Edvard.

Ils descendirent au bar de la plage. Tous les jours, une bande de jeunes venait jouer au football sur le sable, en fin d'après-midi. Parfois, des touristes se joignaient à eux, mais ils faisaient piètre figure, à côté de ces Thaïlandais vifs et bien entraînés.

Leur jeu était pureté rare en Suède, estimait Edvard. Cela se passait dans les rires et la bonne humeur, il arrivait même que l'un des adversaires applaudisse lorsque l'autre marquait un but.

Le cuisinier sortit sur la terrasse et regarda la mer. Edvard eut l'impression qu'il s'adressait à une déesse quelconque afin de la remercier pour les poissons qui, en attendant l'heure du dîner, étaient étalés sur une couche de glace, en une sorte de lit de parade.

– Il est beau, dit Marie.

– Il a la mâchoire inférieure qui avance, objecta Edvard.

– Tu es jaloux ? demanda-t-elle en riant.

Edvard préféra prendre une gorgée de bière plutôt que répondre.

Plus tard dans la soirée, après avoir mangé de l'espadon, ils firent l'amour pour la première fois dans le bungalow numéro 11. La chienne noire et blanche était couchée sur la terrasse, comme chaque nuit depuis que les deux Suédois avaient fait connaissance.

Marie portait une culotte blanche qui luisait comme de la soie à la lumière indirecte de la salle de bains. Elle coupa l'air conditionné et but le reste d'eau minérale à la bouteille avec le même naturel que s'ils vivaient et couchaient ensemble depuis des années. Elle ôta sa culotte d'un geste rapide et vint se glisser sous les draps près d'Edvard.

– Tu as les membres fins, dit-il.

– On ne peut pas en dire autant de tous les tiens, répliqua-t-elle en riant.

Elle était couchée sur le dos et il caressait ses cheveux, ses joues et ses épaules, un peu inquiet à l'idée d'être tombé amoureux ou en train de le faire. Il s'étonnait qu'une femme aussi belle et distinguée qu'elle puisse prendre plaisir à faire l'amour avec un plouc comme lui. Il le lui dit et elle leva la tête pour le regarder.

– Tu es un plouc de Lanta, lui dit-elle avec un sourire, et ça me va très bien.

– On est parfaits l'un pour l'autre, alors.

– Tais-toi, lui lança-t-elle en fermant les yeux, et surtout arrête de te sous-estimer.

Il avait eu peur de ne pas être à la hauteur, mais tout s'était bien passé. Il était heureux, peut-être surtout d'avoir été capable de la satisfaire. À supposer qu'elle n'ait pas fait semblant. Il préférait ne pas s'en enquérir. « C'est nul, de demander à une femme si c'était bien », avait déclaré son ami Fredrik. « Si on est obligé de poser la question, c'est que c'était pas terrible. »

« Reste près de moi », implora silencieusement Edvard. Il avait recherché de la compagnie pour se libérer avec l'aide des autres et, dès le premier jour, il avait gagné l'amitié d'une chienne, et maintenant celle d'une femme.

La pensée d'Ann ne l'avait pourtant pas quitté. Elle était présente sinon tout le temps, du moins assez souvent. Il était parfois tenté de comparer Marie avec elle, mais se disait aussitôt qu'il ne devait pas faire cela. Il lui avait simplement cité le nom d'Ann, rien d'autre.

Marie, elle, n'avait pas été avare de détails sur des liaisons qui avaient toutes mal tourné. Edvard n'aimait pas beaucoup cela mais l'avait laissé parler, assez fier de sa largesse d'esprit. Il se disait qu'elle en avait sans doute besoin et, tant qu'elle lui tiendrait compagnie, elle pourrait lui rebattre les oreilles de ce qu'elle voudrait. Car il avait fini par s'apercevoir qu'il avait une peur panique de rester seul, sur cette île, pendant deux semaines, les stigmates de la solitude gravés sur le front.

Il n'avait plus envie, pourtant, de l'entendre parler de ses amours passées, préférant se laisser aller à rêver. Il n'ignorait pas qu'ils devaient tous deux rentrer en Suède, lui à Gräsö et elle à Norrtälje, mais, tant qu'ils étaient à Lanta, il désirait vivre dans l'ivresse de la voix et du parfum d'une femme.

Le plus étrange était la facilité avec laquelle il s'adaptait à Marie. Avec Ann, il s'était souvent demandé que dire et que faire. Marie, elle, ne se souciait pas de son silence et il avait l'impression d'avoir été un peu plus bavard, avec elle. Au cours de leur longue promenade quotidienne, il lui avait parlé avec une fièvre qu'il ne se connaissait plus depuis l'époque où il déployait son énergie au sein du syndicat.

Peut-être était-ce le milieu ambiant qui le détendait ? À moins qu'il n'ait gagné en sagesse ?

Chapitre 48
Mercredi 14 mai, 19 h 30

Ils étaient devant Stigs Golv, la firme de revêtements de sols. Le baraquement était fermé à clé et on ne voyait pas une âme à proximité. En revanche, on entendait des gens travailler quelque part.

Ils entrèrent chez le marchand de pompes. Un homme d'un certain âge leva les yeux vers eux avec un sourire. « Enfin », pensa Lindell.

– C'est pour votre palpitant ? demanda l'homme en arrêtant le compresseur.

– Ça aussi, répondit Munke sur le même ton, mais pour l'instant c'est surtout Stigs Golv qui nous intéresse.

– Vous êtes dans la police ?

– Je m'appelle Ann Lindell, je suis de la Criminelle, et mon collègue Holger Munke est de la Sécurité publique.

– Enchanté, dit l'homme, pour l'instant, en tout cas.

– Comment vous appelez-vous ?

– Ossian Nylund.

– Vous connaissez le propriétaire de Stigs Golv ?

– Bien sûr que je connais Stickan.

– Savez-vous comment on peut le toucher ?

– Essayez son portable. Je crois qu'ils sont encore au boulot. Ils sont toujours en retard sur leurs commandes.

– Qui ça, ils ?

– Eh bien, Stickan et Jöns.

– Jöns Lund ?

Ossian Nylund hocha la tête, ôta sa casquette et la jeta sur un établi d'un geste nonchalant. Lindell lui trouva un air assez juvénile, quoiqu'il ne fût sans doute pas loin de l'âge de la retraite.

– Son frère vient-il ici ?

– Ah bon, vous cherchez un de vos copains. Oui, c'est vrai qu'on le voit souvent aussi, le flic.

– Avez-vous le numéro de portable de Stickan ?

– Il est sur le tableau, là-bas.

Lindell se dirigea vers le tableau en question et trouva la carte de visite de Stigs Golv. Elle tapa le numéro sur son propre portable avec une impatience croissante.

On répondit aussitôt et elle entendit quelqu'un rire, en fond sonore. Lindell se présenta et expliqua qu'elle désirait parler à Jöns Lund. Quelque chose lui disait qu'elle n'était pas loin du but.

Munke la regarda. Ossian, lui, était parti se laver les mains au lavabo, dans un coin de l'atelier. En entendant ce bruit d'eau, Lindell ne put s'empêcher de penser à la mère de Sebastian Holmberg.

Stickan répondait longuement, de toute évidence.

– Pas depuis hier ? demanda-t-elle.

Munke s'approcha d'elle et elle lui adressa un signe de tête. Ossian Nylund les regardait en s'essuyant les mains à un torchon. Soudain, la porte s'ouvrit en coup de vent et tous trois sursautèrent en regardant le lourd battant. Munke alla jeter un coup d'œil à l'extérieur et la referma soigneusement en lançant un regard à Ossian Nylund. Par la suite, le vieux mécano dit à sa femme qu'il avait eu l'impression que ce policier qui avait le même âge que lui cherchait quelque chose dans ses yeux. Il savait que c'était stupide. De quoi aurait-il pu s'agir ? Peut-être fut-ce le sort ultérieur de Munke qui lui remémora ce regard soudain ?

– Eh bien, demanda Munke, une fois que Lindell eut mis fin à la communication.

Elle se tourna vers le mécanicien avant de répondre à la question de Munke.

– Jöns travaille chez Stig depuis onze ans et Ingvar leur prête la main de temps en temps. Mais aujourd'hui, Jöns n'est pas venu au boulot. Stig l'a appelé, chez lui et sur son portable, sans obtenir de réponse. Il vit seul, même s'il a une copine, comme dit Stig.

– A-t-il idée où il peut être ?

– Non, sans ça, il l'aurait appelé là, dit-il. Parce qu'ils sont à la bourre, comme il dit encore.

– Savait-il que cette « copine » s'appelait Lisbet Holmberg ?

– Non, Jöns ne lui a pas fait autant de confidences.

– Bon, comment est-ce qu'on procède, maintenant ? demanda Munke, avant de s'interrompre.

Peut-être s'avisait-il que leur méthode de travail n'avait rien de conventionnel. Un officier de la Criminelle et un de la Sécurité publique partant en ville ensemble, sans rien dire à personne, ce n'était pas habituel.

– On devrait peut-être en parler à Ottosson ?

– Ce serait une idée, dit Lindell, sans pouvoir réprimer un sourire, malgré la gravité de la situation.

– Où habite Jöns ?

– À Gottsunda, pas très loin de chez son frère Ingvar.

– L'un près de l'autre. Mais sont-ils proches, aussi ?

– Stig avait l'air de le penser.

Ossian Nylund toussa pour rappeler sa présence.

– Je vais fermer, dit-il, si vous voulez m'excuser. La journée a été longue.

– Bien sûr, fit Lindell, on s'en va.

– Vous êtes mieux renseignés ?

– Oui, merci, répondit Munke.

– Parfait, conclut Ossian sur un ton de sincérité.

Munke et Lindell rentrèrent à l'hôtel de police. Elle était ravie. Ce genre de jeu de piste, à la recherche d'indices et de personnes, lui plaisait et elle était heureuse d'avoir Munke à ses côtés. C'était pour elle une expérience inédite, qui avait sûrement à voir avec la tension entre Haver et elle, en particulier quant à l'enquête sur la mort violente de Sebastian Holmberg. Elle était en effet persuadée qu'il se trompait. Or, elle aimait bien avoir raison et le fait de pouvoir s'appuyer sur Munke, ce vieux bougre avec qui si peu de gens étaient capables de collaborer, c'était la cerise sur le gâteau.

Aussi ridicule que cela puisse paraître, elle avait le sentiment que son collègue reconnaissait sa valeur et c'était important à ses yeux, beaucoup plus que le fait que Haver et Beatrice trouvent qu'elle avait un peu trop tendance à faire cavalier seul.

Ottosson et Fredriksson étaient en train de parler d'aneth et ce dernier se lamentait.

– C'est à cause des puces de terre.

– Mais ça se reproduit année après année.

– Les sales bêtes, ça a la vie dure, dit Ottosson.

Il avait l'air d'excellente humeur. Fredriksson rassembla les papiers qui avaient motivé sa visite, à l'origine, et quitta le bureau après avoir pincé le bras de Lindell au passage. Elle se retourna, surprise, mais il se glissa dehors sans dire un mot. Elle garda les yeux fixés sur la porte, une fois celle-ci refermée.

– Il a gagné 66 000 aux courses, la semaine dernière, et il vient se plaindre des puces de terre, grogna Ottosson.

– Quoi ? Il joue aux courses ?

– Tu ne savais pas que c'est un flambeur ? Il est membre d'un de ces pools de parieurs.

« Comme on connaît mal ses camarades de travail. Allan Fredriksson, grand ami de la nature et des animaux, sur le champ de courses de Solvalla, je rêve », pensa-t-elle.

– Le plus drôle, c'est qu'il a une peur bleue des chevaux. Qu'est-ce qui vous amène ?

Lindell en eut pour une vingtaine de minutes à tout lui raconter. Ottosson resta imperturbable, tandis que Munke faisait grise mine.

– Nous venons demander que les frères Lund soient placés sous surveillance, conclut-elle. Je désire aussi qu'Andersson soit convoqué et qu'on le cuisine encore un peu. Il en sait peut-être plus, même si je crois qu'il nous a dit la vérité.

Ottosson consulta du regard Munke, qui finit par hocher la tête.

– On est à court d'effectifs, objecta Ottosson, comme Lindell s'y attendait. Sammy et un escadron de collègues sont sur les traces de l'inconnu à queue-de-cheval. C'est peut-être une fausse piste, mais c'est la seule qu'on ait.

– Et Jöns Lund est tout ce que j'ai, moi.

Elle vit sur le visage d'Ottosson qu'il n'était pas d'accord avec elle : ils avaient aussi les aveux d'un assassin.

– Le sang qu'on a trouvé sur la veste de Marcus est celui de Sebastian, le labo a enfin daigné nous en aviser, après avoir battu tous les records de lenteur.

– On s'en doutait déjà, dit Lindell, mais, quoi qu'il en soit, il faut qu'on sache exactement ce qui s'est passé dans Drottninggatan et comment c'est arrivé.

– À moins que tu n'estimes qu'on doive totalement dédouaner Lund et Andersson sur ce point, fit Munke.

– Non, répondit Ottosson, surtout pas, mais je ne veux

pas non plus qu'on marche sur les traces les uns des autres, ajouta-t-il non sans une certaine solennité.

– Sandemose*, dit Munke. Ça, c'est un écrivain, ajouta-t-il en voyant la mine de ses collègues.

– Ah bon, soupira Ottosson. Je croyais que c'était un gars de la Sécurité publique.

Munke ne put que sourire.

* Allusion à *Un fugitif revient sur ses pas,* ouvrage célèbre du Norvégien d'origine danoise Aksel Sandemose (1899-1965), inventeur de la célèbre « loi de Jante ».

Chapitre 49
Mercredi 14 mai, 20 heures

Ljungberg et Sammy furent relevés à 20 heures. Il ne s'était rien passé d'intéressant dans la boutique à l'angle de Ringgatan et de Börjegatan, et on n'y avait surtout pas vu la moindre queue-de-cheval.

Sammy commençait à perdre espoir. Il s'était amusé à appeler au téléphone le gérant de toutes les associations de propriétaires qu'il avait relevées dans l'annuaire. Sur les quatorze possibles, il avait réussi à en toucher la moitié, et de nouveau fait chou blanc. Tous s'étaient montrés très aimables, mais aucun d'entre eux ne se souvenait de quelqu'un à queue-de-cheval.

– En revanche, on a une bonne femme qui embête ses voisins en faisant du prosélytisme pour son Église, dit l'un d'eux, tandis qu'un autre se plaignait des jeunes qui jouaient au ballon sur les pelouses.

« Les temps changent, mais pas les gens », pensa Sammy.

Ljungberg devait aller aider un de ses parents à réparer un moteur de bateau et Sammy rentrer chez lui. Pourtant, il avait du mal à chasser cette queue-de-cheval de ses pensées.

Il appela l'homme de permanence, Berra Edquist, et apprit ainsi qu'il y avait eu de nouveaux affrontements, en ville, entre jeunes immigrés et Suédois. L'action conjuguée de la municipalité, des autorités scolaires et de la police avait sans doute produit certains effets, mais le moindre incident pouvait mettre le feu aux poudres, dans une situation qui restait toujours aussi tendue. Une famille d'origine libanaise avait été insultée et le père avait répondu en allant frapper un garçon de quinze ans en pleine rue. Il avait été placé en garde à vue et arguait qu'il n'avait fait que défendre les siens. « J'ai survécu aux bombardements de Beyrouth, avait-il dit, mais je refuse que mes enfants soient accusés de choses dont ils sont innocents. »

– On ne peut pas lui donner tort, commenta Edquist.

– Pas de nouveaux tracts ?

– Pas à ma connaissance.

Sammy le remercia pour ces renseignements et mit fin à la communication. Il enfila Ringgatan, Vindhemsgatan puis Eriksgatan. Une jeune fille arriva alors en face de lui, en zigzagant sur son vélo. Trois gros sacs de provisions étaient accrochés à son guidon. Elle en descendit devant une maison verte près de laquelle la voiture de Sammy était garée.

– Pas facile, dit-il.

La jeune fille lui sourit mais ne répondit pas. Elle décrocha les sacs et appuya le vélo contre le mur.

– Tu n'aurais pas vu un type à queue-de-cheval, dans le secteur ? lui demanda Sammy.

– Tu es dans la police ? demanda à son tour la jeune fille après avoir hésité un peu, l'air gênée et en même temps curieuse.

Sammy hocha la tête avec un sourire et elle posa ses sacs par terre.

– Y a un type qui passe souvent par ici. Un jour, il a cueilli des prunes dans l'arbre du jardin d'enfants. Ça m'a vraiment mise en colère. Elles n'étaient même pas mûres.

– Le prunier du jardin d'enfants ?

– Oui, dit la jeune fille en le lui montrant du doigt, derrière son dos.

Il se retourna et vit un prunier dont les branches, couvertes de futurs fruits, débordaient sur le trottoir.

– C'était l'année dernière, se hâta-t-elle d'ajouter.

– J'ai bien compris, dit Sammy. Tu ne l'as pas vu cette année ?

– Si, je le vois souvent. Je suis élève de Tiundaskolan.

– Tu sais où il habite ?

Elle secoua la tête.

– Non, mais c'est sûrement pas loin d'ici.

Sammy eut un sourire.

– Merci, c'est bon à savoir.

Soudain, l'adolescente prit un air gêné.

– Je voudrais être dans la police, moi aussi. C'est dur ?

– Non.

– C'est dangereux ?

– Parfois. Mais c'est une bonne idée. On a besoin de filles qui sachent ouvrir l'œil.

Elle lui sourit, reprit ses sacs et disparut par la porte de l'immeuble. Sammy la regarda, soudain persuadé qu'il allait mettre la main sur l'incendiaire.

Il monta dans sa voiture, appela Angelika et lui annonça qu'il serait à la maison un quart d'heure plus tard.

Ann Lindell était allée faire des provisions, elle aussi, et passée chercher Erik chez Tina et Rutger. Elle était au milieu de sa cuisine, découragée, lorsque le téléphone sonna. Elle regarda sa montre et décida de ne pas répondre. Si c'était pour le travail, on ne tarderait pas à chercher à la toucher sur son portable. Si c'était sa mère, elle la rappellerait plus tard.

Dans la salle de séjour, Erik jouait les hélicoptères. On leur avait lu un livre sur les avions, à la crèche.

– Tu as faim ? lui cria Ann, sachant fort bien qu'il ne répondrait pas.

À le voir si peu bavard, elle s'était mis dans l'idée qu'il avait des difficultés pour parler. Le personnel avait été ébahi, lorsqu'elle avait évoqué cela. Là-bas, il n'arrêtait pas de causer, apparemment.

Elle ne prit pas de risques et décida de faire des spaghettis pour le dîner. Pendant que l'eau chauffait, elle s'assit à la table de la cuisine, où traînaient encore les restes du petit déjeuner et le journal du matin qu'elle n'avait pas eu le temps de lire. Elle le déplia, de façon presque machinale, lissa les pages de la main et parcourut rapidement les titres, avant de le reposer brusquement en entendant le couvercle de la casserole commencer à danser.

Elle pensa à Ingvar Lund. Où était-il ? Une seconde visite à son domicile n'avait donné aucun résultat. Idem chez Jöns, son frère. Personne n'ouvrait. S'il n'avait tenu qu'à elle, ils auraient forcé la porte. Mais aucune charge ne pesait contre lui, à vrai dire, et elle n'aurait donc eu aucune chance d'obtenir un mandat pour cela.

D'après la préfecture, Jöns Lund possédait une Mazda blanche vieille de six ans. Lindell avait fait personnellement le tour des parkings situés près de chez lui ainsi que de celui, immense, autour du centre commercial de Gottsunda. Pas de Mazda blanche.

– ... gettis, vint lui dire Erik.

– Oui, c'est ça, on va manger des « gettis », dit Ann en arrachant un morceau d'essuie-tout et se penchant sur lui.

– Souffle, lui dit-elle, et il se moucha bruyamment.

« Pourvu qu'il n'ait pas attrapé un rhume », pensa-t-elle. Puis elle alla décrocher le téléphone et appela la permanence.

– Salut, c'est Ann Lindell. Comment ça va ?

La ritournelle habituelle. De nouveaux incidents en ville mais rien de grave. Sammy et Ljungberg étaient revenus bredouilles. Une voiture de police était tombée dans le fossé à Alsike. Pas de blessé et l'animal qu'ils ont évité est indemne lui aussi, ajouta Edquist, moqueur.

– Écoute-moi, lui dit Lindell, très sérieuse.

– Je t'écoute, répliqua Edquist.

– Ingvar Lund, tu le connais, hein ? Tu l'as vu ?

– Non, j'aurais dû le voir ?

– Peut-être pas mais, si oui ou si tu entends parler de lui, appelle-moi chez moi. Même au milieu de la nuit.

– Il est trop vieux pour toi, lâcha Edquist.

Elle fut très contrariée de cette remarque, sans rien laisser paraître.

– Et toi, quel âge as-tu ? répliqua-t-elle en regrettant aussitôt de tomber dans son jeu.

– Moi, je suis trop fatigué, ricana Edquist.

Maintenant, tout le monde allait savoir que Lindell était à la recherche de Lund et, naturellement, se demander pourquoi. Le lendemain matin, une demi-douzaine de théories, au moins, seraient en circulation dans la maison. Mais peu lui importait, bien que Munke et elle aient décidé d'adopter un profil bas, en attendant.

– ... gettis, répéta Erik, dans ses jambes.

– Oui, oui, tu vas bientôt les avoir, tes « gettis », lui dit-elle en le prenant dans ses bras. Viens, on va mettre la table.

Et pourquoi pas un verre de vin rouge ? Ce n'était peut-être pas une bonne idée, car elle serait facilement tentée d'en prendre un second.

Chapitre 50
Mercredi 14 mai, 20 h 35

Ali dormait profondément, en chien de fusil, ce qui ne l'empêcha pas de se gratter le visage en sentant une bestiole ramper dessus.

Il rêvait de Hadi et voyait son grand-père marcher au milieu de rangées interminables de citronniers ployant sous les fruits. Il marchait sans trêve et apparemment sans but précis, sur cette immense plaine dont on ne voyait l'extrémité que sous la forme de montagnes couvertes de neige, au loin.

– Je rentre au pays, disait-il.

Il avançait d'un pas tranquille en brandissait sa canne et Ali comprit que quelque chose lui avait redonné des forces. Peut-être cet homme était-il son grand-père alors qu'il était jeune, ou bien la vue de ces beaux citrons jaunes le mettait-elle de bonne humeur.

– Le soleil dépose ses bijoux dans les arbres, dit le grand-père.

Il disparut dans le lointain et Ali sut alors qu'il ne le reverrait plus. Il tenta de courir pour le rattraper mais ses jambes refusèrent de le porter. Il parvenait à se mettre debout et pourtant, dès qu'il voulait faire un pas, ses jambes se pliaient sous lui.

Le visage contre ce sol sec et pierreux, il vit son grand-père s'éloigner et disparaître dans le lointain, avant de se réveiller en sursaut. Il sentit un scarabée sur sa joue et le chassa d'un geste de dégoût. Puis, pas encore totalement sorti de son rêve, il se mit sur son séant et observa les arbres autour de lui. Il n'aurait pas été étonné de voir son grand-père arriver à pied sur les rochers plats.

Lentement, la réalité s'imposait à lui. Il avait froid et faim. Avant de se lever, il fit un tour d'horizon. Le silence régnait, il faisait encore jour mais il comprit qu'il devait être tard. Pour la troisième ou quatrième fois, il chercha son portable dans ses poches, avant de se souvenir qu'il l'avait laissé à la maison.

Le soleil s'était caché derrière les arbres et le froid pénétrant le fit grelotter. Il sortit du trou dans lequel il avait dormi et fit quelques pas hésitants, sans savoir quelle direction prendre. Il tenta de se rappeler par où il était arrivé mais se rendit vite compte qu'il lui faudrait beaucoup de chance pour repartir par là. Était-ce une bonne idée que de tenter de retrouver la ferme, d'ailleurs ? Le poseur de moquette était peut-être à l'affût quelque part sur le chemin qui y menait. Ne serait-il pas plus prudent de s'enfoncer encore un peu dans la forêt ?

La fraîcheur du soir lui fit presser le pas. Il décida de prendre la direction du soleil couchant et marcha pendant un quart d'heure. Il avait des tiraillements d'estomac et ses pas se faisaient de plus en plus hésitants. Soudain, il s'arrêta et se mit à pleurer.

Ce n'était pas juste. C'est Mehrdad qui aurait dû être obligé de marcher dans la forêt. Pour sa part, il devrait être assis à la table de la cuisine et écouter son grand-père bavarder et Mitra poser des questions. Plus jamais il ne se plaindrait qu'elle s'inquiétait trop à son sujet. Plus jamais...

Il dressa la tête en entendant le ronronnement d'une machine ou d'un tracteur, au loin, monter vers lui par vagues. Il se mit à courir en s'arrêtant par moments pour prêter l'oreille. C'était par ici, non, plutôt par là. Il ne parvenait pas à décider dans quelle direction aller, mais ce bruit lui redonnait forces et espoir.

Il continua à marcher. En tenant toujours le même cap, à savoir le point où le soleil se couchait, il ne courrait pas de risque de tourner en rond. Car il avait entendu dire que c'était souvent ce que faisaient les gens égarés. Au bout de quelques minutes, il entendit à nouveau le bruit, un peu plus fort cette fois. Il monta sur une petite butte et, de là, il entrevit une ouverture dans la végétation. Un champ.

Il redescendit pour continuer son chemin en trottinant, et c'est avec un immense sentiment de soulagement, comme s'il avait trouvé la sortie d'un labyrinthe dans un cauchemar, qu'il sortit de la forêt et sentit l'herbe sous ses pieds.

Il se laissa tomber sur le sol humide. Le bruit du tracteur avait cessé mais, de l'autre côté d'un talus, il apercevait un chemin de campagne qui allait se perdre entre des hauteurs, à l'horizon. Il menait forcément quelque part et il décida donc de le suivre.

Au bout de dix minutes de marche, il vit une ferme qu'il reconnut aussitôt, en particulier du fait de sa haute tour. C'était celle d'Arnold et de Beata, et il en pleura de joie.

Il ne voyait personne, de l'autre côté du champ qui le séparait de la ferme, et il n'y avait pas de lumière aux fenêtres. Il se mit à marcher dans cette direction, mais s'arrêta au bout de quelques mètres, prenant soudain conscience qu'il s'exposait à découvert. Si le poseur de moquette était aux aguets, il le verrait aussitôt. Il revint donc sur ses pas en courant et se tapit dans le fossé.

Il était tellement en colère de devoir attendre qu'il frappa le sol avec les mains. Des yeux, il cherchait à s'orienter dans ce paysage qui s'obscurcissait de minute en minute. Il perçut alors un bourdonnement, scruta les environs mais ne vit rien. Qu'est-ce que cela pouvait bien être ? Le bourdonnement cessa puis reprit, un peu plus insistant et semblable au bruit d'une roue pivotant rapidement. La peur commençait à s'insinuer en lui, sous la forme de douleurs dans le ventre.

Ce bruit impossible à identifier, qui faisait penser à la voix d'un fantôme, ne cessait de s'arrêter et de reprendre, et le plaquait un peu plus contre le sol.

Le crépuscule tombait sur le champ et sur la forêt avoisinante, et les ombres envahissaient la ferme. Et toujours ce bourdonnement. Ali aurait voulu crier pour le couvrir. Soudain, il leva les yeux, se souvenant de quelque chose qu'Arnold avait dit à propos d'oiseaux de la mort. C'était ce qu'il avait dit, même s'il n'y croyait pas. Ah non, c'était Beata, sa femme, qui en avait parlé et qui avait dit que, s'il se posait sur le toit d'une maison, c'était le signe que quelqu'un allait bientôt mourir.

Ali n'osait plus regarder car, si l'on voyait une sorte de trou dans les ailes de l'oiseau, on risquait de devenir fou, Beata avait dit cela aussi. Arnold avait éclaté de rire et Ali n'avait pas attaché foi à ses propos, qui lui rappelaient son grand-père voyant des signes partout. Mitra qualifiait cela de superstition et pourtant Ali avait remarqué qu'elle croyait en ces signes, elle aussi. Un jour, il avait posé une paire de chaussures neuves sur la table de cuisine et sa mère avait poussé les hauts cris, non pas à cause de la saleté, puisqu'elles étaient neuves, mais parce que cela portait malheur, selon elle.

Il tenta de se remémorer le nom de cet oiseau, qui volait au-dessus de sa tête en causant ce bourdonnement. « Va-t'en au diable », se dit-il, en regrettant aussitôt cette pensée, car il portait sûrement malheur d'irriter cet oiseau.

Soudain il se rappela son nom : l'engoulevent. Il y avait le mot vent, dedans, sans doute à cause du bruit. Il aurait aimé être comme Arnold, qui prenait à la légère tout ce qu'on en disait. Il prétendait même qu'au printemps il sortait dans la nuit pour l'entendre.

Toujours ce bourdonnement. Beata, elle, était allée jusqu'à affirmer que les œufs de cet oiseau étaient dangereux et que celui qui les touchait devenait aveugle.

La nuit, le temps de l'engoulevent, approchait. Ali se mit debout et le bruit se renforça encore. Il se dit que ces oiseaux le détestaient sans doute, car ils devaient être plusieurs. Il s'attendait maintenant à être attaqué d'en haut et se mit à courir vers la ferme plié en deux, toujours poursuivi par ce bruit de roue qui ne cessait de tourner.

Il ne savait pas quel aspect ils avaient mais pensait qu'ils devaient avoir de puissants becs, un peu comme ces vautours qu'il avait vus dans une émission à la télévision. Il pressa le pas, trébucha, tomba sur l'herbe humide et resta allongé sur le sol. Il vit quelque chose briller, au-dessus de lui. Était-ce un œil ? Un bec ? Passaient-ils à l'attaque ? Il tenta de se mettre debout mais constata que ses jambes refusaient de le porter. Il se recroquevilla alors et se protégea la tête en criant et sanglotant. Il ne fallait pas qu'ils lui crèvent les yeux. Mais il les sentait tout proches, en train de bourdonner au-dessus de lui en guettant le moment favorable pour lui planter leur bec et leurs griffes dans le corps.

Arnold Olsson prit l'enfant dans ses bras pour le ramener à la ferme. Près de la clôture, Beata lui criait quelque chose mais il ne l'entendait pas ou n'avait pas la force de répondre, sous l'effort qu'il devait déployer et qui lui coupait le souffle.

Il déposa Ali dans la cour.

– C'est bien lui, le petit immigré, dit Beata, surprise.

– Oui, c'est lui, souffla Arnold.

– Qu'est-ce qu'il fait ici ? Pourquoi a-t-il crié ? Est-il blessé ?

– Je n'en sais pas plus que toi, grogna Arnold. Ouvre plutôt la porte.

– Ce n'est quand même pas lui qui est venu en voiture ?

– Ouvre la porte, je te dis ! Il est frigorifié, ce petit.

Ils le déposèrent sur le canapé de la cuisine et Beata chercha une couverture pour le couvrir. Il était conscient mais ses yeux ne voyaient pas. Ils fixaient Arnold, debout près de lui, de leur regard sans expression, tandis que Beata allumait le poêle.

– Comment vas-tu ?

– Les oiseaux…

– Quels oiseaux ?

– L'engoulevent, murmura Ali.

– Quoi ?

– Il a parlé d'engoulevent, expliqua Beata.

– Pourquoi es-tu venu ici ?

Ali ne répondit que par un sanglot étouffé.

– Laisse-le tranquille, dit Beata. Je vais d'abord lui préparer une tasse de thé au miel.

– Tu as vu l'engoulevent ? demanda Arnold en s'asseyant à la table.

Ali répondit d'un signe de tête.

–Y avait un œil qui me regardait, ajouta-t-il.

Beata se retourna, observa l'enfant puis son mari.

– Il faut qu'on appelle, dit-elle. Tu vois bien qu'il est mort de peur, ce petit. Il est à peine capable de parler. Ne l'embête pas avec tes questions.

– Appeler qui ?

– Greger.

Le couple venait en effet de rentrer de chez son fils, qui habitait à un kilomètre de là. Ils étaient allés fêter son anniversaire. Ce n'avait pas été un grand festin, il n'y avait que les frères et sœurs de Beata et d'Arnold et une demi-douzaine de cousins avec leur conjoint respectif.

– Ils doivent être en train de boire, grogna Arnold.

Beata comprit qu'il n'était pas content de ne pas être de la partie.

– D'abord cette voiture et maintenant ce gosse, dit-elle, il se passe des choses bizarres. Qu'a dit la police ?

– Qu'il y avait sûrement une explication très simple.

– Pourquoi ici ? Y a rien, ici. Tu leur as dit qu'on avait été cambriolés ?

– Ce n'est pas vrai, objecta Arnold.

– Pas nous, mais des voisins.

– Arrête de penser à ça.

Pourtant, l'idée de cette voiture blanche chiffonnait Arnold. Elle n'était pas fermée à clé, en plus. Car il avait ouvert la porte pour regarder à l'intérieur. Sur le siège avant il y avait un vieux sac et, à l'arrière, une caisse en bois avec un cadenas.

– Ça y est, j'ai trouvé ! s'exclama-t-il. C'est quelqu'un qui ramasse des œufs et qui vient piller les nids. C'est pour ça que les engoulevents sont en colère. Il essaye de leur voler leurs œufs.

– Alors, il va devenir aveugle, dit Beata. Et il va errer dans les alentours.

– Si on appelait la police, à nouveau ?

Beata approcha de l'enfant, le regarda puis se retourna vers son mari avec un geste entendu de la tête.

Ils passèrent dans le petit bureau et Beata referma soigneusement la porte derrière elle.

– Il est peut-être de mèche avec les pilleurs de nids ? Sinon, comment sauraient-ils qu'il y a des oiseaux pas très ordinaires, ici ? On a parlé des engoulevents quand le petit est venu avec son grand-père, tu te rappelles ? Alors, il a peut-être répété ça.

– Je n'arrive pas à le croire, dit Arnold, mais Beata vit que ses paroles avaient porté.

– Ils se vengent, les oiseaux, maintenant. Son complice est peut-être quelque part par là, criblé de coups de bec.

Arnold regarda sa femme dans la pénombre de la cuisine. Sa voix était toujours la même, depuis quarante ans, mais elle avait, ce jour-là, quelque chose qu'il ne reconnaissait pas et qu'il n'aimait guère.

– On retourne auprès de lui, pour tirer tout ça au clair, dit-il.

Chapitre 51
Mercredi 14 mai, 21 h 10

Gisela Wendel se glissa sous le ruban, sans se soucier de respecter l'interdiction d'accès. Elle tourna le coin du bâtiment et en gagna l'arrière, masquée à la vue tant des choristes que du public. Elle désirait en effet avoir un souvenir de cette manifestation et pour cela prendre une photo à partir d'un endroit où elle pourrait avoir l'ensemble des participants, venus de Suède, des pays baltes et d'Afrique, dans le même plan.

Vus du haut du tumulus est, les deux cent cinquante chanteurs et le public d'un millier de personnes formaient une masse impressionnante. Quelqu'un la remarqua et la montra du doigt. Elle l'ignora, leva son appareil photo et prit un cliché, puis un second.

Elle était très émue par ce spectacle et le fut encore plus lorsque le chœur du Ghana entonna un air parlant de paix et liberté. Les voix de ces femmes retentissaient sur ce paysage historique et leur tenue colorée resplendissait à la lueur du soleil couchant. Jadis, des sacrifices humains avaient été perpétrés, à cet endroit. Maintenant on chantait l'amour de ses semblables, par-dessus les frontières.

Elle aurait aimé rester en haut du tumulus mais estima plus prudent de descendre s'asseoir un peu plus bas, à un endroit où elle était masquée à la vue du public tout en ayant vue sur la scène.

Le chœur ghanéen se retira et un ensemble masculin venu d'Estonie lui succéda. Ces jeunes entonnèrent à leur tour un chant que les Africaines scandèrent de leurs mains en laissant de temps en temps échapper un cri.

Le public battait des mains en rythme, lui aussi, et Gisela était émue jusqu'aux larmes.

À trois cents mètres de là, la voiture de Rickard Molin se glissa entre les bâtiments de Disagården. Il était en nage, au volant. Bosse Larsson descendit rapidement.

– Ici, ce sera parfait.

Molin n'était pas de cet avis.

– On nous voit de la route, objecta-t-il, méfiant.

– Mais non, bon sang. Allez, viens.

– On reste ici, trancha Wolf.

Molin arrêta le moteur, cessant de couvrir le chant.

– C'est fou ce qu'ils peuvent gueuler, commenta Bosse Larsson. C'est plein de nègres, comme d'habitude, vous avez vu ?

– Ta g-gueule, espèce d'i-d'ivrogne, bégaya Molin. Rends-toi plutôt u-utile.

Chargé chacun d'un bidon d'essence, soit quarante-cinq litres au total, ils se frayèrent un chemin vers l'arrière de l'église, à travers l'herbe haute.

– Il a plu, merde, lâcha Larsson.

– Mais non, c'est de la rosée, rectifia Wolf.

Il avait travaillé la moitié d'une saison dans le cimetière de Gamla Uppsala, et ne s'y était pas plu. C'était trop petit et cela manquait d'espace. L'équipe était trop réduite, aussi, et se connaissait trop bien. Or, il aimait être pénard dans son coin. Il éclata de rire. Ce n'était pas le boulot qui allait manquer, ici, en tout cas. Il voyait déjà les véhicules d'intervention labourer les pelouses et les curieux enjamber les haies et piétiner les plates-bandes.

Ils patientèrent derrière les arbres. Bosse Larsson claquait des dents, alors que Molin ne les desserrait pas, lui. Wolf planifiait déjà, dans sa tête, la façon dont ils quitteraient l'endroit.

Il ne voulait surtout pas se faire pincer, car il aimait trop sa liberté. Et ceci n'était que le début. Jamais auparavant il n'avait nourri un tel optimisme. Il savait qu'il n'occuperait jamais un poste de responsabilité, qu'il serait tout au plus à la tête de types du genre Molin et Larsson. Mais il n'en serait pas moins un modèle de dévouement à la cause. Et le nom d'Ulf Jakobsson, dit Wolf, passerait à l'histoire.

Le dernier des choeurs au programme était en train de terminer sa prestation. Wolf dit à ses camarades de s'avancer rapidement, mais prudemment, vers l'église. Il aurait aimé leur crier ses ordres comme un officier, ce qui n'était hélas pas possible. Ils s'exécutèrent, pliés en deux.

– Au feu ! s'écria Gisela Wendel, suffisamment fort pour que sa voix couvre le brouhaha, en dessous d'elle, et que le silence s'abatte sur la masse des spectateurs. Les gens, même ceux qui n'avaient pas compris ce qu'elle avait crié, firent signe de se taire.

L'inquiétude se propagea dans les rangs, quelqu'un se mit à courir, bientôt imité par d'autres. Gisela continuait à crier en désignant l'endroit de la main. Des têtes se tendirent et la panique s'installa en divers endroits. Les membres des divers chœurs partirent dans tous les sens et certains tombèrent dans leur fuite. Un femme poussa un cri : on lui avait marché dessus.

Gisela vit les gens se bousculer en tous sens, comme si une main gigantesque brassait le contenu d'une marmite tout aussi gigantesque. Ceux qui se trouvaient sur le pourtour étaient déjà loin. Une voiture d'enfant chavira. C'était le chaos.

Chapitre 52
Mercredi 14 mai, 21 h 15

Holger Munke triait des papiers. Il était allé chercher un sac-poubelle dans le placard à balais et passait en revue les tas qui s'étaient accumulés non seulement ces derniers temps mais depuis des années et le sac se remplissait à une vitesse qui l'étonnait lui-même.

« Pourquoi ai-je gardé tout ça ? » se demanda-t-il en constatant qu'il devait aller chercher un autre sac. Puis il s'assit à sa table de travail et balaya du regard son bureau, à la fois inconscient de ce qu'il faisait et douloureusement persuadé qu'il tirait un trait sur toute une carrière. Il se leva en se disant qu'il ne fallait pas penser à cela. Ce n'était jamais que des papiers, qu'il jetait, des dossiers entiers qu'il déversait dans des sacs. Il était plus de neuf heures du soir et sa femme l'avait déjà appelé par deux fois. Elle avait pourtant l'habitude de le voir faire des heures supplémentaires et n'était pas sans s'en réjouir, parfois. Car sinon, elle se retrouvait face à face avec un mari bourru et inquiet qui ne songeait qu'à son travail, de toute façon. Autant qu'il reste à l'hôtel de police, dans ces conditions.

En revanche, il était inhabituel qu'elle l'appelle à deux reprises. Il se doutait qu'elle avait perçu quelque chose dans sa voix. « Elle est fine mouche, pensa-t-il, et a tout de suite flairé cela. » S'il plaçait sa femme si haut, parmi les nombreuses personnes qu'il avait rencontrées, c'était pour une seule et unique raison : elle l'avait supporté pendant trente-neuf ans.

Une fois le second sac rempli, Munke descendit à la centrale, où il fut accueilli par Edquist.

– Tout va bien ? s'enquit-il.

– Ouais, fit Edquist. Vous n'êtes pas encore parti ?

– Je fais du ménage, répondit distraitement Munke.

– Comment ça va ? demanda Edquist en l'observant d'un peu plus près.

– Tu es au courant, je suppose.

– Difficile de ne pas l'être.

L'un des téléphones sonna. Edquist décrocha le combiné et prit son stylo avec un soupir. Munke l'observa avec plaisir. C'était un bon élément, qui prenait les gens comme il fallait.

– Vous avez dit Sysslomansgatan ? Combien ?

Il prit note dans son carnet, avec de petits « hum ».

– On s'en occupe, dit-il gentiment en raccrochant.

– Qu'est-ce que c'était ?

– Une femme qui a vu trois exhibitionnistes près de la statue de Finn Malmgren.

– Y a du boulot, dit Munke en jetant un coup d'œil sur le carnet d'Edquist.

Il vit aussitôt le nom, car il brillait comme s'il était écrit en lettres de feu, parmi toutes ces pattes de mouche. Il tira le bloc vers lui au moment où retentissait un nouvel appel. Edquist lui arracha le carnet des mains et resta littéralement bouche bée.

– À l'église, dit-il rapidement, je vois. Y a des gens à l'intérieur ? Les pompiers sont prévenus ?

Il prenait note au fur à mesure, même si ce n'était pas vraiment nécessaire, mais son stylo semblait écrire tout seul. Puis il raccrocha brusquement.

– Y a le feu à l'église de Gamla Uppsala, dit-il, ébahi.

Munke le dévisagea pendant qu'il donnait l'alerte.

– Combien de voitures dehors, ce soir ? demanda-t-il en sachant parfaitement la réponse.

Edquist ne répondit pas, trop occupé à parler avec ses collègues en patrouille. Une fois qu'il en eut terminé avec ces mesures d'urgence, il prit le dossier contenant les numéros de téléphone.

– Je vois le nom de Jöns Lund, sur ton carnet, lui dit Munke. Pourquoi ?

Edquist leva les yeux vers lui, interloqué.

– Vous n'avez pas entendu, l'église de Gamla Uppsala est en train de brûler, vous comprenez ? Le chœur est en flammes, bon sang !

– Je comprends très bien, répliqua Munke, mais je veux savoir pourquoi tu as marqué ce nom sur ton bloc. C'est à quel sujet ?

Edquist baissa les yeux vers ses notes. Il connaissait trop Munke pour prendre sa question à la légère.

– C'est un paysan de Dalby, du côté de Hammarskog,

qui a repéré une voiture sur un chemin de terre et qui pense que c'est peut-être des cambrioleurs.

– Une Mazda blanche ?

– Y a un rapport avec l'incendie de l'église ?

– As-tu son adresse et son numéro de téléphone ? s'obstina Munke en secouant la tête.

– J'ai pas le temps !

– Son adresse et son numéro de téléphone !

– C'est marqué là, vous n'avez qu'à regarder.

Munke arracha le carnet des mains d'Edquist tandis que celui-ci parlait dans deux téléphones à la fois. L'adresse, Solberga Backe, ne lui disait rien.

Il observa un moment Edquist contacter le personnel disponible, demander à certains d'avertir certains autres et informer diverses personnes, en application des instructions en cas de circonstances exceptionnelles. Il s'en tire bien, pensa-t-il, mais il ne manquerait plus que ça.

Normalement, il aurait dû être concerné, lui aussi. Or il se sentait curieusement en dehors du coup. Un incendie dans l'église historique de Gamla Uppsala était un événement qu'on pouvait qualifier de sensationnel et qui aurait des retentissements au-delà de la ville. Pourtant, nul n'en savait encore la gravité, cela pouvait très bien être le fait d'un gosse qui avait trouvé malin de mettre le feu au contenu d'une corbeille à papier.

Munke prit son téléphone portable et appela le numéro qu'il avait relevé sur le carnet. Il laissa sonner sept fois avant de renoncer et de raccrocher.

– Liljenberg est de service ?

– Je ne sais pas, cherchez vous-même, lança Edquist à bout de nerfs.

Munke saisit la liste des numéros des collègues et appela Sven Liljenberg, qui répondit aussitôt.

– Salut, dit-il. Excuse-moi de te déranger, mais tu es de Dalby, hein ? Est-ce que tu sais où se trouve Solberga Backe ?

– Bien sûr, répondit Liljenberg.

Si la question de Munke le surprenait, il n'en laissa rien paraître.

– Et le nom d'Arnold Olsson, il te dit quelque chose ?

– Oui, c'est un paysan du coin. Greger, son fils, et moi

on est allé à l'école ensemble. Il jouait au bandy dans l'équipe de Sirius, ou plutôt de Vesta, il était vraiment…

– Bon, bon, coupa Munke. Lindell et moi, on passe te chercher dans une dizaine de minutes, devant chez toi, pour que tu nous y emmènes.

– On est en train de faire une partie d'échecs, mon frangin et moi, objecta Liljenberg sans grande conviction, car il savait que Munke ne changerait pas d'avis, même s'il recevait la visite de la reine de Saba en personne.

Ils mirent fin à la communication, ou plutôt Munke la coupa pour appeler aussitôt Lindell.

Elle ne répondit qu'à la sixième sonnerie.

– Saute dans ta voiture et passe me prendre. On a localisé celle de Jöns Lund, vide, près d'une ferme à Dalby.

– Mais je ne peux pas laisser mon fils seul.

– Tu n'as pas de voisin ?

– Personne à qui je puisse confier Erik.

– Bon, je t'envoie Asta.

– Qui c'est, Asta ?

– Ma femme. On habite à cinq minutes de chez toi, si tu l'ignores. Elle a souvent joué les baby-sitters, tu peux lui faire confiance.

– Non, c'est impossible.

– Elle est infirmière puéricultrice !

– Ça n'a rien à voir.

– C'est quoi, alors, merde, s'emporta Munke. Tu cales au moment où ça commence à devenir sérieux ?

– J'ai bu du vin.

Chacun savait que Munke était un opposant résolu à la consommation de l'alcool. Il resta une seconde sans rien dire.

– J'appelle Asta. D'accord ?

– Bon, dit Lindell en raccrochant.

– Quand même, murmura Munke.

– Ça brûle vachement, dit Edquist.

– Ça va bouillir, oui, lâcha Munke en quittant la pièce.

Edquist le regarda s'éloigner, incrédule.

Chapitre 53
Mercredi 14 mai, 21 h 35

Jöns Lund sortit des ténèbres. Le vent agitait les branches des vieux arbres fruitiers couverts de mousse. Il s'appuya contre un pommier. Le coup qu'il avait reçu sur la tête l'avait plus étourdi qu'il ne l'avait cru tout d'abord. Le sang avait cessé de couler mais son visage enflé était encore douloureux. Il se dit qu'il devait avoir l'air bien mal en point.

Pendant plusieurs heures il avait erré comme un fou égaré dans la forêt. Ce sale petit gosse avait été plus malin que lui et il se maudissait pour sa bêtise. Il aurait dû le mettre en pièces immédiatement.

Soudain, il vit devant lui le visage de Sebastian. C'était lui et pourtant non. Son nez ensanglanté, ses yeux égarés et sa bouche qui crachait des injures le métamorphosaient. « Ma mère t'aime pas, avait-il hurlé, t'as compris, sale dégueulasse ? Cesse de délirer sur une maison à la campagne, une famille et tout ça. Oublie ça, tu piges ! J'en veux pas, de ta foutue famille. Et ma mère non plus. Tu sais ce qu'elle dit, ma mère : que tu l'as trop petite. »

Puis il avait éclaté de rire, avec la morve qui lui coulait sur le visage, mêlée au sang de son nez brisé. Et il l'avait provoqué en lui donnant de grands coups dans la poitrine.

Pourquoi disait-il ça ? Lisbet l'aimait, elle le lui avait dit.

Il secoua la tête comme pour en chasser le souvenir de la librairie.

Sebastian avait braqué Lisbet contre lui, il en était sûr, en lui racontant un tas de salades. Mais maintenant il était mort et Lisbet n'avait personne d'autre. Peu importait qu'elle ait rompu. Il savait qu'elle lui reviendrait.

Il se dirigea vers la ferme. La lampe au-dessus de la porte de l'étable répandait sa lueur sur la cour. Il hésita un instant, puis courut se dissimuler derrière un gros frêne qui se dressait devant la maison d'habitation et, de là, scruta les alentours. Il y avait de la lumière aux fenêtres, mais les fleurs et les rideaux l'empêchaient de bien voir à l'intérieur, de là où il se trouvait.

Il approcha encore un peu, en grelottant. « Ils ont peut-être un chien », pensa-t-il. Or il avait une peur bleue des chiens. Une fois près de la fenêtre de la cuisine, il regarda prudemment à l'intérieur. Un homme d'un certain âge, qui avait l'air sous le coup d'une violente émotion, était debout au centre de la pièce et une femme venait se placer à côté de lui. Jöns Lund vit qu'ils parlaient, non l'un avec l'autre mais à une tierce personne, en se tournant vers une partie de la cuisine masquée à sa vue. Serait-ce le gamin qui se serait réfugié chez eux ? S'il était venu là, c'était sans doute qu'il connaissait l'endroit. Sinon, pourquoi serait-il descendu du bus en pleine campagne ?

Lund longea le mur jusqu'à la fenêtre suivante. À l'odeur de thym qui monta vers lui, il comprit qu'il était en train de piétiner une plate-bande de plantes aromatiques. Une fois arrivé, il regarda à nouveau à l'intérieur. Le gamin était allongé sur un lit, en partie caché par une table et recouvert d'une couverture.

– Qu'est-ce que tu faisais là ?

Ali regarda Arnold Olsson. L'air aimable qu'il avait tant apprécié lors de sa précédente visite avait laissé la place, sur son visage, à une colère rentrée et il avait peur que le paysan explose à tout moment.

– Réponds-moi ! Je sais que tu comprends.

– J'étais poursuivi.

– Quoi ?

– Il dit qu'il était poursuivi, répéta Beata en posant le bas sur l'épaule de son mari.

– Et puis les oiseaux sont arrivés. J'ai couru de toutes mes forces, sanglota Ali.

– Vous alliez piller les nids ?

Ali eut l'air de ne rien comprendre.

– Les nids. Là où il y a des œufs, tu sais ce que c'est, les œufs ? expliqua Arnold.

Ali hocha la tête.

– La voiture. À qui elle appartient ?

– Au poseur de moquette.

Les deux paysans se regardèrent.

– L'engoulevent, dit Beata.

– Ça suffit, les histoires, reprit Arnold. Qu'est-ce que tu veux dire ?

– C'est le poseur de moquette qui me poursuivait. C'est un assassin.

Ils le regardèrent avec un surcroît d'étonnement.

– J'appelle Greger, fit Beata.

Au même moment, la porte d'entrée s'ouvrit en coup de vent. Jöns Lund se rendit compte de ce que son visage devait avoir d'affreux en voyant la mine effrayée des deux paysans. Elle ne trahissait pas seulement le choc qui était le leur, mais aussi la répulsion que leur inspirait son visage enflé et blessé, ainsi que la grosse tache brune de sang coagulé sur sa joue.

Ali se mit à crier, imité par Beata, et Arnold ressentit une douleur au cœur. « Je fais un infarctus », pensa-t-il en chancelant et se retenant à la table.

– Vos gueules ! cria alors Jöns Lund en s'avançant vers Beata et la prenant par les cheveux pour la projeter à terre.

Elle sentit une violente douleur à la hanche en même temps qu'elle entendait le bruit de l'os qui se brisait. Arnold tenta d'arrêter Lund dans son geste mais échoua et, au lieu de cela, reçut un violent coup sur la nuque qui le fit basculer sur la table, tête la première, et renverser un vase.

Quelques secondes s'écoulèrent. À travers une brume, Beata, à la limite de l'inconscience, vit le garçon bondir du canapé et la couverture grise voler à travers la pièce. L'homme au visage ravagé se jeta sur lui et il s'ensuivit une mêlée confuse : des chaises furent renversées et l'étagère sur laquelle était posée une collection d'assiettes de Noël se détacha du mur et tomba sur le sol dans un grand bruit de vaisselle cassée. Elle vit son mari tenter de se remettre sur ses pieds puis s'effondrer près de la table. Elle voulut lui tendre la main, mais son bras ne lui obéit pas et elle perdit connaissance.

Jöns Lund avait réussi à saisir Ali par le bras. Il tira vers lui l'enfant qui se débattait frénétiquement et l'immobilisa.

– Je te tiens, petit salaud, dit-il d'une voix haletante.

Il le plaqua sur le sol, face contre terre, lui cogna la tête contre les lames du plancher, se releva et appuya le pied sur sa nuque, de toutes ses forces. Un gargouillis sortit de la gorge de l'enfant. Puis il se pencha, sortit un tiroir de cuisine et fouilla parmi les couteaux, les couverts et les louches. Mais il lui fallut chercher à plusieurs endroits pour trouver ce qu'il cherchait : un gros rouleau de scotch avec lequel il ligota les mains d'Ali derrière le dos. Le garçon gémit et tenta de se retourner, mais son agresseur pressa son genou entre ses omoplates.

– Tu me jetteras plus de pierres à la tête, dit-il.

La plaie qu'il avait à la joue s'était rouverte et il en tâta le bord avec le bout des doigts. L'eau du vase s'écoulait de la table et venait se mêler à son sang, sur le sol.

Puis Lund ligota Arnold, inerte. Il crut un instant que le paysan était mort, mais il poussa un gémissement et ouvrit les yeux.

– Bouge pas, lui ordonna-t-il.

– Beata, eut le temps de marmonner Arnold avant de sombrer à nouveau dans l'inconscience.

Lund jeta un regard en direction de la femme.

– Elle craint rien, dit-il en riant. Je lui ai fermé la gueule.

« Elle est foutue, la bonne femme », pensa-t-il. La tête de Beata formait en effet un curieux angle avec son corps et ses jambes étaient agitées de soubresauts.

Il fit le tour de la cuisine des yeux. On aurait pu croire qu'une trombe s'y était abattue. C'était parfait car, ainsi, on croirait qu'ils avaient été tués par un maraudeur et nul ne ferait le rapprochement avec lui.

Il releva une des chaises et s'assit. Il entendit une pendule sonner, quelque part dans la maison, mais, par ailleurs, le silence régnait.

– On pourrait vivre dans un endroit comme ça, dit-il.

Il les imagina un instant dans cette maison, Lisbet et lui. À condition d'enlever les corps des deux paysans et d'Ali, et de faire un peu le ménage, bien entendu.

Puis il se mit debout, inquiet de Lisbet, justement. Et s'il l'appelait ? Pour lui dire quoi ? Il était persuadé qu'elle reviendrait sur sa décision, mais il fallait lui laisser un peu de temps. Ils étaient heureux, tous les deux. C'était le grand amour de sa vie, la première personne pour laquelle il ait nourri de véritables sentiments.

– Bien sûr qu'on est heureux, dit-il à voix haute.

À ce moment, Ali poussa un gémissement, sur le sol. Lund se pencha, le prit par les aisselles et le traîna à l'extérieur. Puis il revint dans la cuisine pour contempler une dernière fois la scène. L'homme ne bougeait plus. Les jambes de la femme tressaillirent encore une ou deux fois avant de s'immobiliser, elles aussi. « Ce qu'elle peut être moche », pensa-t-il en fermant la porte derrière lui. Et il éclata de rire à l'idée que les deux paysans allaient mourir.

– Il reste plus que toi, dit-il à l'adresse d'Ali, qui gisait dans la cour, et après tout sera comme avant.

Il alla chercher sa voiture, plaça Ali sur le siège arrière en position assise, le dos contre le dossier, et fit ensuite rentrer ses jambes de force. Puis il referma la portière.

Le vent s'était calmé et les étoiles brillaient dans le ciel. Il prit une grande respiration, pour remplir ses poumons d'oxygène, et, l'espace de quelques secondes, oublia où il était. C'était ainsi. Il avait l'habitude. Ses crises de larmes avaient cessé, au moins. Dans l'entreprise de peinture où il travaillait auparavant, il lui arrivait de fondre en larmes de désespoir, à la moindre contrariété. Le contremaître lui avait suggéré de consulter un psy. Le vieux Erlandsson, maintenant à l'asile d'Ulleråker, lui avait dit que c'était normal : on peignait, on pleurait puis on peignait à nouveau. Il aimait mieux poser des revêtements de sol. Il avait parfois le vertige, certes, mais ne connaissait plus de tels accès d'émotivité, au moins.

Il reprit ses esprits, scruta l'horizon et monta dans sa voiture.

Beata Olsson entendit du bruit. Dans son esprit, il ressemblait à celui de la pompe de la laiterie. Elle ouvrit les yeux. Elle avait du mal à voir nettement, car elle avait perdu ses lunettes, mais elle distingua le corps de son mari, gisant sur le sol comme un sac de pommes de terre. Elle parvint à se tourner légèrement, tendre celui de ses bras qui était encore valide et le toucher. Elle crut voir qu'il respirait.

Ses douleurs à la nuque et à la hanche lui arrachaient des gémissements et pourtant elle parvint à se traîner sur le sol, avec une seule pensée en tête : gagner le bureau. Elle était massive, mais des années de dur labeur auprès des bêtes et dans les champs avaient fait d'elle une femme qui ne lâchait pas prise à cause d'un bras cassé ou d'une hanche en compote.

Elle tâta en vain le sol à la recherche de ses lunettes et finit par se dire qu'elle n'en avait pas besoin pour ce quelle voulait faire. Elle trouverait le téléphone, même aveugle.

Elle rampa lentement sur le sol souillé, eut un peu de mal à franchir l'obstacle que constituait le tapis de lirette qui s'était mis en boule et l'écarta donc de son chemin. Puis elle s'accorda quelques instants de repos avant de reprendre sa progression en serrant les dents. Elle ne voulait surtout pas faire de bruit, car le dément était peut-être toujours dans la ferme.

Quant au garçon, plus aucune trace de lui. Qu'avait-il dit, déjà ? Il avait parlé d'un poseur de moquette assassin, non ? Elle ne comprenait pas très bien ce que cela voulait dire mais savait que, si elle ne parvenait pas à appeler du secours, Arnold mourrait.

Il lui fallut une minute pour atteindre le seuil du bureau et elle faillit s'évanouir. Elle avait aussi des nausées qui lui remontaient dans la gorge avec un goût amer.

Le téléphone mobile était placé sur une petite table, juste derrière la porte. C'était Greger qui leur en avait fait cadeau. Arnold avait d'abord trouvé que c'était stupide, un téléphone avec lequel on pouvait se déplacer, disant que ça donnait l'air prétentieux. Il était ainsi, Arnold, méfiant envers toutes les nouveautés. Mais il n'avait guère de respect pour ce qui était vieux, non plus.

Elle tendit la main sans pouvoir saisir l'appareil et comprit que ce n'était plus qu'une question de secondes avant qu'elle ne s'évanouisse à nouveau, car elle avait l'impression que sa hanche s'était détachée de son corps.

Dans un dernier effort de volonté, elle parvint à faire basculer la table, dont le bord vint lui frapper le dos. Elle poussa un cri et le téléphone tomba par terre. Elle tendit alors la main et réussit à le tirer vers elle. D'un index qui ne tremblait pas, elle composa le numéro à tâtons, sur le clavier, presque sans le voir.

– Tourne ici, dit Liljenberg.

Il faisait preuve de nervosité car, au cours du trajet, il avait appris qu'ils étaient à la recherche d'un homme qui avait sans doute à voir avec le meurtre de Drottninggatan.

– Tu es rouillé ? lui demanda impitoyablement Munke.

– Non, répondit Liljenberg, qui était à la Sécurité publique depuis dix ans.

– Tu es fils de paysan ?

– Oui, c'est un cousin qui tient la ferme, maintenant.

– T'as pas de regrets à avoir. Mais c'est vrai qu'avec un peu de fric de l'Union Européenne, ça peut aller, poursuivit Munke avant de se lancer dans un grand discours sur les quotas et les subventions.

Lindell fut étonnée qu'il puisse parler de façon aussi légère et détachée de politique agricole, alors qu'ils suivaient la seule piste pouvant les conduire aux frères Lund. Assise à l'arrière de la voiture, elle tentait de respirer aussi discrètement que possible pour que ses collègues ne perçoivent pas l'odeur du vin. Elle en avait bu deux verres et sentait l'alcool. Munke, lui, conduisait trop vite.

– La nuit commence à tomber, dit-elle.

Asta Munke était arrivée au bout de sept minutes, avait pris possession de l'appartement, examiné sans dire mot Erik profondément endormi et inspecté le biberon prêt à l'emploi, le tout avec l'autorité naturelle à une infirmière mère de quatre enfants, grand-mère de huit petits-enfants et ayant trente-cinq ans d'ancienneté au service puériculture du CHU. « Ça baigne », avait-elle dit.

Lindell avait éclaté de rire et Asta Munke souri pour la première fois. « C'est vrai qu'on emploie des drôles d'expressions, à force », avait-elle reconnu.

La voiture dérapa légèrement et Munke pesta contre l'entretien des routes. Plus ils approchaient, plus le silence s'installait sur le siège avant. Les champs et les prés défilaient de l'autre côté de la vitre et, au loin, on voyait le clocher d'une église. La lumière aux fenêtres des fermes et des maisons offrait un spectacle rassurant.

« Je me demande si le père de Josefin Cederén* vit toujours là », se demanda Lindell en lançant un regard le long de la route qu'elle avait empruntée pour rendre visite à ce vieil homme dont la fille avait été renversée et tuée par une voiture près de l'église d'Uppsala Näs. Cet été-là, elle rentrait tranquillement à Gräsö pour fêter la Saint-Jean avec Edvard, ignorant qu'elle était enceinte d'Erik.

* Voir *Le Cercueil de pierre,* même auteur, même éditeur.

– La prochaine à gauche, dit Liljenberg, la tirant de ses pensées. Greger Olsson, le fils, habite sur la colline.

– Il y a de la lumière, dit Munke. C'est stupide de ne pas lui avoir téléphoné. Quels crétins on fait.

– Parle pour toi, lança Lindell sans pouvoir réprimer un hoquet.

Chapitre 54
Mercredi 14 mai, 21 h 45

Sammy Nilsson et Angelika étaient assis à la table de leur cuisine, devant des brochures d'agences de voyage, et parlaient vacances, lorsque le téléphone sonna. Sammy regarda la pendule, se leva et répondit. Angelika le suivit des yeux, vit sa mine et referma les brochures.

Il raccrocha le téléphone.

– L'église de Gamla Uppsala est en feu, dit-il en filant.

Huit minutes plus tard, il était sur la ligne droite au nord d'Uppsala et, à la hauteur de Lilla Myrby, il vit la lueur de l'incendie. Il n'était d'ailleurs pas le seul, des foules de curieux, attirés par les sirènes des véhicules d'intervention et les flammes qui se reflétaient sur le ciel du soir, se dirigeaient dans la même direction que lui. Il quitta la E4, certain que l'homme à la queue-de-cheval avait frappé à nouveau. Près de Disagården, c'était le chaos. Des collègues étaient en train de barrer l'accès, deux voitures étaient entrées en collision, une Mercedes noire avait enfoncé la clôture et son propriétaire, debout sur le bord de la route, s'en prenait vivement à une jeune femme. Sammy comprit qu'il ne parviendrait pas à passer, sortit de voiture et s'élança vers l'église en courant. Il fit signe à un homme en uniforme et se dirigea vers lui.

– Où en est-on ?

– C'était déjà l'enfer à notre arrivée, répondit péniblement son collègue.

– Bon sang, jura Sammy.

– Mais les pompiers sont venus très vite. Je crois qu'il sera possible de sauver l'église. Bengan est là-bas. Il vient de m'appeler.

Le talkie-walkie que l'homme portait en bandoulière se mit à grésiller et on entendit des voix excitées.

– Des témoins ?

– Je ne sais pas. Excuse-moi, j'ai à faire.

Sammy s'éloigna en courant. Entre les arbres, il vit une nacelle, la lueur des gyrophares et des parcelles de suie qui voltigeaient.

Les dégâts étaient moins graves qu'on pouvait le craindre. La partie nord de l'église était détruite, mais les pompiers semblaient avoir circonscrit l'incendie. Il vit Fredriksson en grande conversation avec le commandant des pompiers et courut les rejoindre. Allan leva les yeux en hochant la tête.

– On a trouvé deux bidons. Mais on a été obligés de les enlever, parce qu'ils étaient contre la façade.

– De l'essence ?

– Sans aucun doute, répondit le pompier.

– Encore un incendie volontaire, dit Fredriksson en hochant pensivement la tête.

– Pourquoi y a-t-il tant de monde ? demanda Sammy.

– Il y avait un festival de chant choral près des tumulus. La fille de ma voisine y participe. C'est une manifestation en faveur de la paix, avec des chœurs venus de tous les coins du monde.

– C'est peut-être un geste de protestation contre ce festival, suggéra le pompier.

– Non, c'est l'homme à la queue-de-cheval qui a frappé de nouveau, trancha Sammy.

Bengan Olofsson approcha. Il s'efforçait d'avoir l'air calme, mais sa mine scandalisée le trahissait.

– On a un témoin, dit-il à bout de souffle en désignant un homme sous un arbre.

Sammy Nilsson se dirigea vers lui et se présenta.

– Je suis de la police d'Uppsala, ajouta-t-il rapidement. Qu'est-ce que vous avez vu ?

L'homme regarda Sammy Nilsson, la peur inscrite sur la figure.

– Je ne sais pas.

– Vous ne savez pas ?

– Je ne suis pas sûr de moi, mais j'ai vu trois hommes sauter dans une voiture parquée près de Disagården. J'ai trouvé bizarre et même inadmissible qu'il y ait une voiture à cet endroit à une heure pareille.

– Où étiez-vous ?

– Je venais de la ville et de mon travail, dit l'homme en

montrant la direction. Je n'allais pas vite, parce que le virage est dangereux. Il y avait beaucoup de monde, sans doute à cause d'une fête quelconque, et j'ai vu trois hommes arriver en courant, monter dans la voiture et démarrer sur les chapeaux de roue.

– De quelle couleur était la voiture ?

– Bleue.

– Avez-vous pu voir la marque ?

– Aucune idée, mais c'était une voiture particulière.

– Dans quelle direction est-elle partie ?

– Vers le passage à niveau.

– Elle a donc tourné à droite ?

L'homme acquiesça.

– Pouvez-vous décrire ces trois hommes ?

L'homme secoua la tête, cette fois.

– Ça s'est passé très vite. Mais ils n'étaient pas du troisième âge, c'est sûr, à voir la vitesse à laquelle ils détalaient.

Sammy releva son nom et son numéro de téléphone avant d'aller retrouver Fredriksson.

– Une voiture bleue, trois hommes qui ont pris à droite en sortant de Disagården, résuma-t-il en sortant son téléphone pour appeler la centrale.

Quatorze minutes plus tard, trois hommes furent arrêtés. Mais pas grâce à la police. Ce fut l'œuvre de Jamil Radwan.

Chapitre 55
Mercredi 14 mai, 22 h 10

Jöns Lund partit vers le sud sans savoir où il allait. Soudain, il fut pris de rage envers ce gamin, sur le siège arrière. Tout était de sa faute. Et de son foutu cousin, ce sale bougnoule qui n'arrêtait pas de chialer et avait même pissé dans son froc avant de mourir.

– Si tu pisses dans ma voiture, tu vas voir, lança-t-il en se retournant.

Ali entendit ce qu'il disait, mais n'ouvrit pas les yeux. Du fond de ses brumes, il comprit qu'il était dans une voiture. Il avait mal dans le dos et à la nuque, et ne pouvait pas vraiment bouger la tête, quelque chose l'en empêchait. Curieusement, il était assez calme.

– Tu te croyais plus malin que moi, hein ? dit Lund.

Il se sentait mieux, maintenant qu'il était sur la route. Soudain, il freina. Il lui était venu à l'idée que les paysans n'étaient peut-être pas morts. Pourquoi ne leur avait-il pas donné le coup de grâce, pour être sûr ? Il arrêta la voiture sur le bord de la route. Le reflet des lumières de la ville formait une sorte de coupole dans le ciel. Jöns Lund se sentit très las. Plus rien n'avait d'importance.

Il entendit Ali gémir, sur le siège arrière, et se retourna.

– Vous avez fait du beau boulot, en ville, toi et tes copains.

– Mehrdad, souffla Ali.

Lund engagea la première et poursuivit son chemin sur la route en terre battue.

– Il commence à sentir, dit-il en riant. C'était vraiment une petite merde. Tiens… qu'est-ce que c'est que ça ?

Plusieurs personnes barraient la route. Il se demanda un instant s'il n'allait pas foncer sur elles, mais préféra ralentir et s'arrêter à quelques mètres des quatre hommes qui se profilaient dans la lumière de la voiture. Il se mit en pleins phares, ouvrit la portière et se pencha à l'extérieur.

– Dégagez le passage, leur cria-t-il, d'une voix si peu assurée qu'elle vira au fausset.

Les hommes s'avancèrent vers lui.

– Sinon, je vous roule dessus.

– Calmos, répondit l'un d'eux.

À l'arrière, on voyait approcher les phares d'une autre voiture et, bientôt, on entendit aussi le bruit de son moteur.

– D'où venez-vous ?

– Ça vous regarde pas, répondit Lund en cherchant son couteau à moquette dans sa poche.

L'un des hommes se détacha du groupe et vint se placer près de l'aile avant gauche.

– Il en a, une tête ! s'exclama-t-il.

– Qu'est-ce c'est ? demanda Munke.

– Une voiture blanche qui est arrêtée sur la route, avec des gens autour, répondit Lindell avec fièvre.

– C'est peut-être un accident, suggéra Liljenberg.

– Ôte-toi de là ! s'écria Lund mais, au même moment, il vit le fusil que l'homme tenait le long de son corps.

Il se rassit brusquement, embraya sèchement et accéléra. Il n'eut pas le temps d'aller bien loin. Le coup de feu claqua dans sa nuque, la balle perfora la vitre latérale, pénétra à la base de son cou et lui traversa l'épaule avant de finir sa course dans le tableau de bord.

Lund tomba vers l'avant, la voiture se mit à zigzaguer et versa dans le fossé, où le moteur cala.

Chapitre 56
Mercredi 14 mai, 22 h 15

Bosse Larsson, Rickard Molin et Ulf « Wolf » Jakobsson vinrent se ranger sur le parking. Wolf n'avait cessé de rire, au cours des quatre minutes qu'il leur avait fallu pour venir de Gamla Uppsala à la mosquée. Pendant le même laps de temps, Larsson avait réussi à écluser deux cannettes de bière. Molin, lui, avait tenté d'exprimer ce qu'il ressentait mais avait dû y renoncer, tellement il bégayait.

Il restait trois bidons d'essence, dans le coffre. De quoi donner la frousse à la population musulmane d'Uppsala. Wolf imaginait déjà le chaos, surtout en termes d'émeutes, qui ne manquerait pas de résulter de leur raid contre deux des sanctuaires de la ville.

– Gare-toi là, derrière, dit-il.

Ils restèrent un instant sans rien dire. Un flot continu de véhicules passait sur Vattholmavägen, car les curieux affluaient encore à Gamla Uppsala. C'était parfait pour eux. Plus ils seraient nombreux à voir l'église en flammes, plus il y en aurait à être révoltés et, comme d'arbre en arbre lors d'un été de sécheresse, la colère se propagerait à travers la ville en une véritable onde de choc.

Et, quand les bronzés constateraient la même chose sur leur église, à eux, la confrontation serait inévitable.

Wolf avait aussi préparé l'étape suivante : distribution massive de tracts et appui aux attaques organisées contre les restaurants et boutiques dont les propriétaires étaient des étrangers. Il fallait absolument provoquer une riposte de la part des bougnoules. C'était un plan d'une simplicité élémentaire qui avait prouvé son efficacité au cours des siècles. L'idée de base consistait à souffler sur les braises de la haine et à accroître le sentiment d'insécurité.

Ils sortirent de la voiture.

– Faut que j'aille pisser, dit Larsson.

– Plus tard, ordonna Wolf, on fout le feu et on se tire.

– J'aime p-pas… commença à bégayer Molin.

Wolf le fit taire d'un regard, ouvrit le coffre et en sortit un bidon.

Jamil Radwan avait grandi dans un petit village près de Bethlehem. Pendant l'intifada, il avait manifesté avec les jeunes de son âge, jeté des pierres, été arrêté un nombre incalculable de fois par l'armée israélienne et avait atterri à cinq reprises derrière les barreaux.

À la différence de la plupart des autres familles du village, chrétiens de Palestine, la sienne était musulmane. Mais ils vivaient côte à côte, jetaient des pierres ensemble et étaient tous révoltés de la brutalité de l'occupation de leur terre. Le père et le grand-père de Jamil possédaient un petit lopin, sur un coteau, où ils cultivaient des oliviers. Cela ne suffisait pas à faire vivre la famille et le père devait donc aller travailler sur des chantiers, à Jérusalem, ce qui constituait une source de conflits entre le père et le fils. Jamil estimait en effet que c'était se mettre au service de l'adversaire que de construire des maisons en Cisjordanie occupée.

Jamil était arrivé en 1998 à Uppsala, où une de ses sœurs vivait depuis plusieurs années. À Bethlehem, il n'avait pas été possédé d'un grand zèle religieux mais, une fois en Suède, il avait été naturel pour lui d'aller à la mosquée, afin d'y rencontrer des compatriotes. On y avait évoqué avec fièvre les événements violents des derniers temps. Et, le lundi, Mohammed, Palestinien originaire d'un camp de réfugiés de la région de Beyrouth et bon ami de Jamil, avait proposé que des volontaires montent la garde sur la mosquée, jour et nuit.

Jamil avait aussitôt approuvé. Non qu'il crût à un danger quelconque, mais pour avoir le sentiment de faire quelque chose avec les autres.

En compagnie de ses huit amis, postés dans la mosquée ou dans des voitures aux environs, il vit les trois hommes se garer sur le parking, ouvrir le coffre de la voiture et s'éloigner en tenant chacun un bidon à la main.

Jamil n'en crut pas ses yeux. Lorsqu'ils tournèrent le coin de la rue, ses amis et lui sortirent de leur cachette et appelèrent Khaled, à l'intérieur de la mosquée. Celui-ci avait d'ailleurs déjà remarqué le manège.

Molin, Jakobsson et Larsson furent totalement surpris

par cette attaque coordonnée, survenant de deux côtés à la fois, et se retrouvèrent coincés contre un mur par neuf hommes armés de rien d'autre que d'une sainte colère. Le silence était total, seulement ponctué par la respiration haletante de tous ces hommes.

Cela rappelait fortement à Jamil la première fois où il s'était trouvé face à face avec des chars et des véhicules blindés.

– Qu'est-ce que vous faites là ? demanda Khaled.

Il était borgne, ayant reçu une balle en caoutchouc dans l'œil.

– On v-va... commença à bégayer Molin.

Larsson, lui, pissait dans son froc tandis que Wolf sortait tranquillement un pistolet qu'il avait glissé sous la ceinture de son pantalon, dans son dos.

– On va jouer à la guerre d'Irak, ricana-t-il.

Molin éclata d'un rire nerveux de hyène.

– Moi, je serais Bush, et vous, des nègres du désert qui sortent de leurs huttes en courant, continua Wolf.

– Range ça, dit calmement Khaled en levant la main.

– Tu rigoles ? T'as chopé un virus quelque part ?

Nouveau rire de hyène.

– Casse-toi, reprit Wolf en agitant son arme.

Jamil baissa les yeux vers le sol et plia les genoux en se tenant à son camarade pour ne pas tomber.

– Tu te trouves mal ? ricana de nouveau Wolf.

Jamil ramassa une pierre, sur le sol, et la serra dans sa main. Elle était lisse, presque circulaire et grosse comme le poing d'un enfant.

Khaled regarda ses amis.

– Vous croyez que c'est à nous de partir ?

Nul d'entre eux ne pipa mot.

Khaled balaya une nouvelle fois du regard ses troupes, dont les membres avaient tous entre vingt et trente-cinq ans. Il pensa à sa femme et à ses deux enfants.

– Tu vois, on se casse pas, c'est à vous de le faire.

Larsson regarda, effrayé, ce Palestinien résolu qui ne semblait pas savoir de quoi Wolf était capable.

Ce dernier ricana de nouveau, avec moins d'assurance que précédemment, cependant.

Jamil serrait dans sa main la pierre humide. Il fit un pas en arrière et se retrouva ainsi partiellement masqué par un de ses amis. Là, il fit mine d'essuyer la sueur de son front, prolongea le mouvement de son bras vers l'arrière et jeta la pierre vers celui des trois hommes qui tenait une arme. Le tout se déroula en l'espace d'une seconde.

La pierre atteignit Ulf Jakobsson au front. Quand il se retrouva sur le sol, il n'était plus lui-même.

Les neuf hommes se jetèrent alors sur les assaillants en poussant un seul cri. Khaled se concentra sur Jakobsson, ramassa l'arme que celui-ci avait laissé tomber et s'assit sans trop de précautions sur sa cage thoracique. On entendit le bruit sec de côtes qui se brisaient. Son cousin Adnan se jeta sur les jambes de Wolf, qui hurla de douleur. Jamil se boucha les oreilles. Il ne supportait pas d'entendre quelqu'un pousser ce genre de cris.

Chapitre 57
Mercredi 14 mai, 22 h 20

Malgré sa corpulence, Munke fut le premier à sortir de voiture pour se précipiter vers la Mazda. La tête de Jöns Lund reposait sur le volant. Le trou d'entrée du projectile n'était pas particulièrement gros mais, en sortant, la balle avait déchiqueté la moitié de l'épaule, réduite à une masse sanguinolente. En chemin, elle avait fracassé la sixième et septième vertèbre cervicale. Jöns Lund ne pourrait plus bouger les bras ni les jambes. Il avait perdu conscience et saignait abondamment. Sur ses genoux, on voyait luire un couteau à moquette.

L'attention de Munke était tellement fixée sur le poseur de moquette que, tout d'abord, il ne remarqua pas Ali, sur le siège arrière. Ce n'est que lorsque l'enfant se mit à gémir qu'il le découvrit. Les jambes serrées contre la cage thoracique, il était assis dans une position bizarre qui évoquait celle d'un plongeur de haut vol.

– Comment vas-tu ? lui demanda Munke.

Ali tenta de se mettre debout mais n'y parvint pas et se laissa retomber avec un cri de douleur.

– Doucement, dit Munke, avec Lindell à ses côtés.

– Liljenberg a donné l'alerte, l'informa-t-elle en braquant sa lampe de poche vers le garçon.

– C'est Jöns Lund, le frère d'Ingvar, déclara Munke à voix basse.

– Il est mort ?

– Non, mais il va avoir des problèmes, s'il n'y reste pas.

– Est-ce qu'on a une boîte de premiers secours, dans la voiture ?

Munke secoua la tête, se leva et observa les hommes qui se tenaient sur la route.

– Qui a tiré ?

– Moi, dit Greger Olsson.

– Posez votre arme.

Olsson obéit et mit prudemment le fusil sur le sol.

– Il faut que je rentre chez moi, dit-il en se mettant à

courir vers la maison de ses parents. Ce salaud-là a failli tuer ma mère et mon père.

– Laisse-le, fit Munke en voyant la réaction de Liljenberg. Il ne s'échappera pas. Occupe-toi plutôt de Lund. Essaie d'arrêter l'hémorragie mais ne le déplace pas, il est blessé à la nuque.

Il se tourna vers les cousins de Greger Olsson. Ils étaient pétrifiés, mais nul n'avait dit quoi que ce soit. L'un d'entre eux était assis sur le bord du fossé, les mains devant le visage.

– Raconte-nous ce qui s'est passé, dit Munke à Ali, tandis que Lindell faisait le tour de la voiture, ouvrait la portière côté passager et se penchait sur le siège arrière.

– Tu étais dans Drottninggatan ?

Ali la regarda. La lampe de poche qu'elle avait posée sur le sol donnait un air fantomatique à son visage.

– Oui, dit-il faiblement.

– As-tu vu cet homme, là-bas ?

– Pas moi, mais mon cousin.

– C'est lui qui a tué Sebastian ?

– Pas Mehrdad. Le poseur de moquette. Mehrdad l'a vu, répondit Ali dans un sanglot. Je veux rentrer à la maison, ajouta-t-il.

– On va te ramener, lui dit Lindell.

La lourde odeur de sang lui donnait la nausée.

– Où est ton cousin Mehrdad, c'est bien comme ça qu'il s'appelle ?

– Il est mort, répondit Ali. C'est le poseur de moquette qui l'a tué.

Lindell sentit qu'il fallait qu'elle prenne l'air. Elle parvint à s'extraire de la voiture et respira profondément à plusieurs reprises. À ce moment, on entendit un bourdonnement, au-dessus des têtes. Elle leva les yeux vers le ciel et comprit d'où il provenait. Peu après arrivèrent deux ambulances, suivies par une voiture de police.

Elle alla s'asseoir au bord du fossé, tandis que Munke s'entretenait avec les cousins.

Greger Olsson trouva son père sur le sol de la cuisine et sa mère inconsciente dans le petit bureau.

Les ambulanciers placèrent Jöns Lund sur une civière

en lui tenant fermement la tête et les policiers aidèrent Ali à sortir de la voiture. Il n'était pas capable de tenir debout et ils durent le porter dans leur bras jusqu'à la seconde ambulance.

Dans l'air tournoyaient les engoulevents. C'était le printemps.

Épilogue
Deux semaines plus tard

Le mercredi 28 mai, dans l'après-midi, Ann Lindell prit son courage à deux mains et appela Edvard Risberg.

Une heure plus tard, elle aurait quatre jours de congés devant elle, à l'occasion du week-end de l'Ascension. « Il est un peu tôt pour se laisser aller à l'euphorie, mais quand même », pensa-t-elle.

Ottosson était passé la voir, ne restant qu'une minute dans son bureau. « Il me connaît bien, on dirait », pensa-t-elle encore, avec un sourire, cette fois. Il avait dû se rendre compte qu'elle était accaparée par quelque chose qui n'avait pas de rapport avec le travail.

Elle se demanda ce qu'il voulait, au juste. Pendant plus d'une semaine, une fois le meurtre de Sebastian Holmberg élucidé et Marcus Ålander libéré, il s'était comporté en vraie mère poule, venant sans cesse la voir dans son bureau et recherchant sa compagnie sous le moindre prétexte. Un moment, elle avait cru qu'il s'agissait de ce cours de formation permanente auquel il voulait l'envoyer mais, plus le temps passait, plus elle était persuadée qu'il avait autre chose en tête et elle était décidée à poser la question, la prochaine fois.

Elle composa le dernier des cinq chiffres du numéro de Gräsö. Edvard répondit à la troisième sonnerie. Elle avait eu le temps de souhaiter qu'il soit sorti, puis de changer d'avis et d'avoir très envie d'entendre sa voix.

– Gräsö, lança-t-il d'une voix allègre.

– C'est Ann, dit-elle en fermant les yeux.

– Ça alors, s'exclama-t-il, madame la Crim' en personne.

Ce n'était pas vraiment l'accueil qu'elle avait espéré.

– Je voulais savoir comment s'est passé ton voyage en Thaïlande, dit-elle en se rendant elle-même compte du peu de conviction qu'elle mettait dans sa voix.

– Très bien, répondit-il de cette voix familière qui avait pourtant des inflexions qui l'inquiétaient.

« Ça ne lui plaît pas que je l'appelle, pensa-t-elle, se sentant prise de panique. S'il m'a appelée, sur Nybron, c'était par impulsion. Cela n'avait rien de sérieux. »

– Il faisait chaud, je suppose.

– Trente degrés environ.

– Magnifique.

Que dire, maintenant, ou plutôt : comment ?

– Tu bosses ?

– Oui, en plein boum.

– Tu es libre, ce week-end ?

Il resta un moment sans rien dire. Ann avala sa salive en serrant le poing, sur son bureau, et le regarda, consciente que la suite de son existence était en train de se décider.

– Oui, on fait le pont. Gotte part pour le Hälsingland.

– Et toi ? Tu as des projets ?

– Je vais à Norrtälje.

Il n'avait encore jamais mentionné cette ville.

– Ah oui, dit-elle d'une voix aussi faible que si c'était son dernier souffle. Qu'est-ce que tu vas faire là-bas ? ajouta-t-elle, se méprisant elle-même de poser la question.

– Voir quelqu'un que j'ai rencontré à Lanta… Et toi ?

– Je vais sans doute faire quelque chose avec Erik, dit Ann en parvenant à peine à garder le combiné à l'oreille.

– Je descends chez Viola. Tu veux que je lui dise bonjour de ta part ?

– Oui, volontiers.

– Eh bien, d'accord. Salut.

– Salut.

– Merde, hurla-t-elle en donnant un grand coup de poing dans son tas de dossiers et faisant voler sur le sol des rapports concernant deux viols et une affaire d'attaque de bureau de poste à main armée.

C'était un magnifique samedi de mai. La vie effectuait un virage sur l'aile, tanguait et prenait un nouveau cap.

Pour sa part, elle n'avait rien d'autre à faire que réparer le désordre, quitter l'hôtel de police et aller chercher Erik à la crèche. Elle claqua la porte derrière elle. Ottosson était au bout du couloir.

– Bon week-end, lui lança-t-il. Repose-toi bien !

Ann le salua d'un grand geste de la main et se dirigea vers l'ascenseur, totalement démoralisée. Il lui vint à l'idée qu'Edvard se vengeait et que son appel téléphonique et sa proposition de venir avec lui en Thaïlande n'étaient que des mises en scène en ce sens. Elle savait pourtant, en son for intérieur, qu'il n'en était rien. Ce n'était pas le genre d'Edvard. Pas du tout.

– Edvard, murmura-t-elle, une fois dans l'ascenseur, en contemplant son visage blême dans la glace, avec le sentiment soudain d'avoir pris un coup de vieux.

« Je veux vieillir avec Edvard », pensa-t-elle. C'était cela, son destin. La veille, avec Ali, sa mère et son grand-père, elle était allée voir Arnold et Beata à l'hôpital et le souvenir de cette visite lui revint à l'esprit. Elle avait été émue jusqu'aux larmes en voyant ce vieux couple assis l'un près de l'autre, sur le lit. Arnold était blême, mais ses yeux pleins de chaleur. Le visage de Beata était amaigri et elle avait perdu l'appétit ; en revanche, la main qui reposait sur le genou de son mari témoignait d'une énergie qui avait sauvé plusieurs vies, non seulement la leur, aussi celle d'Ali.

Mitra et Hadi étaient restés muets quelques secondes, près du lit. Puis Mitra avait tenté de dire quelque chose, mais Beata avait attiré l'Iranienne vers elle, de sa main libre. Ali, lui, sanglotait, caché derrière le dos d'Ann.

Au moment où elle arrivait près de sa voiture, son portable sonna. Edvard aurait-il changé d'avis ? Elle fouilla dans son sac, sortit l'appareil et répondit.

– C'est moi, dit Ottosson et, à sa voix, Lindell comprit qu'il s'était passé quelque chose. Je voulais te dire qu'Asta Munke vient de m'appeler. Holger est mort d'un infarctus. Tu comprends ça ?

Il avait des sanglots dans la voix. Lindell s'appuya contre sa voiture et dut faire un effort sur elle-même pour ne pas pousser un cri.

– J'arrive, dit-elle.

– Non, répondit-il, je préfère être seul.

– D'accord, lui dit-elle en coupant la communication, les yeux dans le vide.

Achevé d'imprimer en juin 2010
sur les presses de France Quercy à Mercuès (France)

Imprimé sur Munken Print White
Papier certifié FSC, issu de forêts gérées durablement

Dépôt légal : première édition, septembre 2010
N° d'impression : 00941/